PC 4385
NAR

LAS PROPOSICIONES CONSECUTIVAS EN ESPAÑOL MEDIEVAL

WITHDRAWN
FROM STOCK
QMUL LIBRARY

COLECCION FILOLOGICA
DE LA UNIVERSIDAD DE GRANADA
DIRIGIDA
POR

GREGORIO SALVADOR

Vol. XXVIII

'382248
'3/4/81

COLECCION FILOLOGICA

XXVIII

LAS PROPOSICIONES CONSECUTIVAS EN ESPAÑOL MEDIEVAL

ANTONIO NARBONA JIMÉNEZ

UNIVERSIDAD DE GRANADA
SECRETARIADO DE PUBLICACIONES
1978

©

UNIVERSIDAD DE GRANADA. LAS PROPOSICIONES CONSECUTIVAS EN EL ESPAÑOL MEDIEVAL. Editado e impreso por el Secretariado de Publicaciones de la Universidad de Granada. Un.Gr.35.78.09. Depósito legal Gr.497.1978. ISBN.84.338.0106.6. 500 ejemplares. *Printed in Spain.* Imprenta de la Universidad de Granada. Hospital Real. Cuesta del Hospicio, s/n.

A MIS PADRES

El presente estudio se presentó como tesis doctoral en la Universidad Autónoma de Madrid en 1975. El tribunal constituido por don Miguel Dolç (presidente), don Fernando Lázaro, don Manuel Alvar, don Rafael Lapesa y don Antonio Llorente, le concedió la calificación de «Sobresaliente cum laude». En 1977 obtuvo el Premio Rivadeneira de la Real Academia Española de la Lengua. Se ha prescindido de parte del material utilizado en la redacción original y se han hecho algunas rectificaciones de detalle.

Manifiesto mi profundo agradecimiento al director del trabajo, doctor don Fernando Lázaro Carreter.

0. INTRODUCCION

0.1. Parece obligado, a la hora de acometer el análisis de una parcela de la sintaxis histórica del español, dar una mínima justificación y exponer los motivos que han llevado a su elección y acotamiento. Nos sentimos, sin embargo, liberados de esa labor justificativa, dada la postergación en que se encuentran tales estudios por parte de los tratadistas de nuestra lengua y su historia.

Son muchas las voces que han denunciado la necesidad de realizar investigaciones parciales y trabajos monográficos en este terreno, pero ninguna más autorizada que la de R. Lapesa, quien, al establecer la tarea que —a su juicio— debe desarrollar una sintaxis histórica, los problemas con los que tiene que enfrentarse y su metodología, se lamentaba del pobre balance con el que se cuenta: «La organización proyectada comprende dos partes: la primera responde, en general, al modelo de la sintaxis histórica que podríamos llamar clásica. Cada fenómeno se estudia en su diacronía, con intento de precisar las circunstancias en que se ha producido, explicar cómo surgió, fijar cronológicamente la vigencia de sus distintas etapas y atender en cada caso al desarrollo de otros fenómenos concomitantes. Una vez que el acervo factual quede así establecido, será posible una segunda parte, que considerará la trabazón de los hechos como realizaciones de las estructuras de un sistema, con las duplicidades o multiplicidades que en cada sector haya habido en cada período [...]. De las dos partes mencionadas, la segunda es la que está más a tono con las tendencias de la lingüística actual y la que ofrece más atractivo a los investigadores de las generaciones jóvenes; pero para emprenderla es necesario que alguien haya hecho antes la primera. *Y eso es lo que nos falta*» (1).

La situación sería más descorazonadora aún si no contáramos con los inestimables trabajos del propio R. Lapesa (2) —y otros—, que han ido apareciendo en revistas especializadas y homenajes como capítulos sueltos de una sintaxis histórica.

Pero sí resulta desolador el panorama por lo que se refiere a la sintaxis oracional en concreto. Sólo las condicionales han recibido un mimo especial por parte de los estudiosos (vid. *Apéndice* y *Bibliografía)*. Fuera de las condicionales, son escasos los trabajos que se ocupan, de forma monográfica, de los diferentes tipos de subordinación, tanto en el plano diacrónico como en el sincrónico: existen artículos de J. Vallejo y de James E. Algeo (vid. *Bibliografía)* dedicados a las concesivas; de las causales se ha ocupado W. Kretschmann (vid. *Bibliografía);* y con poco más contamos (3). Las gramáticas se limitan a repetir clasificaciones —en la mayor parte de los casos de base esencialmente semántica— consagradas por la tradición, a falta de monografías que ayuden a establecer una sistematización de índole sintáctica de las oraciones subordinadas. Los estudios se hacen, como afirma M. Criado de Val (4), sobre simples indicaciones «desprovistas de un fundamento histórico efectivo y sistemático». Los hechos resultan deformados cuando se opera sobre ejemplos aislados, sobre apreciaciones particulares o con la falta de una conciencia lingüística segura. Un discípulo de R. Lapesa, F. Marcos, es realista al afirmar que «pese a existir muchas clasificaciones de las oraciones, no hay ninguna satisfactoria por faltar estudios parciales» (5). En efecto, todo intento de síntesis que no esté afianzado previamente en una extensa labor monográfica puede resultar negativo; y es arriesgado y pretencioso intentar esbozar un planteamiento general sin contar con ella.

Las perspectivas no parecen ser tampoco optimistas, si bien existen algunas tesis, aún no impresas o en elaboración, en este sentido. Al hacer un balance de los últimos estudios lingüísticos en nuestro país, J. J. de Bustos Tovar vuelve a insistir en el papel de cenicienta que la sintaxis histórica sigue ocupando entre las disciplinas lingüísticas (6).

0.2. Con todo, la elección como tema de estudio de las oraciones tradicionalmente denominadas *consecutivas* no se ha hecho sin reflexión. Precisamente porque el vacío es grande, no es disculpable empezar por los huecos menos relevantes. El especial modo en que se ligan, en el período consecutivo, ambas proposiciones constituye una función de interdependencia (función entre constantes) (7), a diferencia de los tipos integrados dentro de la subordinación sustantiva, adjetiva o adverbial, en que existe una función de implicación; y la trabazón es más firme que la que se da en otras oraciones complejas, incluidas las condicionales. El conjunto resulta indestructible sintácticamente, y ello explica que sean muchas las dificultades que su análisis plantea; en contrapartida, los problemas generales de sintaxis que suscita son igualmente numerosos, y afectan incluso a los límites tradicionalmente fijados entre las diversas maneras de enlace oracional. No se olvide que son precisamente las oraciones consecutivas —y las causales— las que se han erigido en bandera de los que sostienen la imposibilidad de separar la coordinación y la subordinación, por constituir una «amplia zona de indiferenciación» (8).

Pensamos, pues, que sobran razones para encontrar justificada la elección del objeto del presente trabajo.

0.3. Nos hemos limitado a la época que abarca desde prácticamente los orígenes del idioma hasta fines del siglo XIV; de otro modo el material se nos haría inabarcable o, al menos, muy difícil de sistematizar. Por otro lado, el siglo XV representa, en muchos aspectos, un cambio muy profundo respecto de la centuria anterior y puede señalar el comienzo de investigaciones posteriores. Nadie duda del interés que ofrecen las etapas de formación de un idioma; en ellas se destacan con relevancia las vacilaciones, triunfos y expansiones de los fenómenos lingüísticos. La lengua va paulatinamente apoderándose de recursos más elaborados, va alcanzando madurez y fluidez de expresión, y una infinidad de hechos sintácticos reflejan el proceso.

Al latín hemos acudido sólo como punto de partida y, en ocasiones, como contraste o apoyo de hechos romances; en ningún momento nos hemos embarcado en indagaciones de mayores pretensiones.

Con estas limitaciones evitaremos que el trabajo nos desborde y las consideraciones se diluyan inconsistentes y vagas.

0.4. Más difícil sería delimitar el objeto de estudio a priori. Como en tantas otras ocasiones, el punto de vista lo va configurando y moldeando, y resultaría artificioso y poco esclarecedor ser rigurosos en la elección de una sola perspectiva e ignorar otras muchas posibilidades estructurales que pueden arrojar luz sobre el tema. La distribución y clasificación del material en sucesivos capítulos irán planteando y justificando los criterios seguidos y las relaciones que los diversos tipos mantienen entre sí. De habernos reducido, por ejemplo, a lo que tradicionalmente se entiende como subordinación *adverbial* —en donde suelen integrarse las consecutivas, con manifiesta impropiedad en la denominación— tendríamos que prescindir de muchas estructuras que, entre otras cosas, pueden ayudar a aclarar la naturaleza de *que* y los límites, no siempre precisos, entre relativas y consecutivas.

0.5. Los datos que nos van a servir de base no pueden ser otros que los que nos proporcionan los textos, literarios y no literarios. En la *Nómina de textos* que sigue a esta Introducción figuran los que han sido utilizados. De cada fenómeno se ha procurado seleccionar un número de ejemplos suficiente para demostrar que no se trata de un hecho aislado o sólo utilizado por algún autor u obra concretos.

De vez en cuando aparecen, no obstante, ejemplos de textos posteriores (*Corbacho, Celestina,* obras clásicas y modernas, e incluso frases de la lengua coloquial), en los que hemos realizado calas más o menos extensas, que resultan necesarios para apoyar determinadas afirmaciones. Muy reveladora puede resultar en algunos casos la confrontación del texto medieval con su versión modernizada; no hemos dudado en acudir a tales adaptaciones —siempre que las haya fiables— en los casos de vacilación o interpretación dudosa.

0.6. Todo estudio que esté montado sobre unos textos escritos concretos, por muchos y variados que éstos sean, puede recibir las mismas reservas y críticas: no ser capaz de ilustrar todos los aspectos de la vida del lenguaje. Quizá sea la sintaxis el terreno en que esto se acuse más. Pero sin correr ese riesgo anularíamos todo intento de alcanzar un mejor conocimiento de nuestro pasado lingüístico y cultural.

Desde nuestro punto de vista, la dificultad mayor estriba indudablemente en la imposibilidad de contar con indicios que informen acerca de los elementos de carácter suprasegmental; no hay que olvidar que en las épocas primitivas de un idioma la trabazón sintáctica no siempre se expresa mediante palabras de subordinación, sino que muchas veces todo se consigue gracias a la estrecha relación determinada por el contexto semántico, a la línea melódica —entonación, cadencia—, pausas, etcétera. Y la dependencia recíproca entre las frases se deja frecuentemente en manos de medios extralingüísticos. Todo ello hace aconsejable una gran dosis de prudencia a la hora de interpretar los datos suministrados por la lengua escrita, y es inevitable en algunos casos contar con un pequeño margen de ambigüedad sintáctica.

0.7. Ya hemos visto cómo ha definido R. Lapesa la tarea de la sintaxis histórica. No hemos hecho otra cosa que intentar aplicar esos principios a un punto concreto, examinando la diacronía de cada fenómeno y procurando ver qué subsistemas coexistentes existen y explican las diferentes realizaciones. Concebir la evolución como sincronías sucesivas, o sea, la diacronía de las sincronías —a lo que alguien ha llamado «disciplina ideal de los lingüistas» (9)— ha sido nuestra permanente preocupación. En sintaxis la clave estará en buscar las razones que producen el origen y expansión de un determinado uso.

Muchas veces se ha llamado la atención sobre la escasa fecundidad del estructuralismo postsaussureano en los dominios de la sintaxis, y sobre cómo la mayor parte de los trabajos que se presentan fundamentados en supuestos estructurales no suelen diferenciarse mucho, en planteamiento y soluciones, de los tradicionales (10). Por su parte, el moderno enfoque generativo-transformacional no ha producido aún, que conozcamos, en el plano de la sintaxis histórica, un número de estudios concretos suficiente para enriquecer el legado metodológico en este sentido.

Nos guía sólo la sana intención de aprovechar lo aprovechable, se encuentre donde se encuentre, sin preocuparnos demasiado de quedar encuadrados dentro de una u otra metodología. Tomando como punto de arranque nuestra tradición gramatical, y los estudios de sintaxis en particular, hemos procurado cumplir también la segunda parte propuesta por R. Lapesa (considerar «la trabazón de los hechos como realizaciones de las estructuras de un sistema»); y no hemos vuelto la espalda a conceptos y términos como estructura profunda y estructura superficial, transformaciones, etc., que —pese a su difusión reciente— están tan generalizados que incluso ocasionan usos que desbordan sus definiciones dentro de un marco concreto de teoría. Confiamos en que la coherencia no se vea resentida por ello.

0.8. No pretendemos rebajar un ápice el valor de la ingente labor que suponen estudios como, por ejemplo, el de F. Brunot (11) para el francés, o —en un plano más reducido y concreto— el de L. Contreras sobre la expresión de la condicionalidad en español (12). Los trabajos de esta naturaleza intentan presentar los hechos del pensamiento considerados y clasificados en relación con el lenguaje, y los medios de expresión que les corresponden. Pero sí queremos insistir en que nuestra posición es diferente, y no renunciar a la autonomía que la disciplina lingüística ha conseguido, por fin, respecto a las demás ciencias.

La lengua organiza nuestro mundo interior y el mundo de la realidad con patrones diferentes, y son éstos los que nos interesan. La confluencia con los demás saberes sólo será relevante a partir del reconocimiento de la no dependencia de la lingüística respecto de ellos.

Nadie duda de que hay relaciones de contenido entre las consecutivas y otros tipos oracionales; J. Polo, por ejemplo, se ha encargado de señalar las que mantienen con las condicionales (13); casi todas las gramáticas explican la consecutiva como una inversión de la relación de causalidad (lo cual, además de no ser siempre verdad, entraña diferencias radicales de construcción sintáctica, que son justamente las que nos interesan); diferenciar algunos de los tipos estudiados en el presente trabajo de las *finales, modales* o *comparativas* resultaría, desde el punto de vista del significado, embarazoso en muchos casos, etc., etc. ¿Para qué seguir? Bastaría con intentar inventariar los procedimientos de figuración de que dispone nuestra lengua —ninguno tan eficaz como las oraciones consecutivas, que combinan en muchos casos la comparación y la hipérbole— para convencernos de la falta de fecundidad de esta línea. No hace falta decir, pues, que nuestros tipos tienen una base esencialmente formal. Los escasos intentos de establecer diferencias de acuerdo con el contenido (resultado, acción, consecuencia, etc.) no conducen a ningún resultado positivo, como tendremos ocasión de comprobar.

0.9. La terminología puede parecer a veces no absolutamente precisa y rigurosa. En realidad, si partimos de la base de que, en mayor o menor medida, los saberes semánticos, lógicos y psicológicos han influido hasta el presente en el gramático, la misma denominación de «consecutivas» no sería muy acertada; las oraciones que vamos a estudiar pueden indicar 'consecuencia', pero también 'resultado', 'deducción' y otros conceptos lógicos y no lógicos menos relacionados con los anteriores. Y no puede olvidarse que frecuentemente no se trata de un efecto o consecuencia real (vid. *Apéndice).*

Pese a ello hemos mantenido la mayor parte de los términos consagrados por la tradición, e incluso hemos acuñado algunas combinaciones de los mismos (temporal-consecutivas; causal-consecutivas; etc.). No somos muy amantes de innovaciones terminológicas sin una necesidad razonable. Cuando ha sido preciso introducir un término de no muy frecuente uso, se ha procurado elegir alguno lo suficientemente explícito para no conducir al equívoco; en todo caso se ha razonado su utilización.

NOTAS

(1) «Sobre problemas y métodos de una sintaxis histórica», en *Homenaje a X. Zubiri,* II, p. 201, Madrid, 1970.

(2) Vid. *Bibliografía.*

(3) Cuando este trabajo se hallaba casi ultimado, nos llegó fotocopia del trabajo inédito de I. E. Rudolph, *Zur Syntax der Konsekutivsätze im Spanischen und Portugiesischen,* Freie Universität, Berlin-Oeste, 1954. La autora se limita prácticamente a establecer un inventario de tipos, en ocasiones clasificados no con muy buen criterio, por lo que en absoluto ha modificado ninguna de nuestras consideraciones.

(4) *Indice verbal de la Celestina,* Anejo LXIV de la *RFE,* Madrid, 1955, p. 211.

(5) F. Marcos Marín, *Aproximación a la gramática española,* Cincel, Madrid, 1972, 18.4.

(6) J. J. de Bustos Tovar, «La lingüística», en *El año literario 1974,* Castalia, Madrid, 1974, p. 93.

(7) Cfr. A. García Berrio, *Bosquejo para una descripción de la frase compuesta en español,* Publicacs. de la Univ. de Murcia, 1970.

(8) Cfr. S. Gili Gaya, *Sintaxis,* § 205.

(9) B. Pottier, *Lingüística moderna y Filología hispánica,* Gredos, Madrid, 1968, p. 12.

(10) Cfr. F. Lázaro, «Sintaxis y Semántica», en *RSEL,* 4, 1, 1974, 61-85.

(11) F. Brunot, *La pensée et la langue,* 3e éd. Paris, 1965.

(12) L. Contreras, «Las oraciones condicionales», en *BFUCh,* XV, 1963, 33-109.

(13) J. Polo, *Las oraciones condicionales en español,* Univ. de Granada, Col. Filológica, XXVI, 1971.

NOMINA DE TEXTOS

A continuación presentamos ordenados cronológicamente los textos de que nos hemos servido para la elaboración del presente estudio. Algunas obras han sido utilizadas sólo parcialmente, hecho que se señala en la presente lista. En ocasiones han sido consultadas varias ediciones de un mismo texto, pero se sigue para las citas la marcada con asterisco.

Documentos lingüísticos de España. I Reino de Castilla, por R. Menéndez Pidal, CSIC, Anejo LXXXIV de la *RFE,* Madrid, reimpresión, 1966.

Crestomatía del español medieval, por R. Menéndez Pidal, con la colaboración del Centro de Estudios Históricos. Acabada y revisada por R. Lapesa y M.ª Soledad de Andrés. Gredos, Madrid, tomo I, 2.ª ed., 1971.

Textos incluidos en R. M. Pidal, *Orígenes del español,* Espasa-Calpe, Madrid, 5.ª ed., 1964, pp. 1-44.

Cantar de Mío Cid, ed. de R. M. Pidal, 3 vols., Espasa-Calpe, Madrid, 4.ª ed., 1969.

Fuero de Madrid, ed. del Ayuntamiento de Madrid, con estudio de G. Sánchez, transcripción de A. Millares y glosario de R. Lapesa, 1932.

Auto de los Reyes Magos, ed. de R. M. Pidal, en *RABM,* IV, 1900, 453-462.

Disputa del alma y el cuerpo, ed. de R. M. Pidal, en *RABM,* IV, 1900, 449-453.

* *Razón de Amor con los denuestos del agua y el vino,* ed. de R. M. Pidal, en *Revue Hispanique,* XIII, 1905, 602-618. (Incluido, con alguna corrección, en *Crestom.,* I, 92-99).

Ed. de A. Morel-Fatio, «Textes castillans inédits du XIIIe siècle», en *Romania,* XVI, 1887, 364-382.
Ed. de Mario di Pinto, Pisa, 1959.

* *Vida de Santa María Egipciaca,* ed. de M. Alvar, con estudios y vocabulario, 2 vols., CSIC, Madrid, t. I, 1970; II, 1974.
Ed. de M. Alvar, en *Poemas hagiográficos de carácter juglaresco,* Alcalá, Madrid, 1967.
Ed. de M.ª S. de Andrés Castellanos, *La vida de Santa María Egipciaca, traducida por un juglar anónimo hacia 1215,* Anejo XI del *BRAE,* Madrid, 1964.

* *Libro de la infancia y muerte de Jesús (Libre dels Tres Reys d'Orient),* edición y estudios de M. Alvar, CSIC, Madrid, 1965.
Ed. de M. Alvar, en *Poemas hagiográficos...* (cit.).

Disputa entre un cristiano y un judío, ed. de A. Castro, en *RFE,* I, 1914, 173-180.

Los diez mandamientos, ed. de A. Morel-Fatio, en *Romania,* XVI, 1887, 379-382.

ALMERICH, Arcidiano de Antiochia, *La Fazienda de Ultra Mar* (Biblia Romanceada et Itinéraire en prose castillane du XIIe siècle). Introduction, édition, notes et glossaire par Moshé Lazar, Salamanca, 1965.

Roncesvalles. Un nuevo cantar de gesta español del S. XIII, ed. de R. M. Pidal, en *RFE,* IV, 1917, 105-204.

Libro de los doce sabios o *Tratado de la nobleza y lealtad,* ed. de Miguel de Manuel Rodríguez, en *Memorias para la vida del santo rey Fernando III,* Madrid, 1800, 188-206.

Seudo Aristóteles. Poridat de las Poridades, ed. de Lloyd A. Kasten, Madrid, 1957.

* *Libro de los buenos proverbios,* ed. de H. Knust, en *Mittheilungen aus dem Eskurial,* Gedruckt für den Litterarischen Verein in Stuttgart, Tübingen, 1879, 1-65.
Ed. de M. Sturm, *The 'Libro de los buenos proverbios': A Critical Edition,* The Univ. Press of Kentucky, 1971.

Capítulo que fabla de los enxenplos e castigos de Teodor, la donsella, ed. de H. Knust, en *Mittheilungen...* (cit.), 507-517.

El Bonium o *Bocados de oro,* ed. de H. Knust, en *Mittheilungen...* (cit.), 66-394.

Capitulo de las cosas que escribio por rrespuestas el filosofo Segundo a las cosas que le pregunto el emperador Adriano, ed. de H. Knust, en *Mittheilungen...* (cit.), 498-506.

Flores de Filosofía, ed. de H. Knust, en *Dos obras didácticas y dos leyendas sacadas de manuscritos de la Biblioteca del Escorial,* Sociedad de Bibliófilos Españoles, XVII, Madrid, 1878, 1-64.

* *Elena y María (Disputa del clérigo y el caballero). Poesía leonesa inédita del siglo XIII,* ed. de R. M. Pidal, en *RFE,* I, 1914, 52-96. (Recogido en *Tres poetas primitivos,* Espasa-Calpe, Madrid, 3.ª ed. 1968).
  Ed. de Mario di Pinto (junto con la *Razón de Amor),* Pisa, 1959.

* GONZALO DE BERCEO, *Vida de Santo Domingo,* ed. critique par J. D. Fitz-Gerald, Librairie Emile Bouillon, Editeur, París, 1904.
  Ed. de Fr. A. Andrés, Madrid, 1958.
  Ed. de Germán Orduna, Madrid, 1968.
  Ed. de Teresa Labarta de Chaves, Castalia, Madrid, 1972.

— *Vida de San Millán de la Cogolla,* ed. de Brian Dutton, Tamesis Books Limited, London, 1967.

— * *Milagros de Nuestra Señora,* ed. crítica y estudio de B. Dutton, Tamesis Books Limited, London, 1971.
  Ed. de A. G.ª Solalinde, Espasa-Calpe, Madrid, 1944.

— *Planto que fizo la Virgen el día de la passion de su fijo Jesu Christo,* ed. de F. Janer en *Poetas castellanos anteriores al siglo XV, BAE,* t. LVII, Madrid, 1966, 131-137.

— * *Vida de Santa Oria,* ed. de C. Carroll Marden, en *Cuatro poemas de Berceo,* Anejo X de la *RFE,* Madrid, 1928.
  Ed. y estudio de Giovanna Maritano, Milano-Varese, 1964.

— *Martirio de San Lorenzo,* ed. de C. C. Marden, Publications of the Modern Languages Association, XLV, Baltimore, 1930.
  * Ed. de F. Janer, *BAE,* LVII, 90-93.

— *De los signos que aparesçeran ante del juiçio,* ed. de F. Janer, *BAE,* LVII, 101-103.

— *Loores de Nuestra Señora,* ed. de F. Janer, *BAE,* LVII, 93-100.

* *Libro de Apolonio,* ed. de C. C. Marden, *I Text and introduction,* Baltimore-Paris, 1917; *II Grammar, notes and vocabulary,* Princeton-Paris, 1922.
  De reciente aparición es la monumental edición de M. Alvar, 3 vols., con estudios y concordancias, Fundación J. March-Edit. Castalia, 1976.

Libro de Alexandre, ed. de Raymond S. Willis, *El Libro de Alexandre. Texts of the Paris and the Madrid manuscripts prepared with an introduction,* Princeton, 1934. (Reprinted, Kraus Reprint Corporation, New York, 1965.)
  Ed. crítica de las estrofas 321-773 por E. Alarcos, *Investigaciones sobre el Libro de Alexandre,* Anejo XLV de la *RFE,* Madrid, 1948.

* *Poema de Fernán González,* ed. de A. Zamora Vicente, Espasa-Calpe, Madrid, 1946.

Ed. de R. M. Pidal, en *Reliquias de la poesía épica española,* Madrid, 1951.

Ed., con introducción, notas y glosario, de C. C. Marden, The Johns Hopkins Press, Baltimore, 1904.

Ed. de Erminio Polidori, con trad. ital., Taranto, 1961.

El Libro de Calila e Digna, ed. crítica de John E. Keller y Robert White Linker, CSIC, Clásicos Hispánicos, Madrid, 1967.

ALFONSO X, *Setenario,* ed. de K. H. Vanderford, Instituto de Filología, Buenos Aires, 1945.

— *Libro de las Cruzes,* ed. de Lloyd A. Kasten y Lawrence B. Kiddle, Madrid-Madison, 1961.

— *Primera Crónica General,* ed. de R. M. Pidal (con la colaboración de A. G.ª Solalinde, M. Muñoz Cortés y J. Gómez Pérez), *Primera Crónica General de España que mandó componer Alfonso el Sabio y se continuaba bajo Sancho IV en 1289,* Sem. M. Pidal, Gredos, Madrid, 1955 (parcialmente).

— *General Estoria. Primera Parte,* ed. de A. G.ª Solalinde, Centro de Estudios Históricos, Madrid, 1930. *Segunda parte I,* ed. de A. G.ª Solalinde, Lloyd A. Kasten y Víctor R. B. Oelschläger, CSIC, Madrid, 1957. *Segunda parte II,* id. Madrid, 1961 (parcialmente).

JACOBO RUIZ («el de las leyes»), *Flores de Derecho,* ed. de Rafael de Ureña y Adolfo Bonilla y San Martín, *Obras del Maestro Jacobo de las Leyes, Jurisconsulto del siglo XIII,* Madrid, 1924.

* *Libro de los engaños e los asayamientos de las mujeres,* ed. de A. González Palencia, *Versiones castellanas del «Sendebar»,* CSIC, Madrid-Granada, 1946.

Ed. de John E. Keller, Chapel Hill, 1953. (Reimpreso con introd. y glosario, Valencia, 1959.)

El Evangelio de San Mateo, según el manuscrito escurialense I.I.6. Texto, gramática y vocabulario. Anejo VII del *BRAE,* Madrid, 1962. Edición de Thomas Montgomery.

Historia troyana en prosa y verso. Texto de hacia 1270. Ed. de R. M. Pidal (con la cooperación de E. Varón Vallejo), Anejo XVIII de la *RFE,* Madrid, 1934. (Ahora en *Textos medievales españoles,* Espasa-Calpe, Madrid, 1976, pp. 179-420.)

* SANCHO IV, *Castigos e documentos para bien vivir ordenados por el rey don Sancho IV,* ed. de A. Rey, Indiana Univ. Publications, Bloomington, 1952.

* Ed. de P. de Gayangos, en *BAE,* LI, Madrid, nueva ed. 1952.

M. Serrano y Sanz, «Fragmentos de un códice de los 'Castigos e documentos' del rey Sancho IV», en *BRAE,* 1930, 688-695.

J. Pérez Carmona, «Fragmentos de otro códice de los 'Castigos e Documentos' atribuidos a Sancho IV», en *BRAE,* 1959, 73-84.

* *La Gran Conquista de Ultramar,* ed. de P. de Gayangos, BAE, XLIV, Madrid, nueva ed., 1951 (parcialmente).

Ed. de E. Mazorriaga, *Gran Conquista de Ultramar. Leyenda del Caballero del Cisne,* Madrid, 1914.

Poema de Yuçuf, ed. de R. M. Pidal, en *RABM,* VII, 1902. (También en la Col. Filológica de la Univ. de Granada, 1952.)

El Libro del Cauallero Zifar (El Libro del Cauallero de Dios), ed. de Charles Philip Wagner, Ann Arbor, Univ. of Michigan, 1929.

* BENEFICIADO DE UBEDA, *Vida de San Ildefonso,* estudio, ediciones y notas de M. Alvar Ezquerra, Bogotá, 1975.

Ed. de F. Janer, *BAE,* LVII, 323-330.

DON JUAN MANUEL, *Libro del Cavallero et del escudero,* ed. de José M.ª Castro y Calvo y Martín de Riquer, *Obras de Don Juan Manuel I,* CSIS, Barcelona, 1955, 7-72.

— * *Libro de los Estados,* ed. de J. M.ª Castro Calvo, Barcelona, 1968.

Ed. de R. B. Tate and I. R. Macpherson, Oxford, At the Clarendon Press, 1974.

— *El Conde Lucanor* o *Libro de los enxiemplos del Conde Lucanor et de Patronio,* ed., introd. y notas de J. M. Blecua, Castalia, Madrid, 1969.

DON JUAN MANUEL, *Libro de las armas,* ed. de J. M.ª Castro y Calvo y M. de Riquer, *Obras de Don Juan Manuel I,* 73-92.

— *Libro Enfenido,* id., 93-133.

* JUAN RUIZ (Arcipreste de Hita), *Libro de Buen Amor,* ed. de M. Criado de Val y Eric W. Nylor, CSIC, Clásicos Hispánicos, Madrid, 1965.

Ed. paleográfica de J. Ducamin, Bibliothèque Méridionale, 7, Toulouse, 1901.

Ed. de G. Chiarini, Milán-Nápoles, 1964.

Ed. de J. Corominas, Gredos, Madrid, 1967.

Poema de Alfonso XI, ed. de Yo Ten Cate, Anejo LXV de la *RFE,* Madrid, 1956.

LEOMARTE, *Sumas de Historia Troyana,* ed., prólogo, notas y vocabulario por A. Rey, Anejo XV de la *RFE,* Madrid, 1932.

SEM TOB DE CARRION, *Proverbios morales,* ed. de F. Janer, *BAE,* LVII.

Ed. de I. González Llubera, *Santob de Carrión. Proverbios morales,*

Cambridge, 1947. (Del mismo, «A Transcription of Ms. C of Santob de Carrión's 'Proverbios Morales'», en *Romance Philology,* IV, 1950, 217-256.)
Ed. de Guzmán Alvarez, Anaya, Salamanca, 1970.
Ed. de A. García Calvo, Alianza Edit., Madrid, 1974.
Estoria del Rey Guillelme, ed. de H. Knust, en *Dos obras didácticas y dos leyendas sacadas de manuscritos de la Biblioteca del Escorial,* Sociedad de Bibliófilos Españoles, 1878, pp. 159 y ss.
El Caballero Plácidas, ed. de H. Knust, en *Dos obras didácticas...* (cit.), pp. 85 y ss.
Proverbios de Salomón, ed. de C. E. Kany, en *HMP,* I, 1925, 269-285.
* PERO LOPEZ DE AYALA, ed. de A. F. Kuersteiner, *Poesías del Canciller Pero López de Ayala (Rimado de Palacio. Respuesta prima),* 2 vols., The Hispanic Society of America, New York, 1920.
Ed. de Kenneth Adams, Anaya, Salamanca, 1971.
— *Crónica del Rey Don Pedro,* ed. de Cayetano Rosell, en *BAE,* LXVI, nueva ed., 1953, 393-614.
Cantar de Rodrigo, ed. de R. M. Pidal, en *Reliquias de la poesía épica española,* Madrid, 1951, 257-289.
Visión de Filiberto, ed. de J. M. Octavio de Toledo, en *ZRPh,* II, 1878, 40-69.

....

(En las citas de la *Celestina* se ha seguido la ed. de M. Criado de Val y G. D. Trotter, CSIC, Clásicos Hispánicos, Madrid, 1958.)

1. CONSECUTIVAS DE INTENSIDAD

1.1. GENERALIDADES

1.1.1. En estas oraciones complejas, que suelen expresar el efecto de una situación o de una cualidad que alcanza un cierto grado, se establece una correlación sintáctica entre un intensificador y el elemento *que,* cuyo análisis preferimos abordar más adelante.

> *Tan* ricos son los sos que non saben que se an (Cid 1086); faremos ennos griegos *atal* mortaldat/ que nunca en este mundo ganaran ygualdat (Alex. O 937).

No es nuestra intención establecer la gramática de los términos elativos que funcionan como antecedentes, pero se hacen imprescindibles algunas consideraciones en torno a su naturaleza.

Tal, –es (con variación de número) y *tanto, –a, –os, –as* (con variación de género y de número) (1) tienen una difícil y complicada sintaxis. Los tratadistas suelen estudiarlos ya entre los demostrativos —aunque existen razones suficientes para constituir con ellos un subsistema aparte—, ya entre los indefinidos. Modernamente la gramática generativa y transformacional prefiere tratarlos dentro de la clase Determinante, pese a que dentro de ella se integran elementos muy dispares que exigen ser subclasificados (está por hacer el inventario definitivo para el español).

Las primeras afirmaciones nos llevarían a la consideración de estas palabras dentro de la difícil categoría del pronombre (2). Si a ello añadimos la traslación de los neutros *tanto* y, aunque mucho menos frecuentemente, *tal* (3) a la función adverbial, podremos sospechar la complicación a la que antes hacíamos referencia. Un rápido repaso a algunos de los estudios gramaticales sobre el español confirmará la vacilación con la que se acomete su análisis.

1.1.2. Andrés Bello dedica el capítulo XVII de su *Gramática* a «Los demostrativos *tal, tanto* y los relativos *cual, cuanto*» (4). La demostración de *tal* recae sobre la cualidad y la de *tanto* sobre la cantidad o el número (5). Ambos, al igual que *esto, eso, aquello,* pueden ser sustantivos neutros, y carecen entonces de plural.

En cuanto sustantivos neutros adverbializados, *tanto* es estudiado como 'adverbio demostrativo de cantidad', que se apocopa ante adjetivos, adverbios o complementos en *tan;* y *tal* como 'adverbio demostrativo de cualidad o modo' (6).

1.1.3. La *Gramática* académica (7) no nos ofrecía ninguna novedad respecto a esta situación. Se estudian como demostrativos; las formas neutras, además, como adverbios demostrativos dentro del grupo de los correlativos (con *cual, cuanto* como relativos paralelos); y se adjudica como «concepto» para *tal* el de 'modo', y el de 'cantidad' para *tanto.*

1.1.4. Es explicable que gramáticas como las de A.

Alonso-P. Henríquez Ureña (8) o R. Seco (9), concebidas y planteadas con fines muy concretos, no profundicen en problemas específicos. La primera sólo les dedica una línea, al hablar de la referencia anafórica textual: «En este tercer caso [para referirse a algo de que se viene hablando] hacen a veces función demostrativa *tal* y *tanto: no hay tal, no he dicho tanto»* (10).

Y menos aún arriesga R. Seco: «Suelen incluirse en los demostrativos también *tal* y *tanto,* que parecen formar un grupo indeciso entre demostrativos e indefinidos: *tal es mi situación, no dije tanto»* (11).

1.1.5. Modernos tratados gramaticales de conjunto, como los de C. Hernández Alonso (12), M. Seco (13) o F. Marcos Marín (14), no se detienen tampoco en cuestiones de esta naturaleza, que exigirían estudios monográficos previos. M. Seco los integra en dos series diferentes, como pronombres y como adverbios; pero al hablar de estos últimos menciona otra clase de palabras con la que también tienen que ver *tal* y *tanto:* «algunos adverbios coinciden con *adjetivos* o pronombres de igual significación básica: *mucho, poco* [...], *tanto, tal, ...»* (15). En su clasificación de los adverbios *tanto* es colocado entre los de 'intensidad' y *tal* entre los de 'modo'.

Ningún tipo de consideraciones hacen C. Hernández Alonso y F. Marcos; el primero cita a *tal* (no a *tanto)* entre los indefinidos; en el análisis de la subordinación, se refiere a ellos como «antecedentes», sin entrar en su naturaleza gramatical (16).

1.1.6. Las gramáticas de carácter diacrónico no aclaran ninguna de las abundantes imprecisiones —de concepción y terminológicas— que acabamos de señalar. F. Hanssen (17) los estudia también como demostrativos *(el tal anillo, por tanto* 'por eso'), pero admite el valor indefinido de *tal (un tal Alvarez, tales y tales cosas)* y el funcionamiento como adverbios de las formas neutras.

R. Menéndez Pidal (18), que califica a *tal* de pronombre indefinido y a *tanto* de adjetivo indefinido, no da razones que apoyen esa distinción ni en la parte dedicada a Morfología ni en Sintaxis, ya que ambos términos se integran en correlaciones paralelas y tienen usos semejantes; en *tanto* ve la supervivencia de su valor adjetivo arcaico equivalente a 'tamaño, mucho' en casos como *tanto auien el dolor* (Cid, 18), *gozo tanto* (Cid, 170). Hoy recordaría ese significado alguna fórmula del tipo *tantas gracias.* Igualmente cree Menéndez Pidal que *tanto* tiene un sentido demostrativo para anunciar una proposición entera: *dixo al rey atanto: rey, non verné a vuestras cortes* (Rodr., 30).

Como indefinidos latinos que se mantienen en romance cita V. García de Diego (19) a *tal* y *tanto;* aunque este último también se halla incluido entre los adverbios. *Tan* es calificado en diversas ocasiones –págs. 327, 399— de «partícula» que sirve para la comparación, pero en la página 102 se habla concretamente de «conjunción».

1.1.7. Quizá el mejor tratamiento, si bien no estructurado, de estos elementos se encuentre en la *Gramática,* inacabada, de S. Fernández Ramírez (20), y ello justifica que hayamos dejado, intencionadamente, su comentario para el final; algunas de sus ideas serán para nosotros puntos de arranque. Pero anticipemos que no trata de su papel en la correlación consecutiva; y no sólo porque la parte publicada de la obra no llega al análisis de la sintaxis oracional, pues no tiene inconveniente en hablar de la comparación en diversas ocasiones a propósito de *tal* y *tanto* (21).

1.1.7.1. Para S. Fernández Ramírez *tal* y *tanto* son pronombres demostrativos, tónicos como los componentes de la serie *este-ese-aquel,* pero diferentes de éstos por razones de diversa índole.

Tal se distingue semánticamente de los miembros de dicha serie por su valor especialmente cualitativo («pronombre demostrativo cualitativo» es la denominación usada por el autor), aunque admite la equivalencia con *aquel* en la narración en pretérito: *las señoras, aunque no podían adivinar todo el efecto que tales palabras debían producir en el novio...* Y, por otra parte, realiza una deixis casi exclusivamente textual y anafórica; es rara la referencia a un objeto sensible.

Actúa en la mayoría de los casos como adjunto, pocas veces pospuesto, concertando en número con el sustantivo de que depende, y lleva un antecedente oracional o determinado: *Enriqueta llora también. Y Víctor, ante tal dolor...* Las formas concertadas actúan como predicados, con inversión del sujeto por razones de conexión: *Si tales no fueran sus experiencias textuales...*

En nota, pág. 267, S. Fernández habla de *tal* como adverbio: «Demostrativos *(este, tal)* y adverbios deícticos *(así, tal)* concurren en esta misma posición anticipada, como elementos de conexión. *Tal* pasa en ella, por grados insensibles, de la función adverbial a la pronominal» (22).

Como predicado, complemento predicativo o complemento adnominal, *tal* hace referencia a un nombre anterior, sustantivo o adjetivo; el demostrativo equivale en estos casos a la reproducción del antecedente en su dimensión esencial; este uso es el que más se aleja de los usos correlativos, de los que —afirma S. F. Ramírez— «se deriva, verosímilmente, el valor demostrativo de *tal*». Aquí *tal* alterna con la repetición del antecedente:

no queriendo remunerar al califa oficial, hizo proclamar como tal ('como califa') *a Abu Mohamed;* y algunas veces con los pronombres neutros, especialmente *lo: la moza, que tal era* ('lo era') *sin duda, ...* Pero nunca con los demostrativos de la serie *este-ese-aquel.*

También puede funcionar *tal* como sustantivo, especialmente —no exclusivamente— tras los adjuntos *el* y *otro.*

Al valor de indefinido hace referencia también en nota, pág. 268, si bien sólo para la forma plural y en español arcaico: «En español antiguo *tales* tiene valor de indefinido, v. Pietsch, GFragments II 49. *Non... tal* equivale a *ninguno: non fue tal de los griegos que non... ouiesse miedo de morir* HTroy 34-11. Ver también Pietsch íb. II 55» (23).

Pero el carácter indefinido aparece señalado también en diversas ocasiones a lo largo de la obra; así, cuando habla de la alternancia con *alguno* en determinadas construcciones: *tal cual, tal o cual, tal... que otro* (págs. 401 y ss.); asimismo en nota 3, pág. 266, recoge la opinión de Gessner-Keniston y de Cuervo acerca del carácter indefinido de *tal,* sin crítica.

1.1.7.2. *Tanto* se diferencia semánticamente de *tal* —igualmente de la serie *este, ese, aquel*— por su carácter esencialmente cuantitativo («pronombre demostrativo cuantitativo») (24).

Y formalmente, además de poseer variación genérica —de la que carece *tal*—, por admitir realce superlativo, bien aceptando el sufijo *-ísimo,* bien gracias a su repetición simplemente: *tanto, tanto me insistió* (25).

A su vez, rechaza el artículo, que *tal* admite cuando funciona como adjunto y como término primario (26).

Tanto realiza, además de la referencia textual, deixis

sensible (posibilidad que casi no existe con *tal*): *no comas tanta ensalada.*

Funcionalmente el paralelo con *tal* es casi completo; actúa como adjunto la mayor parte de las veces, siendo su posposición —al decir de S. Fernández Ramírez— de carácter retórico. Pero también se emplea como sustantivo, solo o agrupado con adjuntos, especialmente *otro.*

Las diferencias más notables se encuentran en la utilización del neutro; de uso mucho más frecuente que *tal, tanto* neutro puede a veces llegar a actuar incluso como adjunto (27). Nuevamente confiesa lo difícil que es delimitar este neutro (*¿cómo sabes tanto?*) del adverbio.

El neutro aparece igualmente en locuciones adverbiales y conectivas: *en tanto, mientras tanto, por (lo) tanto* (para S. Fernández acaso analógica de *por lo que, por lo cual*).

1.1.8. Las ideas de S. F. Ramírez se hallan recogidas, de forma muy resumida, en el reciente *Esbozo de una nueva gramática* de la Real Academia Española (28), y —una vez más— se reconoce la dificultad que plantean *tal* y *tanto* en su aspecto sintáctico: «pero *tal* y *tanto* tienen una sintaxis más complicada que los restantes demostrativos» (29).

1.1.9. El valor semántico cuantitativo acerca a *tanto* a otros pronombres cuantitativos y ponderativos, normalmente estudiados como indefinidos: *mucho, poco, bastante, demasiado.* De ellos lo separaría el rasgo/+compar. explícita/ (30), que permite el desencadenamiento de las correlaciones comparativa y consecutiva.

Pero no son sólo rasgos semánticos los que demuestran la proximidad de *tanto* y los demás cuantitativos; hay también comportamientos sintácticos comunes. Ya hemos aludido a su capacidad de aceptar el sufijo superlativo (1.1.7.2). Lo mismo podría decirse del uso de la forma singular con valor de plural: *tanto niño me cansa, hay mucho gamberro suelto* (31); en realidad es idéntico el comportamiento respecto al número gramatical: *tanto, poco, mucho, demasiado, bastante,* con sustantivos singulares de sustancia (los abstractos se comportan como ellos), y *tantos, muchos,* etc. con sustantivos/+cont/ (32).

Tanto, al igual que el resto de los cuantitativos, puede funcionar como adjunto de términos primarios sustantivos: *tantos (muchos...) hombres.* En este caso admite otro adjetivo adjunto:

> *tantas buenas* razones les mostro (Cron. Gen. 48a-33); poner *atantas buenas* condiçiones (Zifar 394); *tantos buenos* fechos acabó (Lib. Est. LXXVI-90) (33).

En construcción partitiva:

> *tantas* fas *de buenas obras* (Plác. 127); *tanta de buena yente* (Alex. O 435a).

Pero pueden funcionar también como pronombres sustantivos:

> vinieron *pocos alumnos* ——→ vinieron *pocos*

y en ese caso es posible que lleve adjuntos, a veces otro pronombre:

> *otros muchos - muchos otros*
> *otros tantos - tantos otros* (34).

Cuando el sintagma nominal forma parte del grupo verbal puede experimentar la transformación pronominalizadora neutra:

J. quiere todas las cosas ——→ J. (lo) quiere *todo*.
J. lee tantas lecturas ——→ J. lee *tanto*.

En el caso en que el núcleo del predicado sea un sintagma de carácter adjetivo se presenta la variante corta *tan:*

es *tan* bueno (cfr. *muy* bueno).

En castellano medieval la distribución está, sin embargo, aún muy lejos de ser regular, como veremos más adelante (35).

Esto no quiere decir que no existan diferencias entre *tanto* y los demás cuantitativos por lo que respecta a sus posibilidades combinatorias; hecho que no puede extrañarnos ya que los llamados «indefinidos» no tienen todos idénticos comportamientos, sino que pueden variar de acuerdo con los rasgos sémicos de cada término. Así, a *poco(s)* pueden anteponerse varios pronombres y adverbios (*un, -a, -os, -as; demasiado, -s; bastante, -s; tan; cuán; qué*) que no son posibles con *mucho(s)*. *Más* y *menos* se posponen por igual a *poco, mucho, tanto...;* como también es posible con todos ellos las construcciones *mucho (poco, tanto...) +que+infinitivo, mucho (poco, tanto...) +por+infinitivo,* etc.

La construcción partitiva no puede ser estudiada en español si no se tienen en cuenta paralelamente todos los cuantitativos. La descripción sincrónica puede verse en S. Fernández Ramírez, *Gram.* § 205. Aquí nos ocuparemos de ella a propósito de *tanto*; pero anticipemos que su uso era mucho más amplio en la lengua antigua y clásica, puesto que no sólo se presentaba con los neutros, sino también con las formas concordantes: *muchas de veces, fue a pocos de dias, en poca de hora,* etc. (36).

Tampoco el comportamiento sintáctico de *tal* y *tanto* coincide con el de los demostrativos, pues al lado de combinaciones aceptables por todos:

> *estos (esos, aquellos; tantos, tales) otros* (37)

existen otras específicas:

> *toda esta (esa, aquella) gente.* (Pero no **toda tanta gente); todos estos son buenos.* (Pero no **todos tantos son buenos)* etc.

1.1.10. Sin que represente una total novedad (38), el moderno planteamiento generativo-transformacional estudia a los demostrativos dentro de la clase Determinante, y como determinantes considera a *tal* y *tanto.* Naturalmente está por hacer el análisis de dichos elementos. El autor de uno de los pocos ensayos de aplicación de las teorías transformativas al español, R. L. Hadlich (39), no va más allá de ver la diferencia cualitativo/cuantitativo; al enfrentarse con los determinantes, confiesa su flojo tratamiento por no estar establecida con claridad, respecto a los términos que aquí nos interesan, la relación gramatical existente —o posible— entre todas las expresiones de cantidad o grado.

Sirvan de ejemplos algunos intentos de profundizar en la clase Determinante de lenguas cercanas a la nuestra.

1.1.10.1. Por lo que se refiere al francés, los Dubois (40) se deciden por colocar a *tel* como único en su clase, dentro del constituyente PostArt. Que no es demostrativo —argumentan— lo demuestran su incompatibilidad con los numerales (41) y su posibilidad combinatoria con *même* y *autre* (42). En la base, *tel* puede estar precedido de un Art Déf, que desaparece por la presencia de *tel*: *tel individu* (43); la supresión del Déf bloquea la realización del Dém: **ce tel individu* (44). Y puede estar precedido por un nDéf: *De tels agissements* (45).

Pero no siempre *tel* es PostArt, hay un *tel* adjetivo: *cet hommes n'est pas tel que...*; *tel le lièvre, j'ai détalé.* Los Dubois no especifican cuándo puede hablarse de *tel* adjetivo. En cualquier caso vemos que el análisis de un elemento dentro de un sistema lingüístico no es válido para el término paralelo en otra lengua, por más cercana que ésta sea y pertenezca a una misma familia lingüística. Igualmente queda claro que reglas válidas para un determinado momento no son aplicables a épocas anteriores o posteriores.

1.1.10.2. Para el italiano, A. Colombo (46) ordena su inventario de determinantes en cinco subclases, y sitúa en la cuarta a *tant-* y *tal-*. Tampoco esta lengua puede servir de modelo para los términos paralelos del español, pues tienen sintaxis diferentes; son, por ej., imposibles en español combinaciones paralelas a *quel tanto latte, questi tanti libri.* En italiano, los *quantitativi* (entre los que se encuentra *tant-*) son compatibles con *φ, l-, quest-, que-* (en español sólo con *φ*), y *tal-* (incluido entre los *indefiniti*) lo es con *φ, un-, que-* (47).

1.1.11. Creemos que bastan estas muestras para dejar reflejada la gran complicación gramatical de estos elementos que, de ser adjetivos originariamente (TALIS, -E; TANTUS, -A, -UM) han sufrido un complicado proceso de gramaticalización y han pasado a ser términos polifuncionales. Esa complejidad ha producido profundas vacilaciones en los gramáticos a la hora de integrarlos en determinada categoría o subcategoría. De ellas ni siquiera se ha salvado S. Fernández Ramírez, el tratadista que quizá más ha profundizado en su análisis, pues, pese a estudiarlos como demostrativos, no se le ocultan ni la complicada naturaleza (puntos de contacto con otras clases o subclases de palabras, traslación funcional, etc.) ni la fluctuación sintáctica (de ahí sus dudas acerca de la frontera entre adverbio y sustantivo neutro, por ejemplo) de *tal* y *tanto.*

Las gramáticas siguen repitiendo y aceptando sin crítica conceptos y términos que sólo contribuyen a dejar las cosas sin aclarar; y la mayor parte de ellas se limitan a evitar el análisis de unos términos que, por su mismo carácter polifuncional, necesitan de él más que cualesquiera otros.

Creemos que S. F. Ramírez ha señalado una posible dirección, aunque no ha penetrado en ella, por salirse de su inicial propósito. Si el valor demostrativo de *tal* (y de *tanto,* añadiríamos nosotros) se deriva de los usos correlativos, por las correlaciones débese comenzar; nosotros nos ocuparemos de una de ellas, la que tiene como segundo elemento *que.* Pero la comparación no podrá ser olvidada, ni mucho menos, en nuestro estudio.

El orden de tratamiento será establecido de acuerdo con la elección del antecedente.

1.2. TAL, -ES

1.2.1. Un lento proceso de gramaticalización ha llegado a hacer de *tal* (lat. TALIS, -E 'semejante'), palabra comparativa, un término de señalamiento deíctico, casi exclusivamente textual. Sirvan de ejemplo las palabras con las que A. Bello inicia en su *Gramática* el capítulo dedicado a los pronombres personales:

> Hay pronombres de varias especies [...]; *tales* son: yo [...], nosotros, –as, ...

Su función puede ser anafórica o catafórica, según el contexto lingüístico. En *tales son los objetivos que no podemos cumplir* puede hacer referencia a 'los acabados de mencionar' o a 'los que van a ser citados a continuación'.

Nada tiene de extraño, pues, que haya sido estudiado como demostrativo por la mayor parte de los gramáticos y que se acuda frecuentemente, como prueba, a la conmutación con algún miembro de la serie *este-ese-aquel.*

La debilitación y oscurecimiento de su valor han hecho que *tal* indique a veces la indeterminación más general; por ello es considerado también por muchos (48) como miembro perteneciente a la subcategoría de los indefinidos.

El uso de *tal* es hoy más propio de la lengua escrita; en la lengua hablada es también normal su uso cuando se encuentra integrado en un nexo de manera (*de tal manera, de tal forma, ...)* o en fórmulas más o menos estereotipadas: *¿qué tal?, sólo me preguntó mi nombre, mi profesión... y tal,* etc.

Depende de los rasgos que, sacados de un haz complejo, sean combinados por el hablante, el que se seleccione una forma u otra; pero a los rasgos /identificación deíctica/ —que puede ser expresado por *este-ese-aquel* o *el,* según los casos (49)— y /designación no definida/ —cubierto por *un* y otros indefinidos, o simplemente por ϕ— *tal* añade el rasgo /cualitat./ Esto explicaría las vacilaciones de los gramáticos anteriormente reseñadas.

1.2.2.1. Hemos visto (1.2.1.) que la función designativa de *tal* puede ser reproductora o anticipadora; y aunque su posición en la frase es libre, no cabe duda de que existen ciertas preferencias en relación con la misión que desempeñe. Así, volviendo al ejemplo allí citado, entre las distintas posibilidades:

(1a) Tales son los objetivos que no podemos cumplir.
(1b) Los objetivos que no podemos cumplir son tales.
(1c) Son tales los objetivos que no podemos cumplir.

se prefiere 1b para la catafórica, 1c para la anáfora, y para ambas se puede encontrar 1a.

1.2.2.2. La lengua medieval suele acudir a *tal,* con función catafórica, para presentar una proposición —encabezada por *que*— que concreta la significación de un sustantivo relativo (50):

> su *costumbre* era *atal* de los de Roma: que quand alguna tierra querien destroyr, tan en poridat sacauan su huest, que apenas lo uuiauan saber aquellos contra que yuan ni apercibir se dello. (Cron. Gen. 45b-37); la *pleytesia* fue *tal* entrellos de la parte de Petreo et de Affranio et de los sos: que dalli adelant que se non trabaiarien ellos de fazer estoruo ninguno a Julio Cesar, et quel darien las armas que y tenien (Cron. Gen.

> 76b-4) (51). Mas ouo en pos esso abenençia entre la madre et el fijo, el ell *abenencia* fue *tal* que touiesse ella pora si lo que quissiesse, et lo al que lo ouiesse el fijo (íd. 648a-24) (52).

En esos casos la lengua posterior prefiere *este*

> mi opinión es esta: que esperes algunos días antes de tomar una decisión;

y cabe, como en otros tipos oracionales, la transformación infinitiva

> esta es mi decisión: ir hoy mismo a solucionar el asunto.

Pero, fuera del estilo más o menos retórico, es norma la construcción directa, sin elemento catafórico anunciador.

1.2.2.3. Gran parte de estos sustantivos relativos pertenecen al grupo habitualmente llamado «de entendimiento»

> Et a ésta [la tierra] aorauan primero algunas gentes por ssu *entendimiento,* que era tal, que pues de la tierra nasçien todas las cosas de que los omnes biuíen e todas las otras animalias, e a la tierra tornauan e ella las desffazíe después que muríen e en natura della sse conuertíen, que les era assí commo madre e por nascençia e por criança e por sse pultura, e por ende que a ella deuyan aorar e non al (Seten. ley XIX, 50) (*entendimiento* 'creencia'). Et la *opinión* porque

> esto ffazían era tal que el agua era mas noble que otra cosa (Seten. ley XX, p. 51).

Aunque a veces se acuda a alguna proforma nominal (53), con un exiguo número de rasgos sémicos, capaz de sustituir a algún sustantivo del mencionado grupo:

> Lo que prometieres sea tal *cosa,* que tú mismo, de que lo hobieres prometido, non te hayas á arrepentir.

He aquí algunos ejemplos en estructuras no atributivas:

> Labbadessa nomrada fezo esta habenentia con don Fernando Pedrez, filio de don Pedro Matheo, que Dios perdone; tal *habenentia* fezo, que del dia doy, delessa don Fernando Pedrez e des esses de toda la heredad quel tenia en aldea dArganz... (Docs. lings. 266, pp. 358-359) (54). E yo, don Peydro abbat de Rioseco, con uoluntat e con otorgamiento de todo el conuento, ponemos uos tal *enfurcion* que quierouiere un yuuo de bueyes, que de un morabedi e un almud de ordio (Docs. Lings. 51, p. 79) (55); et ouieron ambos a dos tal *postura:* que Abenrrazin quel diesse conpra uendida en sus castiellos et quel abondasse de conducho, et el Çid que nol fiziesse mal en sus castiellos nil guerreasse (Cron. Gen. 568b-25).

1.2.2.4. Con el sustantivo *ventura* ('suerte, destino'), descargado en mayor o menor medida de su significado originario, la estructura atributiva quedó convertida, como consecuencia del frecuente uso, en un mero recurso narrativo estereotipado; en este caso *tal* suele anteponerse:

> pero *tal fue la su ventura* que nunca pudo fallar mandado del, sy era muerto o biuo... (Zifar 43, p. 93). *Atal fue mi ventura* que dos messes pasados,/ murio la buena duena, oue menos cuydados (LBA, S e. 1506). E estando todos atendiendo lo que diria Nicoforis *su ventura fue atal* que non sopo desir una palabra de lo que havia oydo a su maestro (Bonium 78).

Es frecuente la repetición de *que* si se intercala alguna frase parentética:

> Et atal fue su ventura, *que* en aquella calleja do él entró, *que* moravan y las mugeres que públicamente biven en las villas fiziendo daño de sus almas et desonra de sus cuerpos (Lucan. ex. 46, p. 228) (56).

1.2.2.5. Es sabido que la lengua antigua y clásica no solía usar la preposición *de* cuando el complemento de estos sustantivos consistía en una proposición sustantiva introducida por *que* (57). El Cantar del Cid la omite sistemáticamente:

> el mandado legaua que presa es Valençia (Cid 1222); llegaron las nueuas al comde de Barçilona,/ que mio Çid Roy Díaz quel corrié la tierra toda (íd. 957-58).

Para R. Menéndez Pidal (58) el verbo y el sustantivo

que debía regir genitivo se consideran como un todo o perífrasis verbal:

> miedo han que i verná mio Çid el Campeador (Cid 2987 'temen que'). Et aquella su uerga que diximos que traie auie natura que ala cosa uiua que tannie con el un cabo que la adormie e con el otro le espertaua (íd. 161b-46).

A medida que la lengua ha ido adquiriendo mayor elaboración y madurez sintácticas, esas pseudoperífrasis han ido desapareciendo, y se acude a la preposición *de* como procedimiento normal de enlace; al mismo tiempo se regularizaban las correlaciones modal-temporales entre principal y subordinada.

La lengua medieval, sin embargo, también se servía de *tal,* en incipiente y vacilante trabazón correlativa con *que,* para esta construcción:

> el rrey tiene *tal costunbre que* quando se ensaña non ha sufrençia en ninguna cosa nin se da a vagar (Calila B 279-4593). Dice el abad Silva en un sermon, que Bedasta, grand mujer de Egipto, *tenia tal manera que* ella mesma criaba sus fijos de su propia leche (Casts. e docs. BAE, I 90a).

Si bien es cierto que hay hechos que inclinan a pensar en una mera aposición especificativa, como es la coincidencia con final de verso en textos poéticos:

> Pero con todesto pongo *tal condiçion/ que* se de mi sangre naçir fijo baron... (Alex. 2471a); e fazedle *atal ruego/* —e a él mucho plazería—/ *que* ssu fija vos dé luego,/ la infante doña María (Alf. XI, 252-253);

los textos escritos no nos proporcionan marcas sintácticas que aseguren tal posibilidad:

> E diéronle tal ssemeiança que assí commo el Spíritu Ssanto non cae ssinon en cuerpo linpio, otrossi la rrazón non rrecibe ssinon cuerpo entendido (Seten. ley XI, p. 47);

y en los casos en que la proposición usa el Indicativo, sólo el conocimiento de la lengua hablada (línea melódica, cadencias, pausas...) podría aclararnos la verdadera naturaleza de la relación entre *tal* y *que:*

> et el era tal omne et auie *tal manera que* nol plazie quando le retrayen algun buen fecho que el feziesse (Cron. Gen. 752b-23).

El español moderno separa siempre con claridad lo que sintácticamente constituye una proposición-complemento introducida por *de (tenía la costumbre de {que no dejaba, no dejar} nada sin acabar),* de la mera aposición; en este caso se acude a toda una serie de actualizadores o sintagmas adjuntos al sustantivo: *tenía {una, esta, la siguiente, ...} costumbre: {no dejar... / no dejaba...}*

1.2.2.6. En los documentos no literarios se repiten constantemente, como fórmulas contractuales, algunos complementos preposicionales:

> *A tal pleytu* uos fazemos esta mercet e est lessamiento de las sernas, *ke* qual sequier de uos o de los que seran ke ouiere iugu...*ke* nos de... (Crestom. p. 114, doc. III 8-15) (59). Esto todo do io

> don Pedro a uos, abat don Cebrian, e al conuent de la Uid, *por tal conuenientia, che* fagades en Quintaniela de Ualdado un ospital con eglesia e con casas... (Docs. lings. 209, p. 272). Ego don Armengot edomna Cathalana [...] damos eatorgamos la agua que decende [...], *ental taiamiento que* el conceiho de Palatiolos regando loque obos ouieren, la otra uaia al conuento de Bussedo, eque digun nola destaihen (Docs. lings. 155, p. 204).

Los sustantivos más utilizados son: *pleito* (diversas grafías), *condición* (íd), *conuinentia* (íd); y menos, *taiamiento, auenentia, paramiento, razon, foro,* etc. Y las preposiciones que más frecuentemente preceden: *a, en, con por;* menos, *sobre, fata.*

Construcciones semejantes se encuentran en textos doctrinales, históricos o literarios:

> E un dia jugo a los dados con un omne *en tal pleito que* si aquel omne lo venciese, que bebiese el agua de aquel rrio, e que si el venciese, que la bebiese el otro (Bonium 324). ..., é venian *en tal ordenanza, que* en medio dellas venian las dos galeas que tenian castillos, do venian el Conde de Cardona é Don Bernal de Cabrera, Almirante (Cron. D. Pedro XV, 496b). Es viejo e ançiano,/ válale vuestra messura,/ véngavos besar la mano/ *con tal pleyto* e *postura/ que* vos faga vasallaje/ muy bien e sin engaño,/ con fijos dalgo omenaje/ que nunca vos faga daño (Alf. XI 591-592)

1.2.2.7. La frecuencia con que se nos presenta el sustantivo *condición* podría ayudar mucho a aclarar el proceso de progresivo dominio de la subordinación; desde la mera yuxtaposición apositiva (*con tal condición: que...*) hasta la fórmula trabada posterior (*con la condición de que...*) habría que pasar por estadios intermedios como:

> tómote *con tal condicion que* pueda dormir con otra ó ella con otro (Casts. e docs. BAE 206b).

El español ha llegado a gramaticalizar como nexo de valor condicional *con tal (de) que*+Subjuntivo (60).

1.2.3.1. Pero *tal* ha mantenido en español el valor comparativo originario (TALIS 'semejante'), que es el que posibilita el desencadenamiento de las correlaciones comparativa y consecutiva:

> fazer telo he dezir que *tal* eres *qual* digo yo (Cid 3389); non vidiestes *tal* juego *commo* iva por la cort (íd. 2307).

El «primer vagido» de nuestro idioma, la breve oración de las Glosas Emilianenses, contiene una estructura consecutiva con *tal* como antecedente:

> Facanos Deus omnipotes *tal* serbitjo fere *ke* denante ela sua face gaudioso segamus. Amem. (Orígenes, p. 7) (61).

Su uso es, pues, abundante desde los orígenes del idioma:

> Don Martino e Díag Gonçalvez firiéronse de las lanças,/*tales* foron los colpes *que* les crebaron amas (Cid 3646-47).

La correlación puede aparecer incompleta si el contexto lo hace posible:

> hya varones, ¿quien vido nunca *tal* mal? (Cid 3377 'un mal semejante a —igual a, como— este') (62); del dia que nasquieran non vidieran *tal* tremor (Cid 1563).

Las gramáticas siguen hablando en este caso de *tal* demostrativo o indefinido (63), e incluso llega a ser considerado como término demostrativo e indefinido simultáneamente (64); pero es evidente que el valor comparativo lo separa semántica y sintácticamente del *tal* esencialmente designativo que hemos estudiado anteriormente.

1.2.3.2. El carácter elativo de *tal,* al que suelen referirse todos los tratadistas —con diferentes denominaciones: ponderación, énfasis, intensidad (o intensificación), grado, encarecimiento, etc.— no puede nacer más que del valor comparativo; y es el que desencadena la correlación consecutiva con *que.* En el siguiente ejemplo, paralelo al aducido por nosotros anteriormente,

> (2) tales son los objetivos, que no los podremos cumplir;

observamos, por una parte, la existencia de una pausa que precede a *que* y una línea melódica propia (el primer grupo fónico con tonema final ascendente o suspendido, y descendente el segundo); y, por otro lado, la presencia de un reproductor pronominal *los* (=*objetivos*), inadmisible en nuestro ejemplo primero junto al relativo *que.*

Tal no admite aquí ninguna de las conmutaciones

con demostrativos, indefinidos, etc., ensayadas por los gramáticos; y aunque la movilidad dentro de su frase es mayor, no puede nunca alterarse el orden de ambas proposiciones:

> (2a) tales son los objetivos, que no los podremos cumplir; (2b) los objetivos son tales, que no los podremos cumplir; (2c) son tales los objetivos, que cumplirlos no podremos; (2d) los objetivos tales son, que cumplirlos no podremos (65);

pero no

> *Los objetivos que no los podremos cumplir son tales.

1.2.3.3. Así pues, este segundo *tal* tiene función adjetiva, y puede integrarse en una serie enumerativa de miembros pertenecientes a la clase Adjetivo, bien copulativamente:

> e tu eres rrey e as de mio lynaje e de otros asaz vasallos que son *sabidores* e *valientes* e *fazedores* e *arteros,* e *tales* que sy tu quisieres que ellos te syrvan, escusaras a my (Calila B 309-5142). En las partidas de occidente entre los montes é la mar nascerá una ave *negra, comedora,* é *robadora,* é *tal* que todos los panares del mundo querrá poner en su estómago (Cron. D. Pedro 586a)

bien simplemente apuesto:

> Vino sancta María con ábito onrrado,/ tal qe de

omne vivo non serié apreciado (Mil. 468a); alçando e apremiendo fazien cantos *suaues/ tales* que pera Orfeo de formar serien graues (Alex. O 1971) (66).

Y puede añadirse (con o sin conjunción de coordinación), tras pausa, pospuesto al sustantivo:

entre ty e el ome *enemistad* auras,/ e *tal* que para sienpre nunca feneçeras (Rim. Pal. N 1447)
Cel.—...¿Y que mal es el suyo?
Al.—*Dolor* de costado, y *tal* que, segun dize el moço que quedaua, temo no sea mortal (Celest. IV, 85);

cosa que es obligada si el sustantivo dispone de algún determinante:

Mas porque el conde de Tolosa é algunos de su compaña no eran aun llegados, enviáronle *sus* mensajeros, é *tales,* que le supieron contar todo el hecho como era (Ultram. I, CCXXII 128b)

aunque el castellano medieval acepta el numeral entre *tal* y el sustantivo:

tenie *tales tres cornos* que era grant pauura (Alex. O 2018); e diol *talles tres golpes* por somo del yelmo, que gelo fizo dos partes (Htroy 69).

1.2.4. En suma, es imprescindible partir de la distinción de dos valores de *tal;* por una parte el *tal* correlativo, de naturaleza sintáctica adjetiva, que no ha perdido sus rasgos semánticos originarios/cualit./ y /semejanza o igualdad/; el carácter elativo, necesario para la correlación consecutiva, no puede sumarse más que a este primer *tal,* y no al de carácter fundamentalmente deíctico (67).

Y, por otro lado, un segundo *tal,* esencialmente designativo, al que podemos seguir calificando de pronombre como —con vacilación entre distintas subclases (demostrativos, indefinidos)— se viene haciendo tradicionalmente, o integrarlo en la clase de los determinantes, si aceptamos el planteamiento de la gramática generativa y transformacional. Su capacidad deíctica queda limitada casi exclusivamente al campo sintáctico; es muy raro su uso con referencia al campo sensible. De acuerdo con el rasgo o los rasgos combinados por el hablante en cada caso, podrá asociarse a los demostrativos, a los indefinidos, etc. Pero quizá deba constituirse una subclase con *tal* como elemento único.

1.2.5. En principio cualquier sustantivo o pronombre sustantivo puede recibir una intensificación cualitativa:

> Tal es *Dios* et los sus *fechos,* que señal es que poco lo conoscerán los que mucho fablan en El (Lucan. 3.ª parte, p. 274); *vos* sodes tal que non faredes ninguna cosa contra lo que una vegada prometierdes (Lib. Est. XV, 25-7); mas *tu* fueste tal que acreçiste de rrazon (Vis. Filib. 54); ¿Qual *dolor* puede ser tal que se yguale con mi mal? (Celest. aucto 7, 26).

1.2.6. Con *tal* como atributo alternan los antecedentes de intensidad-manera (68):

> Pero si vierdes que aquel vuestro enemigo es *tal*

> o *de tal manera,* que desque lo oviésedes ayudado en guisa que saliese... (Lucan. ex. 9, 90),

y toda una serie de atributos indirectos formados con *tal* y algún sustantivo con rasgos semánticos más específicos que el genérico *manera:*

> el qual era de tal *obra* que non podia ser pensado (Leom. LXXXVI, 174). Ca, segund vos he dicho, de tal *ventura* seo,/ que si lo faz mi signo o ssy mi mal asseo,/ nunca puedo acabar lo medio que deseo (LBA, S 180);

y especialmente con *natura:*

> son de tal *natura* que les dura muy poco el amor e el duelo (HTroy 147) (69).

Tal es preferido incluso como predicativo de doble referencia, en que su función vacila entre la atributiva y la adverbial, en castellano medieval:

> e descorpolas [ymagenes], e desfizo las todas, e *parolas tales* que non eran de ueer (Gen. Est. Prim. Part. 92b-4); et non avedes a levar del mundo sinon las obras que fizierdes, guisat que las *fagades tales,* porque, quando deste mundo salierdes, que tengades fecha tal morada en l'otro, porque quando vos echaren deste mundo desnuyo, que fagades buena morada para toda vuestra vida (Lucan. ex. 49, 242).

No siempre es fácil decidir qué constituye el núcleo del atributo:

E tal eres tu contra mi, que si yo loca non fuese, non te deuia amar, pues que tan grand mal me quieres (Cron. Gen. 40a-48).

1.2.7.1. La presencia del rasgo elativo en *tal* es el único hecho que puede dar carácter de correlación consecutiva a frases como:

é de aqui paresce que virtud es eutrapelia; ca es *tal virtud que* refrena las superfluidades de los juegos, é atiempra las durezas dellos (Casts. e docs. BAE 178a). De la seguranza, dice Tullio que es *tal virtud, que* non teme los dapnos que pueden acaescer al que ha miedo de otro (íd. 171b).

La existencia de pausa ante *que,* como pretende reflejar la puntuación en el segundo caso, apoyaría tal carácter, pero son hechos interpretativos no siempre fiables.

Ya en latín una proposición relativa podía expresar una serie de relaciones lógicas, entre ellas la de consecuencia; el relativo podía tener en este caso los mismos correlativos que el UT consecutivo (70):

Nec... quis quamst *tam* opulentus qui mi obsistat in via (Plauto, Curculio, 284). Si quis est *talis* qui... me accuset (Cic. in Catilinam, 2,3).

En estas oraciones relativo-consecutivas, *tal* resiste su conmutación por otros miembros demostrativos, indefinidos, etc. En las oraciones

Amigos, si queredes ser ricos, amad *tales riquezas que* siempre finquen convusco (Casts. e docs.

> BAE 204). Este libro fizo don Iohan, fijo del muy noble infante don Manuel, deseando que los omnes fiziesen en este mundo *tales obras que* les fuessen aprovechosas de las onras... (Lucan. Prólogo, 47). E dizen las estorias que desque fallo *tal lugar que* entendio que le cunplia que quedo ally (Leom. II, 65); ouo a fezer *tal pleytesia que* non fue onra de los romanos (Cron. Gen. 29a-18). Plazeme, mas quiero yo *tal marido que* non aya par en valentia nin en fuerça nin en nobleza nin en poder (Calila B, 226-3771); faziendo *tales obras que* fuessen a grand onra et del su estado (Lucan. ex. 25, 144).

la primera admitiría *aquellas, φ, las;* la segunda, *unas, aquellas, φ;* la tercera, *un;* etc. Algunas de esas alternancias quedan atestiguadas:

> non ha rey enno mundo nen *tal emperador/ que* tal fijo ouies ques non touies por meior (Alex. O 334); non ha rrey en mundo njn *enperador/* que si toujes tal fiio nos toujes por mejor (íd. P 342) (71).

1.2.7.2. Si *tal* se encuentra pospuesto, por exigirlo la presencia de algún presentador del sustantivo, su carácter es casi expletivo:

> pero que non sabien ellos *ningun rey tal que* quissiesse dexar su tierra a uenir morar entre yentes estrannas e que biuien a manera de bestias (Cron. Gen. 37b-31).

1.2.7.3. A no ser que haga referencia a un sustantivo

explícito en el contexto, *tal* como término nuclear se refiere siempre a personas:

> et que ouyese otrosí *tales* en su conseio quel amasen lealmiente a lo sopiessen bien conseiar, e que fuesen onrrados e entendidos e de buen seso (Seten. ley X, 22); nunca a *tal* ferie que se partiese del pagado (HTroy 74).

1.2.7.4. La posposición del verbo apoya el carácter elativo de *tal* en casos como:

> Si no los dexás por mio Çid el de Bivar,/ tal cosa vos faría que por el mundo sonás (Cid 2677-2678) (72); tales cosas dixo que sol non son d'oyr (F. Glez. 208d) (73).

en los que, además, la pausa coincide con la cesura métrica.

1.2.8.1. En diversas ocasiones, y a propósito de los problemas que plantea la historia del artículo en español (74), R. Lapesa ha mostrado que en textos medievales y clásicos abunda el simple *que* en ocasiones donde hoy sería preferible o necesario *el que:*

> E libro los sicambrios, e los vtibios, *a que* tenian cercados los sueuos (Cron. Gen. 64a-32).

y que el grupo pronominal *el que* surge primeramente sin antecedente, con *el* portador de la función sustantiva

> Con *el que* toviere derecho yo dessa parte me so (íd. 3142) (75). Digote que yo non mostrare al

> leon enemistad, nin me camiare de commo estava con el, nin en çelado nin en paladinas, fasta que vea de *lo que* me yo temo (Calila A, 110-1654).

En cambio, en el ms. B:

> Digote yo que non mostrare al leon enemistad nin sañudo salvo alegre commo que no se nada fasta que por su parte vea por el tales señales que muestre contra my su malquerençia (110-1910).

1.2.8.2. Si en el antecedente se encuentra *tal,* se puede seguir utilizando el sintagma *preposición + relativo*

> *si fuesen los bues o las bestias tales con ke* pueda omne labrar... (Crestomatía, p. 114, doc. III). Vidi y *tales* cosas *por qui* so muy pagada (Sta. Oria 154d). Afe yo trametré viento e oyra *tal* palabra *por que* tornara a su tierra e yl fara morir a espada (Faz. 155) (76); que podrian traer la tierra á *tal* peligro, *á que* nos no podrémos dar consejo (Ultram. I, LXXVI 44a)

pero es más frecuente que desencadene una correlación directa con *que* y la preposición se sume posteriormente a un reproductor pronominal:

> E cada uno de los sabios ha dicho *tales palabras* e *tales enxenplos que* los coraçones de los entendidos fuelgan *con ellos,* e grand pro fasen a quien quier que las oye... (Bonium 73). Non seras bueno complido fata que seas *atal que* tu enemi-

go pueda fiar *en ti* (Lib. B. Prov., Crestom. 194); seer el rrey *atal que* non osen venir *ant'el* los omnes (Fl. Filos. 31).

1.2.8.3. La reproducción pronominal puede hacerse con una forma concordante, como en los ejemplos anteriores, o con el neutro; en ocasiones los distintos mss. de una misma obra se diferencian en la solución adoptada:

> yo fare en su cuerpo un exemplo *atal/ que* siempre fablen *del* en Greçia por sinal (Alex. O 469); yo fare en su cuerpo vn exenplo *atal/ que* sienpre fablen *dello* en Gresçia por señal (íd. P 479); ya ove yo del rrey *tal* dinidat e *tal* pryvança *que* me avian enbidia *por ello* (Calila B, 137-2328); ya ove yo del rrey *tal* dignidat *que* me avian enbidia *por ella* (Calila, A 137-2046).

1.2.8.4. La no justificación histórica de la separación de *que* (relativo)/*que* (conjunción) recibiría apoyo de este tipo de construcción; el valor relativo se vería confirmado por la utilización, en ocasiones, de adverbios relativos:

> et el rey don Vermudo aguijando contra ellos et ellos contra el, fue y el rey don Vermudo ferido de una lança, ferida *tal dond* cayo daquel su cauallo a tierra, et murio y (Cron. Gen. 482b-26). E esto dice él porque los reys non deben facer *tales* obras, *por do* deban tomar vergüenza (Casts. e docs. BAE, LXIX, 198b)

pero también se nos presenta la correlación sin que exista reproducción pronominal:

Del domingo fasta el cabo pensat bien lo que digades,/ fablad tanto e *tal* cosa *que* non vos arepintades (LBA 721). E como quier que esto enviaron decir al Rey, non ovieron *tal* respuesta *que* se toviesen por contentos (Cron. D. Pedro, XXIV, 450a).

1.2.8.5. La misma situación de vacilación sintáctica y funcional se nos ofrece en los casos en que el pronombre reproductor funciona como objeto directo o indirecto:

Si tu esto fizieres ganaras *tal* ganançia./ *Que* mas *la* preçiaras que el regno de França (Apol. 583); fablará por vos *tales* palabras, *que* non podrán contradecir *a ellas* vuestros adversarios (Casts. e docs. BAE 162b); ca non auia y tan grand riqueza nin *tales* donas que preçian mucho las mogieres, *que lo* yo todo non ouiese a mi plazer e a mi mandado (HTroy 153).

En este caso, la ausencia del pronombre reproductor con verbos /+ tr/ hace recaer en *que* la función de objeto directo:

Jhesu Christo que as *tal* poder e *tal* virtud *que* omne nin al non poderia *auer* (Plac. 154); feziste *tal* fecho *que* pocos son los que podrian *fazer* (Calila A 236-3598). En cambio, ms. B: acabaste tal fecho qua pocos entiendo que *lo* pudieran acabar (236-3923).

1.2.9.1. La correlación consecutiva puede contribuir a aclarar problemas que atañen al procedimiento de la subordinación en general.

Como antecedente, *tal+sustantivo* puede desempeñar cualquier función sintáctica, entre ellas la de complemento preposicional:

> fízol meter *en tal prision,* que mas quisiera la muerte que tal vida como vivia (Ultram. IV, CDXXIII 657b) (77); acomendélas sienpre *en tal recabdo* que en faziéndose las unas se fazían las otras (Lib. Cab. L, 71-23).

Algunos sustantivos son particularmente abundantes, como los de lugar y tiempo:

> en tal *lugar* alçar (Alex. O 1562c); mouiosse [...] por tal *tierra* (Alex. O 1985); assentada en tal *logar* (Gen. Est. Seg. Part I, 130b-5); en tal *punto* nasçido (HTroy 175, v. 90); a tal *ora* yredes (Zifar 384); en tal *lugar* [...] lo sopo assentar (Leom. CCIII, 304); en tal *ora* estó (Cron. D. Pedro, XVII 507b), etc.,

junto a otros casos con el sustantivo solo, sin *tal:*

> mas agora vos tengo en *lugar que* non podeis escapar (Ultram. II, CCLVII, 316b). Et trayendo su fazienda en esta guisa, ante de poco tiempo llegó su fecho a *logar que* también las maneras et costumbres del su cuerpo, commo la su fazienda, era todo muy empeorado (Lucan. ex. 21, 128).

Asímismo en plural:

> dieronlas en tales *lugares* que cercaron la villa

(Ultram. I, CCXIX 127a); que les sepan dezir tan buenas razones et en tales *tiempos,* por que ayan sabor de aprender las cosas por que valdrán más. (Lib. Cab. XXXVII, 38-24).

En coordinación con algún sustantivo de 'manera':

> E(n) dezir verdat non ay lisonja ninguna; mas la verdat puede omne dezir en *tal guisa* e en *tal tienpo* e en *tal logar* que semejará mas lisonja que verdat (Casts. e docs. XXXIV, 160).

1.2.9.2. La lengua va fijando algunos de estos sintagmas preposicionales hasta llegar a su gramaticalización como meros nexos subordinantes. El deseo de expresividad constante en todo sistema lingüístico hace que los instrumentos de subordinación se renueven incesantemente. Algunos de ellos no llegan a cristalizar; es lo que parece haber ocurrido con el sustantivo *estado* en el castellano medieval (78):

> llegada es la tu fazienda *a tal estado* que non me cumple (Calila B, 145-2446); ¿crees (...) que podrás tu llegar *a tal estado* en algunt tienpo que esto podieres fazer? (Zifar, 250). E *a tal estado* son llegados ya los fechos,/ Que quien tenia trigo non le fallan afrechos (Rim. Pal. N 242).

Al lado del sustantivo solo, sin *tal:*

> E non cuydaria yo que llegaria *a estado que* me sospechases en tu fecho (Calila, A, 280-4328). En cambio, en B: ¿Que sospecha as de my? Que non pense yo que llegarias *a tal estado* que me

> negases cosa de tu fazienda (B, 280-4614); é los sus privados del Rey eran *en estado que* ya el Rey non los queria tanto como solia, é non les iba tan bien en la privanza (Cron. D. Pedro VIII 474a).

Su uso, como se ha podido observar, parece limitarse a oraciones con verbos de movimiento (79); con otros verbos resalta también la idea de resultado de una transformación:

> et muchos homes *mueren* en tal estado que aun que ayan seýdo de buena vida, que pierden las almas (Lib. Est. LXXVI, 126-76); non deve omne fazer cosa que sean danno de su sennor por conplir su voluntat, fasta que *sea* en tal estado que entienda lo que manda lo que es su serviçio (*ser* 'llegar a, encontrarse en') (Lib. Cab. XXXVI, 36-48).

Quizás esta limitación sea una de las causas por las que no llegó a convertirse en útil gramatical, y así lo revela la aparición frecuente del plural:

> e vienen *a tales estados* que non fallan depues a que se torrnar e pierdense en mal estado (Casts. e docs. XLIX, 209) (80).

1.2.9.3. Con los sustantivos /+ manera/ (*guisa, manera,* etc.), en cambio, se llega a la fijación gramatical total; de estas correlaciones (*de tal guisa... que; de tal manera... que;* etc.) nos ocupamos en los capítulos próximos. Hay que apuntar, sin embargo, que a veces se prefiere un sustantivo que repite los rasgos semánticos del verbo en lugar de uno genérico de manera

> e *ordenela de tal ordenamiento* que la entenderan los sabios e non se aprovecharan della los que la desaman (Bonium 248); *soy atrybulada de tal trybulacion* que me son defendidas asy que aunque las tomase non las osaria comer (Calila B, 233-3871).

1.2.10.1. Por lo que respecta al orden de los elementos, no es un hecho raro en castellano medieval la posposición de *tal* (81)

> Joab firiol en el costado *ferida tal* quel echo las entrannas en tierra (Gen. Est. Seg. Part. II 383a-27); traya *guisamiento tal* (HTroy 97). Otrosí, el que da *limosna tal* que non siente menos lo que da, yo non digo que tal limosna sea mala, mas digo... (Lib. Est. LX, 95-66).

1.2.10.2. En ocasiones va pospuesto a un sustantivo ya aparecido anteriormente:

> e qui alli estidiesse, uerie los *poderes* de los romanos ayuntados en los campos de Farsalia pora matarse unos a otros. E *poderes tales,* que si desabenencia non ouiessen... (Cron. Gen. 80a-50).

1.2.10.3. La presencia de un determinante ante el sustantivo también suele ser causa de la posposición de *tal:*

> e non rrescibe la sapiencia deshonrra de aquel que la non rrescibe solamente, mas rrescibela de aquel mayor que la pone en *el nescio tal* que non sabe departir las cosas (Bonium 367); et diol *otro colpe tal* que cayo el moro muerto a tierra (Cron. Gen. 403a-3);

pero con *un* puede ir pospuesto o antepuesto:

> *hun tal son* (Apol. 182c); *hunos sones tales* (Apol. 427a); *un tal destempramiento* (Alex. O 840); *una tal purgadura* (Alex. O 855); *vna tal mortaldat* (Alex. P 965. En el ms. O: *faremos... atal mortaldat*); *tu eres un onbre tal* (Calila B 178-2977); *una arte tal* (Calila B 366-6134); *un tal aleuantamiento* (Cron. Gen. 55a-33); *vna tal lançada* (Gen. Est. Seg. Part. II 147a-23); *un tal golpe* (HTroy 45); *vn tal torneyo* (HTroy 173); *vna tal puñada* (LBA, S 63); *un tal don* (Alf. XI 1287); *un tal acaesçimiento* (Lucan. ex. 44 222), etc.

1.2.10.4. Si son varios los sustantivos, *tal* puede concordar en singular con el más cercano, tanto si va antepuesto como pospuesto:

> tomarán *espanto* e *escarmiento tal* que ninguno otro hombre del mundo sea atrevido ni osado á igualarse conmigo (Ultram. I, LXXIV, 42a); e por ende noche e dia biue en *tal pena* e *dolor* que nunca avie alegria (HTroy 193, v. 50).

1.2.10.5. La lengua juglaresca muestra especial predilección por la separación del adjetivo y el sustantivo mediante el verbo (82):

> *gentes* se le alegan *grandes* (Cid 968). *Grant* a el *gozo* mio Çid (íd. 803).

y *tal* se comporta de manera análoga:

> *costunbres* auedes *tales* (Cid 3309). Los sacerdotes *costumbre* tienen *tal,*/ Que siempre fueron en facer todo mal (Enxemplos, 329).

1.2.10.6. La posposición del verbo es más frecuente en verso que en prosa:

> tal don *auras* de mi que siempre gozaras (Alex. O 358); ca tales cosas *dixo* que sol non son d'oyr (F. Glez. 208d) (83). Entramos vn a otro tales golpes se *dieron* (F. Glez. 315a) (84); e tal enfermedat *cogieran* de la sed, que estando llenos de agua, la cobdiciauan (Cron. Gen. 76b-44).

1.2.10.7. En los textos poéticos, *tal* + *sustantivo* suele intercalarse entre verbo modal e infinitivo, entre auxiliar y participio, etc.:

> Non *sera,* diz Antioco, en tal logar *alçado*/ que de mi lo defienda yermo nin poblado (Apol. 49c); ca yo *sabre* tal cosa *fazer e destemprar* (Alex. O 2284). Hy *fizo* Apelles tal talamo poblar (Alex. O 1800); *quiso* Dios por su ruego tal uertut *demostrar*/ que serie a sant Pedro grant cosa a ganar (Alex. O 1937).

1.2.11. Así pues, la complejidad gramatical de *tal* deriva de los diversos valores que en él han confluido; sin haber perdido su carácter comparativo, procedente de su naturaleza adjetiva originaria, ha sufrido al mismo tiempo un proceso de gramaticalización que lo ha convertido en un elemento esencialmente designativo.

La correlación consecutiva sólo puede darse con el

primero, ya que sólo a *tal* comparativo puede sumarse el rasgo elativo propio de ella.

La lengua medieval hacía un uso mucho más intenso de *tal:* como anunciador catafórico (1.2.2.2. y 1.2.2.3.), para introducir un complemento de un sustantivo con forma proposicional (1.2.2.5.) e incluso en fórmulas narrativas estereotipadas (1.2.2.4.); casos en que la lengua posterior ha preferido un demostrativo meramente deíctico, un artículo o simplemente ϕ.

Por otro lado, los valores antes señalados están muy lejos de encontrarse siempre nítidamente diferenciados; hemos visto algunos casos en que la correlación con *que* vacila entre consecutiva y relativa o, mejor dicho, relativa con valor de consecutiva (1.2.7.1., 1.2.8.4. y 1.2.8.5.), y en ocasiones los textos escritos no pueden proporcionarnos ningún dato que confirme uno u otro sentido.

Tal puede contribuir, además, a aclarar el proceso histórico de la subordinación en general, especialmente el modo en que se constituyen los nexos gramaticales de subordinación y las condiciones que para ello se exigen (1.2.9.1. - 1.2.9.3.)

1.3. TANTO, -A, -OS, -AS

1.3.1. La forma *tanto,* que —como ya dijimos— ha absorbido los valores semánticos de su étimo latino *TANTUS* ('tan grande') y de TOT ('tan numeroso'), puede usarse como término secundario adjunto a un sustantivo o como término primario pronominal. Su comportamiento sintáctico está condicionado por las subclases de sustantivos a los que se adjunta o hace referencia y por el número gramatical.

1.3.2. LAS FORMAS SINGULARES

1.3.2.1. La lengua española se ha servido desde sus orígenes de *tanto* (*-a*) unido a nombres contables como forma particularmente expresiva de la pluralidad (85). Era especialmente preferido en las enumeraciones por la poesía épica:

> veriedes tantas lanças premer e alçar,/ *tanta adágara* foradar e passar,/ *tanta loriga* falssar e desmanchar (Cid 726-728) (86);

y de la poesía épica pasó a las crónicas y relatos en prosa:

> ¿et quien vio *tanta duenna* de alta guisa et *tanta donzella* andar descabennadas et rascadas... quien vio *tanto infante, tanto rico omne, tanto infançon, tanto cavallero, tanto omne* de prestar andando baladrando? (Cron. Gen. 773b-15) (87).

Pero, aunque su uso con valor absoluto es muy abundante, muy raramente lo hemos encontrado en correlación consecutiva:

> alli fue *tanto* buen cauallero muerto e ferido e preso, *que* todos los canpos estauan cobiertos de cuerpos e de sangre, de guisa que ya los biuos non podian andar sobrellos (HTroy 118) (88); mas alli ouo *tanto yelmo* quebrantado e *tanto escudo* forado, e alli yazian por los suelos tantos cuerpos syn cabeças e salian tantos cauallos syn señores a cada parte, que quien aquella mortandat viese bien podria dezir que nunca cauallo mas caramente fuera conplado (HTroy 109).

Volveremos sobre estos casos (89).

1.3.2.2.1. Con sustantivos no contables (de sustancia y abstractos), en cambio, su uso es normal y abundante, especialmente como atributo (90):

> E tanto fue el *desseo* et ell *amor* que crecio entrellos, que les fizo crebantar las leyes et los mandamientos de sos sennores que les mandauan lidiar, et non lidiauan (Cron. Gen. 72b-37); e el *fuego* desque se apriso ala casa diz que fue *tanto* que... (Gen. Est. Prim. Part. 97a-53); tanta era la *quexa* de la set (Cron. Gen. 75b-33); tanta fue aquella *tierra* (Cron. Gen. 346b-27); *pesar* e *yra* (Gen. Est. Seg. Part. I 26a-3); *affazimiento-amiztad* (íd. 134b-27); *sangre* (íd. 442b-6; HTroy 169); tanto fue el *poder* de Ector e el su *fazer de armas* (Gen. Est. Seg. Part. II); ca tanto sera el *viçio* e el *plazer* (HTroy 151); *fama* (LBA, G 688c); su *mesura* fue tanta (íd. S, 1262a); por la tu *merçed* que es tanta (íd. S 1672d); el nuestro *mal* non ssea atanto (Alf. XI 630c); *pesar* (Leom. LXXXVIII 177); *clueldat* (Vis. Filib. 57); la *cobdiçia* es ya tanta (Rim. Pal. N 312a), etc.

Evidentemente un mismo sustantivo puede entrar en la subclase de los de «cosa» y de «sustancia»; *limosna* sería de estos últimos en

> ...para que la *limosna* sea buena, conviene que aya en ella estas çinco cosas; la una, que se faga [...]; la otra que sea *tanta,* que sienta omne alguna mengua por lo que da, et que sea cosa de que se duela omne (Lucan. ex. 40, 202).

puesto que se refiere al concepto (91).

1.3.2.2.2. Suele usarse el singular, antepuesto o pospuesto, aunque sean varios los sustantivos:

> *tanta* fue la *lazeria* et la *fambre* en ellos (Cron. Gen. 324b-35); ¡oh qué *magnificencia* é *nobleza* de la gente romana, que *tanta* es que se puede apodar é comparar á la benignidat de Dios (Casts. e docs. BAE 115b); *tierra* et *heredat tanta* (Lib. Est. LXVII 108-119).

1.3.2.2.3. Por su parte, el neutro *tanto* puede ser atributo en concordancia con una forma pronominal neutra o cualquier elemento sustantivado con *lo:*

> *tanto* era *aquello* que alli robaron que se finchio Juballa et Valencia et todo su termino de ganado et de catiuos que leuaron (Cron. Gen. 572b-44).

1.3.2.2.4. Fuera de la atribución estos sustantivos de sustancia y abstractos se presentan con igual frecuencia:

> ca oy se baño en *sangre* de tres rreys, e beuio ende *tanta,* que es bermeja (HTroy 167). E los cantabros e los asturianos salieron a ellos, et dieronles *tanta contienda* et tan luengo tiempo, que fueron en grand periglo Octauiano et todas sus huestes (Cron. Gen. 103b-42); *nescesidad* (Tr. Nobl. XXV, 199); el duque ovo del tanta *melenconia* (Calila B, 338-5656); *servicio* (Cron. Gen. 52a-27); tanta *virtud* puso (Gen. Est. Prim. Part. 767a-12); e tanto *gasto* fazie (Gen. Est. Seg. Part. I 154a-10); en tanta *man andança* cayo (Gen. Est. Seg. Part. II 11a-46) *poder* (HTroy 1); *dapno* (HTroy 99; 112); *tierra* (Ultram. III,

CXCVI 410a); adujieron (...) tanta *vianda* (Ultram. IV, CXXIII, 554b); e vos dará tanta *vida* (Lib. Enfen. 113-38) (92); etc.

Pero es raro, sin embargo, su uso como sujeto:

tanta *sangre* fue derramada (M.ª Egipç. 201).

1.3.2.3.1. Los nombres colectivos, formalmente singulares pero con significado plural, tienen un comportamiento semejante. Algunos son específicos (*ganado, ejército,* etc.), es decir, palabras de las que se induce la naturaleza de los objetos que componen el conjunto que designan:

el *ganado* que traian era tanto (Ultram. I, XVII, 9a) (93).

Otros, en cambio, son sustantivos de naturaleza relativa y postulan un complemento preposicional (*grupo, montón,* etc.). Con todo, hay que pensar que determinados colectivos específicos hoy no lo eran en castellano medieval, o al menos no lo eran siempre; así, al lado de

bieron en la ribera tanta *muchedumbre de moros* (Lucan. ex. 3, 70).

encontramos

nacio por toda Affrica tanta *muchedumbre de langostas* (Cron. Gen. 52b-38) (94); tanta era la *muchedumbre de las armas* (Cron. Gen. 54a-12).

1.3.2.3.2. El caso de *gente* merece una especial atención; el singular es, sin duda, un colectivo de carácter específico:

> pero tanta fue desta part la yent (Cron. Gen. 658b-51); e llegó así tanta gente (Ultram. I, I, 2a); tanta era la gente que lo tenia çercado, que ya lo quexauan de muerte (HTroy 165).

El plural *gentes* posee más el carácter de un plural de sustantivo de sustancia y señala a la variedad y a la cualidad de las personas o de los grupos de personas:

> auie este rey Ciro fechas muchas batallas et muertas tantas *yentes* (Cron. Gen. 220b-46); las *gentes* y son tantas que no pueden llegar (Rim. Pal. N 480).

En coordinación con el plural *tales:*

> Otrosí debe guardar el su cuerpo, trayendo consigo *tantas,* et a *tales gentes* de que sea seguro que será guardado que ninguno non le podrá fazer falsedat... (Lib. Est. LXII 98-56).

Pero es frecuente encontrar el singular en concordancia «ad sensum» con el plural *tantos,* especialmente si se encuentran relativamente alejados en la frase:

> é este sacó toda la *gente* de Persia é de Suria é de todas las otras tierras en derredor, é fueron *tantos...* (Ultram. I, XVII 9a); (los moros) *Tantos* son que non han par esta gente refortera (Alf. XI 1006) (95).

1.3.3. LAS FORMAS PLURALES

1.3.3.1. Con sustantivos contables su valor cuantitativo numérico es claro:

> otros *pobladores* que uinien dotras tierras eran tantos (Cron. Gen. 35b-6); tantas *(armas)* fueron las que y aduxieron (íd. 46a-40); tan luenga les fincaua la guerra, et tantas las *batallas* (Cron. Gen. 77a-41); ni eran *tantos* que se atreuiessen (íd. 104a-33); los *moros* fizieronse tantos (íd. 562b-6); tantos eran *los muertos* (HTroy 37) *vuestros muertos* son atantos (íd. 60 v. 31); e desque fueron *tantos* que cada vnos avyan asaz conpannas por sy (Leom. III 66) (96); etc.

Y como fórmulas hiperbólicas se repiten incesantemente hasta casi convertirse en estereotipadas *dar tantos golpes* y *dar tantas heridas:*

> e alli se dieron anbos *tantas feridas* e *tantos golpes* con las espadas sobre los yelmos, que se ayuntauan ya los yelmos a los almofares (HTroy 70); etc.

1.3.3.2. El carácter elativo de este sentido se refuerza gracias a subordinadas negativas con el verbo *contar* (o perífrasis equivalentes), especialmente en el mester de Clerecía, donde la construcción casi acaba convirtiéndose en tópico:

> Tantos son los exiemplos qe *non serién contados* (Mil. 412a); otras tantas yeruas y auia/ que sol *nombrar no* las sabria (Raz. Am. 37); atantas son

que *cuenta dar non* les podriemos (Alex. P 1505); (ms. O: sobre gujsa son muchas cuenta non les sabemos 1363); ally fueron justas e torneos e otros juegos de cauallerias, tantos que los omnes *non* los podrian *contar* (Leom. LXXXV 173).

1.3.3.3. En la función de sujeto existen restricciones sintácticas que importa considerar. En su replanteamiento de la categoría de voz, E. Benveniste (97) afirma que lo que caracteriza propiamente al verbo indoeuropeo es el no hacer referencia más que al sujeto; todo está presentado y ordenado en relación al sujeto. Habría que partir del hecho de que algunos verbos son sólo activos *(ir, venir, vivir, comer, dar...)* o sólo medios *(nacer, morir,* 'estar sentado' —scr. āste, gr. ἧναι—, *hablar...);* los primeros denotan un proceso que se realiza a partir del sujeto pero cae fuera de él; los medios denotan un proceso cuya sede es el sujeto, éste es interior al mismo. Y conviene no confundir —advierte Benveniste— verbo activo con verbo de acción ni verbo medio con verbo de estado (98). Un verbo medio, como *dormir,* puede ser dotado secundariamente de una forma activa, con lo que se convertirá en transitivo.

Benveniste llega a la conclusión de que lo pasivo representa históricamente una transformación, depende de lo medio. La diátesis se asocia a las marcas de persona y de número para caracterizar la desinencia verbal. Se tienen así, reunidas en un solo elemento, tres referencias que, cada una a su manera, sitúan al sujeto en relación con el proceso; el grupo define lo que podría llamarse el campo posicional del sujeto.

De acuerdo con esto, los pocos casos en que las formas singulares funcionaban como sujeto (1.3.2.1. y 1.3.2.2.4.) y casi todos los recogidos a continuación de plural se integrarían en la diátesis interna, en que el proceso es interior al sujeto. He aquí los de más frecuente uso:

a) formas pasivas:

> Tantos furtos e tan grandes e tantas nemigas *se farien* agora por esta razon, que serien grandes ademas los dannos que y tomarien las yentes (Gen. Est. Prim. Part 580a-39); tan grande fue la mortandat de la vna parte e de la otra, que ante de los ocho días *fueron muertos* tantos rreys e tantos duques e tantos capdiellos, que nunca tantos morieron en todas las otras siete batallas (HTroy 197).

b) verbos de suceso o acaecimiento:

> Et tantas desordenanzas, é yerros *acaescen* por ella, que seria luengo de contar (Tr. Nobl. XIX, 198); entonçe *acaesçen* tantas guerras, et tantas muertes, et tantos males (Lib. Est. L, 7619); e quando fueron en la carrera, diz que *uinieron sobressos* de Egipto tempestades tantas et tan grandes, que por ninguna manera non pudieron yr adelant, e ouieron se por fuerça a tornar delli assus casas (Gen. Est. Prim. Part 360b-20).

c) *nacer, morir:*

> *nacio* por toda Affrica tanta muchedumbre de langostas, que comieron todas las yeruas (Cron. Gen. 52b-38). E *morieron* y de la parte del rey Alarigo tantos que poca sennal finco dellos (íd. 247b-22).

A éstos habría que añadir otros en que *yacer* funciona como auxiliar (99).

> Tantos moros *yazen muertos* (Cid 785). E *yazian* en el canpo *muertos* tantos de la vna e de la otra parte que diz otrosi la estoria... (Gen. Est. Seg. Part. II 146a-48).

d) verbos de movimiento:

> *vinjan* tantos enfermos que farian grand fonsado,/ non podriamos los medios nos meter en ditado (Sto. Dom. 537). E, amigos, tantos rreys e condes e tan preçiados duques *son ayuntados* en esta batalla... (HTroy 23) (100); é *llegó* así tanta gente, que fue maravilla (Ultram. IV, CCCXIX 624a) (101).

Los dos únicos casos encontrados con verbos transitivos, totalmente paralelos, aparecen en la prosa de Don Juan Manuel:

> tantos omnes *oyeron* esto (Lucan. ex. 21, 128); tantos omnes le *dixieron* esto (íd. ex. 51, 257).

Ambos verbos son /-factitivo/ y podrían encajar igualmente en el concepto de diátesis interna (102).

1.3.3.4. Con las formas del plural alterna la combinación *tan (tanto) + muchos (-as),* cuyas posibilidades sintagmáticas coinciden con las de *tan (tanto) + adjetivo:*

> *tanto* eran las estorias *muchas* e adianas (Alex. P 1228c); *tant muchas* podian de las galgas echar/

que los fazian vn poco sin grado aquedar (íd. O 204). (En P: *tan de muchas* pudieron de las galgas echar); las naturas delos cauallos son *tan muchas* (Gen. Est. Prim. Part. 563a-51).

A veces con las formas concordantes:

tantos muchos vasallos le pudo matar (Alex. P 403b). (En O: tantos lle pudo de uassallos matar 395b).

En construcción partitiva:

tantos son *de muchos* que non serién contados (Cid 2491) (103).

La misma competencia se establece entre el neutro *tanto* y *tan* + *mucho:*

tan mucho fue esto quelo sopo Thubalcaym (Gen. Est. Prim. Part. 15a-11)

que funciona como adverbio en

e asy quiso Dios que desde ally adelante fue aquella huerta *tan mucho* para bien que en... (Plác. 141). Por Dios que non me quieras *tan mucho* segudar (Sto. Dom. 176a).

Los diversos mss. de un mismo texto alternan en la solución adoptada:

Señor dixo Parmenjo *tan mucho* te dubdamos

> (Alex. P 1252a) (ms. O: *tanto). Nunca tanto podioron andar nin entender/* nin *tan mucho* dar nin *tan mucho* prometer (íd. O 1438). (P: nunca tanto pudieron andar njn entender;/ nunca *tanto* pudieron dar njn prometer 1580).

El singular es menos usado:

> Los cristianos de la tierra quando oyron que tal yente era uenida et *tan mucha* que uenciera et crebantara el poder de los godos... (Cron. Gen. 314b-48).

La combinación *tan* + *muchos* ha sido descartada por la lengua posterior en favor de *tantos;* no así *tan pocos,* para la que no se dispone de sustituto, y que se usaba no sólo en plural

> eran los omnes *tan pocos* aun (Gen. Est. Prim. Part. 551a-10),

sino también en singular, con sustantivos no contables:

> la *vida* deste mundo es *tan poca* (Bonium 105); Sobresta razon dize maestre Pedro que *tan poco* era ell *umor* dell agua alli, que non cumplie atemprar la tierra e ell arena pora correr... (Gen. Est. Prim. Part. 373a-38);

y, lógicamente, el neutro:

> ... las yentes *tan poco* auien estonçes en huso de yr en huestes nin lidiar... (Gen. Est. Prim. Part. 103a-3).

1.3.3.5. El uso del plural en los nombres de sustancia y abstractos implica diferencias más o menos sensibles de significación *(belleza/–s);* el plural puede designar también la clase, modalidad o tipo *(angustias, alegrías, usos, leyes).* En todo caso, el sustantivo en plural siempre es más restringido desde el punto de vista de la extensión (número de objetos a los que hace referencia); en nada se diferencian, pues, de los plurales de sustantivos contables:

> Tantas fueron alli las *razones* entre los senadores e la cort e el... (Cron. Gen. 65b-49); tantos fueron los *poluos* de la grand priessa de las muchas yentes et de las bestias (íd. 54a-9) (104); tantas *desonras* et tantos *enoios* le fazie (íd. 116b-42); tantas fueron las *alegrias* (Leom. LXXXV 173); tantas *gracias* fizo (Lib. Est. XLVII, 70-47);

y con ellos se nos vuelve a ofrecer la misma fórmula hiperbólica que se sirve de la negación y el verbo *contar:*

> Tantas son sus *mercedes,* tantas sus *caridades,*/ tantas las sus *virtudes,* tantas las sus *vondades,*/ qe *non* las *contrarién* obispos nin abades,/ nin las podrién asmar reïs nin podestades (Mil. 614).

1.3.3.6. Con el plural de los sustantivos de 'manera' se forman sintagmas preposicionales que hay que poner en relación con las correlaciones que estudiaremos en los capítulos próximos:

> E *de tantas guisas* se boluie aquella ymagen a cada parte (HTroy 184); comenzó á derribar las iglesias é agraviar los cristianos *en tantas mane-*

> *ras...* (Ultram. I, XVIII 10a); *por tantas maneras* sopo ayudar a la su razon (Lucan. ex. 27, 166).

En coordinación con *tales:*

> et pues quiso que este pecado se desfiziese, con razón convino, que *en tantas et tales maneras* et tales personas viniera el pecado, que por tantas et tales maneras, et tales personas viniese el desfacimiento del pecado et la emmienda. (Lib. Est. XXXIX, 56-31).

Como atributo sólo ha sido registrado por nosotros en la obra de Don Juan Manuel (105):

> los estados *son de tantas maneras* (Lib. Cab. XXXVIII, 41-25); estas obras *son de tantas maneras* (Lib. Est. LVII, 87-89); esta guarda *es en tantas maneras* (íd. LXIII, 100-10).

1.3.4. En suma, el uso de *tanto* está condicionado en gran medida por los rasgos de significación del sustantivo y su comportamiento respecto al número gramatical. Así, por ej., mientras con *vez* no es posible más que una intensificación de carácter numérico, por consiguiente siempre en plural

> E *tantas vezes* ge lo pregunto que rrespondio su comadre por ella e dixole... (Calila B, 241-4011); ca en l'invierno non faze *tantas vegadas* sol que lo pudiessen enxugar (Lucan. ex. 23, 136),

con *tiempo* no cabe más que una intensificación de magnitud, y sólo se encuentra en singular:

> et moraron allá *tanto tiempo* que les non cumplió lo que levaron de su tierra et... (Lucan. ex. 44, 218).

En este sentido su comportamiento sintáctico no se aparta del resto de los cuantitativos. Con los sustantivos no contables el singular *tanto* es un intensificador de magnitud; con sustantivos contables proporciona un contenido plural enfático y expresivo, por lo que funciona como un intensificador cuantitativo numérico (106).

Las formas del plural siempre implican sentido numérico, y suponen en los sustantivos no contables un cambio, más o menos ostensible, de significación.

Con los colectivos todas las formas tienen sentido plural, puesto que va implicado en los rasgos léxicos del sustantivo. La alternancia singular-plural obedece a razones que no son exclusivamente sintácticas o semánticas, sino que son muchas veces estilísticas.

1.3.5. En cuanto a su posición en la frase, si prescindimos de su función de atributo, en que *tanto* goza de total libertad (107)

> otros pobladores que uinien dotras tierras eran *tantos*... (Cron. Gen. 35b-7); e el fuego desque se apriso ala casa diz que fue *tanto* que quemo las casas e los omnes que eran y (Gen. Est. Prim. Part. 97a-53); puede ser *tanta* la fama que saliria a conçejo (LBA, G' 688);

lo normal es su anteposición al sustantivo; pero la posposición no es un hecho raro:

> e quando fueron en la carrera, diz que uieron sobressos de Egipto *tempestades tantas* et tan gran-

des, que por ninguna manera non pudieron yr adelant, e ouieron se por fuerça a tornar dalli assus casas (Gen. Est. Prim. Part. 360b-20); senbrar *cordura tanta* (Sem Tob 142); *tierra* y *heredat tanta* (Lib. Est. LXVII, 108-119).

Es corriente que se intercale entre los dos componentes de una forma verbal compuesta:

> alli *fue* tanto buen caballero *muerto* e *ferido* (HTroy 118);

pero es excepcional que *tanto* se separe de su sustantivo

> E *tantas* ouieron de aber las *vystas* el e ella que... (Leom. XXVII, 102) (cfr. 1.4.1.9.).

1.3.6. LA CONSTRUCCION PARTITIVA

1.3.6.1. El núcleo del complemento partitivo con DE es un sustantivo

1.3.6.1.1. Las formas del singular

Está por hacer la historia de la estructura partitiva en español, y su estudio no podrá llevarse a cabo si antes no se delimitan con claridad los términos que pueden constituir fórmulas de este carácter (108).

Por lo que respecta a *tanto,* no es posible separar el análisis de la construcción partitiva que pudiéramos llamar *concertada* (*tanto, -a, -os, -as* en concordancia con el sustantivo) de aquella otra que se sirve de *tanto* invariable. Los diversos mss. del *Alexandre,* por ejemplo, nos ofrecen las tres posibilidades en alternancia:

> *tanta echaua de lunbre* e tanto relunbraua (Alex.

P 97a) (partit. concert.); *tanto* echaua *de lumbre* (íd. O 87a) (partit. no concert.); salle *tanta de sangre* (íd. P 2215a) (part. concert.); exio *tanta sangre* (íd. O 2073a) (no partit.).

Y fórmula partitiva y no partitiva pueden combinarse en una misma frase:

> E en verdat bien lo creed, synon de vna tan solamente en que ha *tanta de apostura* e en quien ha *tanta de bondat* e *de santidat* e *tanta nobleza...* (HTroy 147).

No hay que confundir la construcción partitiva con el complemento régimen del verbo introducido por la preposición *de:*

> *tanto* non pudo *de rectorica* saber (Alex. O 239. En P: non pudo *tanta retorica* saber 246); e yo aprendido *tanto de ueuir* en estrechura (Gen. Est. Seg. Part. I 144a-31); saben *tanto destas maestrías,* et *arterías* (Lib. Est. LXXVI 124-26); *tanto* saben *de guerra* (íd. LXXVI 125-40); etc.

Cfr. *sabe mucho (poco, tanto...) de toros (fútbol, matemáticas...).* Ni tampoco con otros tipos de complementos del sustantivo que usan *de:*

> que avié *de noblezas tantas diversidades*/que no las contarién priores nin abbades (Mil. 10c).

No todos califican de partitivas a las construcciones en que la concordancia se establece:

> *tanta de buena yente* era muy allegada (Alex. O 435a) (109). Si *atanta de gracia* me quisiesses tu dar (F. Glez. 548a) (110). Si vos me quisierdes fazer *tanta de merçed* (Calila B, 75-1368); es *tanto de amor* que puso Dios entre nos (íd. A, 361-6040) (111). E non digo yo con tantos nobles caualleros commo en ella yazen; mas que non aca fuera *tanto* los podiesemos fazer *de danno* que dos tanto dellos non recibyesemos (Leom. CXLI, 246).

R. Menéndez Pidal —siguiendo a Diez y a M. Lübke— la explica del siguiente modo: «ocurre que, en vez de un indefinido neutro que rige al sustantivo mediante *de,* se emplea un masc. o fem. concertado con el sustantivo; de la fusión de *tanto de haber* + *tantos haberes* se pasó a *tantos de averes* (Cid 1800); de aquí resulta que la preposición *de* vino a intercalarse a menudo entre el adjetivo indefinido y su sustantivo, sin que el sentido partitivo sea perceptible:

> *atantos mata de moros* (Cid 1723), *tanto de tiempo* (S. Mill. 165c), *tanta de calonna* (FBrih, 125), *tantas* vienen *de las gentes* (Primav 19), *muchos de buenos omnes* (Cid 3546), vedie muchos de moros e pocos de cristianos (S. Mill. 413b), etc.» (112).

Pero el propio Pidal no ha dudado, unas líneas antes, en poner como ejemplo de partitivo:

> *con otros quel consiguen de sos buenos vassallos* (Cid, 1729).

Por otra parte, la posibilidad de emplear un sustantivo sin presentador como complemento partitivo no es exclusiva de *tanto,* y llega hasta el español clásico:

> fue a *pocos de dias* Eneas bien guarido (Alex. P 531), en *poca de hora* (Ultram. II, VIII 142a), et *muchas de veces* (M Romanzados), *muchas de cortesías y ofrecimientos* (Quijote, I, 25. Vid. Cuervo, *Dicc.* II, 765b), le dijo *tantas de cosas* (Quijote, I, 32), etc.

Del mismo modo, R. Lapesa (113) piensa que aquí la preposición *de* se explica como contagio de aquellas otras construcciones con cuantitativos en función sustantiva; por ello piensa igualmente que la función de *tanto, a, -os, -as* es aquí adjetiva.

La fórmula no concertada es fácilmente identificable cuando el sustantivo es femenino:

> *tanto* habia el Duque perdido *de su sangre* (Ultram. I, LXXIX 48a); los enbryagos malos *a tanto* tienen *de beudez*/ que a omne ninguno non sofryryen una vez (Prov. Sal. 149).

En cambio la forma neutra *tanto* es idéntica a la del masculino, y construcción partitiva concertada y no concertada coinciden formalmente; por otro lado, la cuestión de la apócope de la vocal final (114) complica aún más, como veremos, la situación:

> *Tant* avyan *de grran(d) gozo* que creer non lo quisieron (F. Glez. 676a); ca muchas vezes acaeçe que el buen arbol *tanto* carga *de su buen fruto* que se pierde con ello (Calila, B, 93-1665); et ganaron *tanto de auer* que apenas lo podien traer a su tierra (Gen. Est. Seg. Part. I 122b-19).

La lengua moderna ha eliminado este *de* por lo que se refiere a las partitivas concertadas; sólo la lengua popular usa *una poca de agua,* etc. (115).

1.3.6.1.2. ***El plural***

La fórmula partitiva es una variante de mayor fuerza expresiva que la no partitiva en la indicación de la cantidad:

> *atantos* mata *de moros* (Cid 1723); *tantos* avemos *de averes* (íd. 2529); *tantas* hi van *de conpanyas* (M.ª Egipç. 175); fallaron y de marfyl arquetas muy preçiadas, con *tantas de noblezas* que non serien contadas (F. Glez. 275b) (116); *tantos* ha y *de puercos* (íd. 146c); levavan por los cuerpos *tantas de las granadas* (Mil. 890c); se ouieron de fazer *tantas de muertes* de nobles caualleros que muy fuerte cosa seria de contar (Leom. CXXXIX, 234); *tantos* murieron y *de caualleros* (Gen. Est. Seg. Part. II 148a-15); *tantas* le dieron *de feridas* (Cron. Gen. 439a-5); *tantos* fizo *de pęcados* (Prov. Sal. 155); etc.

Con *haber:*

> *tantos* hobieron *de hombres* e *de carros* (Ultram. I, CCXXIV, 130b); *tantos* ovo y *de muertos* (HTroy 168); ha y *tantos de males* (Lib. Est. LXX).

El sustantivo puede ir acompañado de un adjetivo:

> *tantos* fizo *de buenos fechos* et *granados* (Cron. Gen. 82a-45); fazia *tantas de nobles cosas* (Leom. CXLIII, 239).

También aquí los mss. de un mismo texto alternan en ocasiones en cuanto a la solución adoptada:

> ay en esto *tantas de maravillas* e *fazañas* (Calila, B 128-2193); en esto he oydo atan maravillosas e *tantas fazañas* (íd. A, 128-1905); *tantos* lle pudo *de uasallos* matar (Alex. O 395b); *tantos muchos vasallos* le pudo matar (íd. P 403b).

Cuando el sustantivo va precedido de algún presentador, como en

> et de las *otras* cosas gano y tantas (Cron. Gen. 90b-45); priso y de *los* caualleros tantos (íd. 100b-38); tantos mato de *los* griegos (Gen. Est. Seg. Part. II 147a-30); dio... tantos de *sus* dones (Cron. Gen. 657b-52); tantas non faran de *nuestras* obras (Merlin, Crestom. 349); et *destas* cosas le dixo tantas (Lucan. ex. 27, 161)

la construcción partitiva ha sobrevivido: *han muerto tantos de los árabes, no me ponga usted tantos de los negros, muchos de los judíos son millonarios,* etc. si bien con abundantes restricciones sintácticas y con menor libertad por lo que se refiere al orden de palabras (117). Así, por ejemplo, no es posible hoy con *haber,* muy frecuente en castellano medieval:

> *tantos avie y de los ladrones* (Gen. Est. Seg. Part. II, 10a-1) (cfr. '*haber de un todo*', en arag.).

Con las formas plurales la construcción partitiva no concertada es prácticamente desusada; es raro el caso

> *atanto* dixieron *de palabras* piadosas;/ *atanto le prometieron de palabras* fermosas (Yuçuf 12) (118).

En coordinación con un sustantivo femenino:

> bien creed que *tanto* he dexado *de mi oración* et *de otras cosas* (Lib. Cab. XLXIX, 70-19).

1.3.6.2. El núcleo del complemento partitivo es un pronombre.

En este caso la construcción partitiva es la única posible, tanto si se trata de pronombres que sólo pueden funcionar como términos primarios como en el caso de las formas sustantivadas:

> E *de estos tales* tienes *tantos* (Tr. Nobl. XXIX, 201); mataron *tantos dellos* (Cron. Gen. 26b-53); mato y *dellos tantos* (íd. 468b-37); *tantos* a ya muertos *de los uuestros* (íd. 341b-13); murieron y *tantos dellos* (HTroy 117); en poca de hora hobieron *dellos tantos* muertos (Ultram. II, VIII, 142a); Et deve guisar que tantas fortalezas tenga, que non aya de dexar *tantos de los suyos* que non finque quien ande con él (Lib. Est. LXX, 113-60); ayuntáronse muchos dellos... et destruyeron *dellos tantos* (Lucan. ex, 19, 121);

y lo mismo cabe decir de las formas neutras:

> *tanto* fallan *desto* (Cid 1775); *tanto* lleuavan *dello* que non serya contado (F. Glez. 717d) (119); non aventuredes por cosa que non sea çierta

> *tanto de lo vuestro,* que vos arrepintades si lo perdierdes por fuza de aver grand pro, seyendo en dubda (Lucan. ex. 20, 126).

1.4. TANTO

1.4.1. La forma neutra *tanto* —que coincide con la del masculino sing.— puede funcionar en nuestra lengua como término primario (sustantivo) o como modificador de carácter adverbial (120). Tal separación no siempre se nos presenta nítida (121), y la función se encuentra en dependencia de los rasgos sintácticos del verbo.

1.4.1.1. Con verbos no transitivos (122) parece clara su función de carácter terciario (siempre en el sentido propugnado por O. Jespersen):

> a tanto *se cuytó* (M.ª Egipç. 327) (123) *esforçaron se* tanto los romanos (Cron. Gen. 22b-19); mas tanto non podieron *contender* nin *bollir*/ que valient una paja li podiessen nucir (S. Mill. 202c); tant *avién qe veer* (íd. 210a) (124); *arde* tanto que quema (Gen. Est. Prim. Part. 117b-15); tanto *se pagaron* (Cron. Gen. 470b-23).

1.4.1.2. No todos los verbos permiten una modificación de carácter cuantitativo; y en muchos casos su significación está mediatizada por su sintaxis. En

> Et esta torre punnauan ellos en fazer la tan alta, non tan solament pora amparar se enella del diluuio, mas por *llegar tanto* al cielo que pudiesen alcançar por y los saberes delas cosas celestiales (Gen. Est. Prim. Part. 42b-11);

el verbo *llegar (+ tanto)* significa 'acercarse' (125). Aunque también puede ocurrir que sea *tanto* el que sufra una ligera alteración en sus rasgos sémicos, indicando, por ejemplo, 'límite'; especialmente si precede alguna preposición:

> avía un rey muy mançebo et muy rico et muy poderoso, et era muy soberbio a grand maravilla; et *a tanto llegó* la su soberbia, que... (Lucan. ex. 51, 254).

En estos casos *a tanto* tiene un valor equivalente a las locuciones modernas del tipo *hasta tal punto, a tal punto, a tal extremo,* etc.

Puede decirse, pues, que existe un condicionamiento semántico recíproco entre *tanto* y el verbo al que modifica; hoy *tanto* no puede acompañar a un verbo como *ir,* a no ser con significado reiterativo: *tanto va el cántaro a la fuente* ('tantas veces') (126). En cambio, nuestro material nos ha proporcionado abundantes casos como

> Entonces las aguas, que eran dalli ayuso dont ellos estauan, corrieron contra yuso como solien, e *fueron se tanto* que dexaron el logar seco, cuemo si non ouiesse estado y agua (Gen. Est. Seg. Part. I 15a-33); *fue* en pos del venado *atanto* que se perdio (Sendebar 25),

donde *ir* 'alejarse, distanciarse'; asimismo *tanto* tampoco tiene sentido reiterativo junto al verbo entrar en

> ouo de enamorarse de aquella monja, e *tanto le entro* el amor en el coraçon que se murie por ella (Casts. e docs. XIX, 118); *tanto auie* con todos en grant amor *entrado* (Alex. O 1782c).

1.4.1.3. Por otro lado, el verbo puede especializar en determinada dirección el sentido cuantitativo de *tanto;* en los casos siguientes:

> *tanto* le *duro* la dolencia (Cron. Gen. 652b-40); *tanto uisco* (Gen. Est. Prim. Part. 8a-6). Et por que *abía* ya *tanto estado* que si mas y éstas diesen, qué sería más manera de crueldat que de justicia (Lib. Est. IX, 199-11);

tanto recibe del verbo el rasgo /tiempo/, y se convierte en dominante (127).

En relación con esto se ha de ver el valor temporal que tenían determinados nexos formados con *tanto* en cast. medieval; el más frecuente era *tanto que* 'cuando, luego que, tan pronto como, una vez que, después (de) que, etc.':

> *tanto que* traspongamos tomaran otro sennor (Alex. O 1686). (En P: *quando* nos traspongamos 1827.) E *tanto que* se ayuntaron los unos con los otros, començaronse de ferir a muy gran priessa (HTroy 69). E *tanto que* aquesto ouo dicho, finose e soterrolo Telefo en un loziello de marmol verde... (íd. 4) (128).

Menos usados son otros en que se integra *como:*

> Aquéllos fueron su mantenençia,/ *tanto como* visco en penitençia (M.ª Egipç. 652-653) ('mientras'). *En tanto como* el dia duró,/ ella nunqua se posó (íd. 692-693).

1.4.1.4. Aparte del valor temporal, *tanto que* se encuentra —especialmente en la prosa alfonsí— como traslación de TANTUM UT (propio del latín postclásico y decadente) con el valor de 'sólo que, a no ser (el hecho de) que, etc.':

> Desdel quarto anno fastal onzeno no fallamos escriptas ningunas cosas granadas que de contar sean, si no *tanto que* en el quinto fizo el rey Atanarico persecucion en los cristianos que fallo entre los godos... (Cron. Gen. 203a-40). Del quinto anno no fallamos escripta ninguna cosa que de contar sea, si no *tanto que* passo sant Martino deste mundo all otro (íd. 205a-50).

1.4.1.5. Con verbos transitivos que tienen el complemento directo explícito la función de tanto sigue siendo adverbial:

> tanto *las* majaron (Cid 2743); tanto la abia el diablo comprisa (M.ª Egipç. 377); cogió amor tan firme de tanto la amar (Mil. 494c); tanto ensancho el condado de Burgos (Cron. Gen. 473a-20); hanla tanto alzada en derredor (Ultram. III, CXCV, 410a).

1.4.1.6. Pero la naturaleza funcional de *tanto* no es tan clara cuando en la realización no está explícito el objeto directo:

> *auia* mucho *espeso* en uanas maestrias,/ *tanto* que seria pobre ante de pocos dias (Sto. Dom. 389c); *tanto* yras *buscando* (Alex. O 2137c); si digo quien me ferio, puedo *tanto descobrir* (LBA, G 592b).

Nos interesan particularmente los verbos monovalentes, sólo transitivos, pues los que pueden ser /± tr./ no demostrarían nada en nuestro caso. En un estudio presentado recientemente en la Universidad Autónoma de Madrid como memoria de Licenciatura (129) se ha vuelto a replantear la cuestión desde supuestos de la gramática generativa y transformacional; como hipótesis de trabajo se acude a un intento de formalización del rasgo / + acusativo interno/, que clasificaría a los verbos transitivos en dos grupos: aquellos que nunca pueden aparecer sin objeto directo en superficie, y aquellos otros en que esto puede ocurrir (pero el objeto directo se encuentra en la estructura profunda).

Verbos como *comer,* que disponen del rasgo /+ acus. interno/, prescinden con relativa frecuencia del objeto directo, pero el neutro *tanto* pudiera absorber esta función en casos como

> Et conuiene uos que non *comades tanto* que uos fartades, que con el mucho comer dannase el estomago et tarda el moler (Por. porid, 69) (130); ffeciste por la gula a lot, noble burges, *beuer tanto* que yugo con sus fijas (LBA, S 296).

1.4.1.7. El uso «vicario» de *hacer* era más extenso en la lengua antigua que hoy (131), ya que la sustitución se efectuaba no sólo cuando el verbo sustituido expresaba actividad propia para enunciarse con dicho verbo, sino incluso con *ser:*

> seed membrados commo lo devedes far (Cid 315); somos en so pro quanto lo podemos fare (íd. 1388).

Lo normal es que un pronombre neutro *(lo, esto, quanto...)* (132) represente a algún complemento anterior; como tal habría que interpretar a *tanto* en:

> *tanto auemos fecho* que a los dios enoiamos (Alex. O 1156d); *tanto fiso* (Fil. Seg. 499); *fazia* Dios por el *tanto* (Sto. Dom. 537b); e *tanto* les *fezieron* (HTroy 41); e *tanto fizo* Colcas (íd. 117); en la obra de dentro ay *tanto de faser* (LBA, S 1269c); non *fagàdes* por él *tanto* (Lucan. ex. 30, 76); *tanto fizo* Dios por salvar los omnes (Lib. Cab. XXXVIII, 45-206); etc.

1.4.1.8. El significado de algunos verbos puede encontrarse condicionado por el contexto sintáctico;

> el verbo *hablar* de *fablad tanto e tal cosa que non vos arepintades* (LBA, S 721b) está próximo al abundante *decir: tantol dixieron* (Faz. 179); *tantol dixo esta mugier* (Faz. 141); *atanto he dicho* (Por. Pord. 32); *nunca tanto dirá* (Bonium 74); *tanto non pudo Poro dezir nen predicar* (Alex. O 1918); *e tanto les sopo dezir* (Cron. Gen. 73a-44); *tanto les dixo* (HTroy 117); *tanto le rogaron él'dijieron* (Ultram. IV, CXXVI, 557b), etc.

1.4.1.9. El verbo *haber* merece una atención especial (133). A propósito del orden de palabras en castellano medieval, R. Lapesa (134) alude al hecho de que las palabras parecen desplazarse muchas veces según impulsos imaginativos; en concreto, los ponderativos *mucho* y *tanto* suelen colocarse a la cabeza de la frase, separándose de los sustantivos o adjetivos a que modifican:

> burgeses e burgesas por las finiestras sone,/ plorando de los ojos, *tanto* avien el *dolore* (Cid 17-18).

El impulso efectivo parece ser, en efecto, la causa que motiva su colocación en primer término, pero no está claro que *tanto* funcione como adjunto del sustantivo; de hecho ni siquiera se mantiene la concordancia con él en

> *tanto* abién en Dios los *coraçones* (M.ª Egipç. 858); *tanto* avía esta *manera* (Lucan. ex, 47, 232).

R. Menéndez Pidal interpreta así la construcción: «El sustantivo en sentido indeterminado, acompañado del adjetivo *grande,* iba, naturalmente, sin artículo: *grandes aueres* 110; pero por influjo de la construcción tan usual de *grande* como atributo de *ser* (*grandes fueron los duelos* 2631, *grandes son los gozos* 1211, 2505, etc.), admite también el Cid la construcción análoga con *auer,* en que el sustantivo, a pesar de ser caso régimen y de tener sentido indeterminado, recibió artículo: *grant a el gozo myo Çid* 803 'tiene gran gozo', e igualmente se admitió con el ponderativo *tanto* en vez de *grande: tanto ouo el pauor* 2287 *'tuvo mucho pavor'*, *tanto auien el dolor* 18. Aquí el adjetivo *tanto,* por ir separado de su sutantivo, viene a tomar valor de adverbio, y como tal puede, cuando se refiere a un adjetivo (no al sust.), quedar inflexible: *tanto auie el gozo mayor* 2023, *tanto auie la grand saña* 22» (134b)

Son varias las posibilidades que conviene diferenciar:

a) El sustantivo sin presentador:

tanto ouo *sabor* (Cron. Gen. 16a-56); y estando alli, tanto ouo *miedo* de los romanos quel buscarien, que beuio poçon con que murio (íd. 27a-42).

b) Con presentador:

tanto ouo *el pauor* (Cid 2287); tanto avién *el dolore* (íd. 18) (135); tanto abién en Dios *los coraçones* (M.ª Egipç. *858); tanto avía esta manera* (Lucan. ex. 47, 232).

c) Precedido de adjetivo:

tanto auie *grant* cobdicia con Poro se fallar (Alex. O 1823); tanto ouo *grand* miedo (Cron. Gen. 80b-32) (136); tanto auje *grant* feuza e *firme* voluntad (Alex. P 292) (En O: *tant* auie grant coraçon e firme uoluntat, 285) tanto ovo ella *firme* fiuza (Gen. Est. Seg. Part. 212a-46).

Al lado de innumerables casos con *tan:*

ouo tan grand sanna (Cron. Gen. 25b-54); ha tan grand fuerça (Lib. de los Juegos, Crestom. 251-43); tan gran virtud en si auia (Raz. Am. 37); habian deseo tan grande de ver (Ultram. I, XIX 10b); e auia y tan grant sabor que yua y cada dia (Plac. 124); quando Medea sopo commo Jason era ydo a la ysla de Lemos ovo tan grant pesar que por poco non ensandeçio (Leom. XXIX, 106) (137), etc.

En alternancia dentro de una misma frase:

E quando despertó ouo *tan grant* fanbre que nunca ouo mayor, e dixo al rrey: «Sennor, sy non ouier agora qué coma sere sandia, ca *tanto* he *grant* fanbre que me conuerná comer vno de mis fijos» (Guillelme 185) (138).

Con *tamaño:*

tamaña gana habrian de los matar (Ultram. II, VI, 136b); Et tienen que *tamanna* contriçion podría aver el pecador, que... (Lib. Enfen. 101-129); como impersonal: habia *tamaño* amor entre ellos, etc.

d) Con artículo y adjetivo:

Tanto era buena fablador/ e *tanto habié el* cuerpo *gençor,*/ que un fijo de emperador/ la prendria por uxor. (M.ª Egipç. 249-252) *tanto* habia ella *el* cuello *duro* (Ultram. II, CCXLV 309a).

Con tan:

auie los [ojos] tan claros (Cron. Gen. 112a-19); an la lana tan corta (Gen. Est. Prim. Part. 567a-54); tan grand auredes ell abondo delos frutos nueuos (íd. 585b-15); ouieron la lid tan grande que serie luengo de contar (íd. ms. G' 759b-47); auien el rrostro de yuso tan grande (HTroy 186); han las orejas tan grandes (íd. 186); han el pie tan maño e tan ancho (íd. 186) etc.

Con el verbo *tener:*

tenialos tan viçiosos (Duelo 65c); touo los de la

uilla tan apremiados (Cron. Gen, 30a-20); las tenia tan esparzidas (Gen. Est. Seg. Part. II 8b-35); tan presos los tienes en tu cadena doblada (LBA, S 208b); ca mi tribulaçion me tiene tan penado/ que con amargura aquesto he fablado (Rim. Pal. N 949c) (139); etc.

Como Menéndez Pidal señala, el *tanto* de a) y de b) no puede ser considerado como adjunto del sustantivo, y sirve de prueba su inalterabilidad cualesquiera que sean el género y número del sustantivo.

Tampoco pensamos que *tanto* se refiera sólo al adjetivo en c) y d). En todos los casos su función es semejante, y su valor adverbial envuelve a toda la frase. Pero c) y d) desaparecerán ante la competencia de *tan* (nunca separado de su adjetivo); en cambio, el valor de *tanto* en a) y b) se repartirá entre *tanto* adjunto (o el sintagma semánticamente equivalente *tan grande)* y un significado cercano al de locuciones posteriores del tipo *hasta tal punto, a tal extremo,* etc. (140).

1.4.2. *TANTO* DESPLAZADO

1.4.2.1. La forma *tanto* se aísla, tras pausa, de su frase si se encuentra presente un cuantitativo absoluto, vaya éste referido al verbo

auia *mucho* espeso en uanas maestrias,/ *Tanto* que sería pobre ante de pocos dias (Sto. Dom. 389c); e trauaron con ella todos e donna Munene *mucho, tanto* quelo ouo de otorgar (Gen. Est. Prim. Part. 381a-26). E Achilles, quando se acogio a su tienda, aquexolo *mucho* el amor de Poliçena, *tanto* que lo non podie sofrir (Gen. Est. Seg. Part. II 144a-17);

o bien se refiera a un adjetivo o adverbio (en este caso *mucho* suele adoptar, no sistemáticamente en el castellano medieval, la forma corta *muy):*

> *ovo a enfermar muy* fuert la mesquiniella/ *tanto* qe li estava por exir la almiella (S. Mill. 343c). Feritlos *muy* apriesa non les dedes vagar/ *tanto* que les non vage las espadas tornar (Alex. P 80). Fizo *muy* maravillosos fechos, *tanto* que... (Tr. Nobl. XXIX, 201); e yuale todavia queriendo *mas* e pagandose *mas* del, *atanto* que fue el mas pryvado de su conpaña (Calila, B, 61-1149); salio *muy* valiente, *tanto* que... (Leom. CCLIII, 354); ...en guisa que el fuego fué *muy* grande, *tanto* que subia á la torre (Cron. D. Pedro VI, 583b).

1.4.2.2. Lo mismo sucede, por ejemplo, cuando existe un elemento interrogativo:

> de *commo* era movibile en las cosas, *tanto* que el ovo de meter esto a rreligion (Calila, B 14-266);

o la frase es comparativa:

> Subirá a las nubes el mar muchos estados,/ *Mas* alto *que* las sierras e *mas que* los collados,/ *Tanto* que en sequero fincarán los pescados (Signos 5). E quanto mas pense en las cosas de este mundo e en sus sabores, tanto mas le despreçie; ...E *quanto mas* pense en la rreligion, *tanto mas* ove sabor della; *tanto* que cuyde ser dellos (Calila B, 32-582) (141).

1.4.2.3. Pero la forma larga *(tanto)* se ofrece desplazada siempre que se pospone, independientemente de la estructura de la frase:

> Avie en la cabeza enfermedat cutiana,/ Tanto que siempre era mas enferma que sana (Mart. S. Lor. 52a); oviéronse por ello en cueta a veer,*tanto* qe lo ovieron doblado a render (S. Mill. 478c); fueron de fiera guisa las moscas mordiendo/ *tanto* que a los omes se yuan cometiendo (Alex. O 2008); e que eran ricos destas dos cosas, tanto que non sabien que sse auien (Gen. Est. Prim. Part. 133a-5).

Aparece la forma *tan* si también se encuentra desplazado el término modificado, o se acude a su repetición:

> esta ymagen fazien ellos muy grande e muy *fermosa;* e *tan fermosa* e tan bermeia que toda semeiaua fuego (Gen. Est. Prim. Part. 90a-15); dió con su espada muy *grandes* golpes, é *tan grandes...* (Casts. e docs. BAE, 89a-27); diole un golpe de la espada sobre el yelmo en derecho del rostro, *tan grande,* que... (Ultram. I, LXXIX 47a).

1.4.2.4. Pero este *tanto* desplazado deja de referirse en muchos casos a un término (verbo, adjetivo o adverbio) y constituye con *que* una correlación de valor equivalente a los nexos posteriores *hasta tal punto que, hasta el punto de que,* etc., e incluso entra en competencia con las locuciones de intensidad-manera *(de tal guisa que, de tal manera que...),* como veremos en el capítulo 3. He aquí algunos casos en que este sentido se revela con claridad:

> ouo le huna ferida en el rostro a dar,/ *tanto que* las narizes le ouo ensangrentar (Apol. 528c). Pero ell aguazil, con lealtad, desengannaual muchas uezes, e conseiaual lo meior, mas el nol querie creer, *tanto que* ouieron los omnes a fablar mucho en este fecho, e quexauan se mucho unos a otros (Gen. Est. Prim. Part. 753b-23); e con todos los diablos fecha tienen cofradia/*tanto que* ellos en el mundo trasdoblen la contia (Rim. Pal. N 304).

Los que intentan mantener una diferencia entre oraciones de acción (efecto real) y oraciones de consecuencia (resultado lógico) (142) y pretenden establecer correspondencias exactas con determinadas correlaciones formales (143), piensan que estos casos pertenecerían al segundo grupo, si bien utilizan recursos formales del primero.

1.4.2.5. El desplazamiento de *tanto* favorece su desconexión sintáctica de la frase; de ahí que al lado de

> La reyna Marpesia tomo luego grandes *compannas* daquellas sus mugieres, *tantas* que se fizieron una grand hueste (Cron. Gen. 219a-48).

con mantenimiento de la concordancia, encontremos

> sobresto ouo muchas *fablas* en la hueste e muchas *barajas, tanto* que el dia que las treguas salien que se fizieron vandos (Gen. Est. Seg. Part. II 137b-47).

El hablante tiende a utilizarlo en cualquier contexto,

sin establecer ninguna conexión con un elemento concreto de la frase anterior:

> andauan por las plaças dando muy grandes vozes e denunçiando con muy grant llanto el destruymiento que se ordenaua de la çibdat e de su gente, *tanto* que fueron presos e puestos en cadena (Leom. LXXIII, 162).

1.4.3. A *tanto* invariable podían preceder algunas preposiciones:

> *en tanto* es venida (Apol. 208bis c); ella enamorose de un mançebo *fasta tanto* que conplio su amor con ella (Calila B, 221-3680); *en tanto* se enlozanesció en su fermosura (Casts. e docs. BAE, 139a).

La preposición *a* podía venir exigida en ocasiones por el verbo:

> e *atanto llego* la cosa (Calila B, 221-3681). E *llego a tanto* el fecho del et de Ponpeyo, por que si ellos se uoluiessen, que ouiera a seer destroyda Roma. (Cron. Gen. 62a-23). E muchas veces *veno* la cosa *á tanto* (Ultram. IV, CCXCVI 614b);

pero desde muy pronto la combinación —escrita como una sola palabra o sin fusionar— se convierte en mera variante del simple *tanto:*

> atanto eran de santa vida (M.ª Egipç. 830); las houieron atanto de alongar (Apol. 263c); e començola de picar, e de ferirla de los onbros e de

las alas atanto que la mato (Sendebar 42); atanto andudieron (Zifar 387); et atanto se pagavan las gentes de aquella cantiga que desde grant tiempo non querían cantar otra cantiga si non aquella (D. Juan Manuel, Prólogo 3-11);

y lo mismo sucede con las formas concordantes y con *tan:*

es *atan* mortal pecado (Alex. P, 2343); ouo *atan grant coyta (Alex. O. 2095a); e atantas* buenas condiçiones puso en vos de fermosura e de bondat que non creo que en muger deste mundo las podiese ome fallar (Zifar 394); e sodes *atan* moça que esto me atierra (LBA 671d).

1.4.4. *Tanto* goza de total libertad de posición dentro de su frase, particularmente en textos poéticos; varias veces hemos aludido a su frecuente colocación en primer término, por razones de expresividad afectiva, incluso antepuesto a los términos de negación:

mas *tanto non* podieron contender nin bollir (S. Mill. 202c); *tanto non* pudo el sennor esforçar (Alex. O 789c).

Pero puede hallarse en cualquier otra posición:

rogol tanto (Faz. 50); por mi feçiste tanto (Loor. 98b); prometieron a tanto que non auie medida (Alex. O 2085c); e non tanto alcançaron los vuestros buenos comienços (Leom. CXLI, 237).

Suele colocarse entre los elementos componentes de una forma verbal compuesta, de una perífrasis, o entre un verbo modal y su infinitivo:

> las *houieron* atanto *de alongar (Apol. 263c).* E pero con todo aquesto nunca Julio Cesar tantas batallas ouo ni tantos embargos, ni *ouo* tanto *de ueer* que dexasse de leer ni de estudiar noche ni dia (Cron. Gen. 94a-45); *an* tanto *de fazer* (Lib. Cab. XXXIIII, 30-12) en la obra de dentro *ay* tanto *de faser* (LBA, S 1269c);

pero está muy lejos de ser norma general: tant avién qe veer (S. Mill 210a) tanto pudo reboluer (Alex. O 375); tanto los pudo Ector de guerra afincar (íd. O 591c); tanto an de fazer (Lib. Est. LXXXIX, 156-48).

1.5. TAN

1.5.1. *Tanto* y *tan* luchan aún en castellano medieval por deslindar sus usos sintagmáticos respectivos, aunque su situación respecto al término modificado es ya el factor decisivo que rige la distribución.

1.5.1.1. En las frases en que intervienen *ser* o *estar,* bien como atributivos bien como auxiliares (145), se usa la forma íntegra si no va junto al atributo o participio:

> E *tanto* fue ell esfuerço *grand* que metieron los romanos en uencer aquella batalla, que fallaron y de los elefantes de Annibal, entre muertos e presos, ochaenta (Cron. Gen. 26a-27) (146); *tanto* es *grande* la vuestra mesura, que non se onbre que la vea que vos non aya de querer bien por fuerça (HTroy 150) mas estos *tanto* estaban *meti-*

dos en vileza é mal, é ansí estaban envueltos en ellos, que aunque veian todos estas señales que nuestro Señor diera, no habian miedo (Ultram. I, XVI, 8b); *tanto* era *buena* fablador (M.ª Egipç. 249); *tanto* era *grand* cosa qe abés lo creyé (Mil. 837d); *tanto* fue Dios *pagado* de las sus oraçiones (Sta. Or. 24a); Mas *tanto* fue la duenya *sauia* e *adonada*/ Que gano los dineros e non fue violada (Apol. 418c); *tanto* eran las feridas *firmes* e *afincadas* (Alex. P 985) (en O: *tant*); e *tanto* fueron los romanos *coytados* desta batalla (Cron. Gen. 18a-19); *tanto* era Ythis *ninno pequenno* (íd. 257b-7) (147); *tanto* eres *avariento*,/ que nunca lo diste a vno, pidiendo telo çiento (LBA, S 248c); etc.

1.5.1.2. Como atributo puede actuar un sintagma preposicional:

> *tanto* era *de buena entençion* (M.ª Egipç. 245); *tanto* era *sin cobdicia* (Cron. Gen. 66b-31); *tanto* fue *de grand justicia* et derechera (íd. 664b-30).

1.5.1.3. Referido a un sintagma formado por *adverbio + adj. o participio*, con mayor o menor grado de cohesión:

> mas *tanto* fue *bien aventurada* (M.ª Egipç. 786); *tanto* eran *bien adjuntadas* (Alex. P 1771d. En O *tant*); *tant* era *bien laurado* (íd. O 1641. En P: *tanto*); *tant* eran *mal golpados* (F. Glez. 490c); *tanto* fuera Ponpeyo *bien andant* (Cron. Gen. 66b-31).

1.5.1.4. *Tanto* es igualmente la forma usada cuando se

desplaza, pospuesto al elemento modificado (148):

> fue la sue grant sobervia en el polvo caída,/ *tanto* que non ganara nada enna venida (S. Mill. 120c); e todas las bestias le fueron rebeldes. *Tanto* que dizen algunos que vna de las grandes penas que sufrian el e su muger... (Casts. e docs. Prólogo 32).

1.5.1.5. Para A. Bello (149) el uso de la forma íntegra en *tanto fueron grandes las avenidas, que...* se debe a que la modificación no caería ya directamente sobre el adjetivo sino sobre la frase verbal (150). En cambio, unas líneas antes ha afirmado que en *grandes fueron las avenidas, y tanto que...* la utilización de la forma no apocopada es debida exclusivamente a su situación desplazada.
La vacilación de Bello apoyaría nuestra interpretación acerca de la polifuncionalidad de *tanto* señalada anteriormente (151).

1.5.1.6.1. Junto al término modificado la forma normalmente utilizada es *tan:*

> tan ricos son los sos (Cid 1086); tan conplido fue de saber e tan lleno de bondad (Bonium 246); era tan vieio que non podie ver (Faz. 153); Mas fuestes tan cruos que non me diestes nada (Sign. 34c); auia vn monesterio que fue rico logar/ mas era tan caido que se queria hermar (Sto. Dom. 187c); etc.

En frases negativas e interrogativas:

> Non podió esta lucha seer tan encerrada,/ que

[non] fue de los pueblos aína barruntada (S. Mill. 125a); ¿Quien será tan fardido que le ose esperar,/ Ca el leon yrado sabe mal trevejar? (Sign. 61c); non sodes tan estreuio/ que non quitedes a Dario oy el emperio (Alex. O 1206); non sera la loriga tan fuerte que el traya que la non rrompa yo con esta mi lança (HTroy 120) (152); etc.

Con *estar:*

estan tan desfambridos (Alex. O 2222. En P: estan muy desfambridos 2364); non estará tan escondida (Ultram. II, CCLII, 312a); el mar esta tan apaziguado et tan llano, que el dios de la mar podrie correr sob ella so cauallo, si quisies (Cron. Gen. 40b-32); etc.

1.5.1.6.2. Como atributo puede actuar un sintagma preposicional:

tan *sin razon* fue la luxuria (Cron. Gen. 116b-16); era tan *en poder de* su mugier Agripina (íd. 121b-10); tan *sin mesura* era (Gen. Est. Prim. Part. 103a-9).

1.5.1.6.3. Junto al sintagma *adverbio + adjetivo o participio:*

era la maledita tan *mal adonada* (Alex. P 106b). (En O: era la maldita de guisa fadada); estas ymagenes auian los menbros tan *bien puestos* e tan *sotilmente fechos* (íd. 184); é tenian por gran maravilla tan noble cibdad como era Sur, é tan

> viciosa é tan abastada de todo bien, ser en tan poco tiempo tan *mal parada* é *tornada*, é metida en tan gran menoscabo, ... (Ultram. III, CC, 411b) (153).

El auxiliar se intercala en:

> tan *mal* fueron *torrados* luego de la primera (Alex. O 969) (154).

1.5.2.1. Entre la función atributiva y la adverbial se encuentran los complementos de doble referencia introducidos por determinados verbos (155). En estos casos es más rara la forma íntegra:

> tanto *yua* bien andant e con gran poder (Cron. Gen. 84b-3); tanto *andaua* perdudo et coytado por ende (íd. 112b-31) (156);

y lo normal sigue siento *tan* junto al complemento predicativo:

> torno luego tan sano (Sto. Dom. 478c); fue salliendo tan buena, de manyas tan conplida (Apol. 365b); [el agua] corrie tan fremosa (Alex. O 838b); quando vienen á la lid vienen tan reçios, et tan espantosamente (Lib. Est. LXXVI, 124-3).

Cuando el adjetivo se gramaticaliza funciona como adverbio:

> mas en cabo las duennas uenien *tan aguisado*/ que les auie el rey Alexandre grant grado (Alex. O 1382c) (157).

1.5.2.2. Los verbos más usados para introducir estos términos de función atributivo-adverbial son:

> *tornar* (Sto. Dom. 478c) y *tornarse* (Ultram. III, CXCVIII, 411a); *salir* (Apol. 365b; Cron. Gen. 49b-45; íd. 256b-32; Gen. Est. Prim. Part. 379b-4); *correr* (Alex. O 838b); *mostrarse* (Cron. Gen. 72a-52) y *mostrarse por* (HTroy 91); *demostrarse* (Rim. Pal. E, 1655b); *fincar* (Cron. Gen. 77a-41; Gen. Est. Seg. Part. II, 7b-38; Lucan. ex. 22, 133; Rim. Pal. E, 1753c); *ir* (Cron. Gen. 79b-33; Gen. Est. Seg. Part. I, 14a-29); *tenerse por* (Cron. Gen. 126b-47); *verse* (Cron. Gen. 212b-53; íd. 749b-46); *parecer* (Cron. Gen. 333b-29); *andar* (Cron. Gen. 653b-17; Leom. CXLIV, 240); *venir* (Casts. e docs. BAE 164a; Lib. Est. LXXVI, 124-6; Gen. Est. Prim. Part. 360a-11); *llegar* (Ultram. I, CXXI, 128a); *quedar* (Leom. CXLIV, 239; íd. CCL, 352); etc.

Y especialmente *hacerse* o *ser hecho,* que —como muchos de los que acabamos de citar— entraría dentro del grupo de los que expresan el devenir (158):

> fizieron se tan pesados (Cron. Gen. 54b-10); fazen se tan fuertes (Gen. Est. Prim. Part. 567b-47); dond se fazie el debdo entrellos tamanno (Cron. Gen. 57b-37); tan ancha et tan llana et de tan grant maestria fue fecha et tan conpasada la escalera por o a la torre suben (Cron. Gen. 768b-35); tan grandes et tan de grant obra et de tan gran nobleza son fechas, que en todo el mundo non podrian ser otras tan nobles ni tales (Cron. Gen. 768b-42); etc.

1.5.2.3. El verbo *ser* usado en perfecto absoluto puede expresar asimismo el devenir ('resultar, convertirse en, etcétera'):

> *fue* tan triste e tan sañoso que por poco ouiera de ferir aquella que lle gúisara todo aquello ('se puso') (HTroy 203); fasta que *fue* tan rico ('llegar a ser') (Lucan. ex. 45, 224). La duenya por este fecho *fue* tan enuergonçada/ Que por tal que muriese non queria comer nada (Apol. 8a) (159); *fue* tan sannudo ('se puso tan airado') (Leom. LXXIIII, 163).

1.5.2.4. Otros verbos introducen un atributo del objeto directo:

> tenie los oios toruados et *tan feos* (Cron. Gen. 128b-26); fallaronle *tan esforçado* e *de tan gran coraçon* e *tan franco* (Bonium 281); fallaronla *tan alta* (Alex. O 1344); *tan cara* les venderia la presion de su padre (HTroy 113).

Los verbos más frecuentes son:

> *hallar* (Bonium 281; Mil. 555d; Cron. Gen. 333b-29; Leom. XCI, 179); *hacer* (Alex. O 1217; íd. O 1344; Gen. Est. Prim. Part. 90a-15; Lib. Est. LXI, 96-15); *ver* (F. Glez. 615b; Gen. Est. Seg. Part. II 345a; Casts. e docs. BAE 90a; Plac. 135; Ultram. II, III 135a) (160); *vender* (HTroy 113); *dar* (LBA, S 714d); *perder* (Zifar 380); etc.

Y, sobre todo, *haber* y *tener,* vacilantes muchas veces entre su sentido pleno y la función auxiliar (161):

> tenialos tan viçiosos (Duelo 65c); tan grandes dize Osorio que auien los viçios (Gen. Est. Prim. Part., 113a-14); tan grand ovo el plazer (Leom. XXX, 108); avía el entendimiento tan bueno et tan complido (Lucan. ex. 50, 248); la pena avra tan desygual (Rim. Pal. E, 1816c); las tenia tan esparzidas (Gen. Est. Seg. Part. II 8b-35); tan presos los tienes en tu cadena doblada (LBA, S. 208b).

Tampoco es frecuente la forma *tanto* en estas construcciones:

> tanto los veyen apoderados a ellos e a su padre (Gen. Est. Seg. Part. II 215a-32),

hasta el punto de que incluso en caso de atribución indirecta (con preposición) encontramos, al lado de

> tanto lo tenié el por preçiado/ que nol darié por un caballo (M.ª Egipç. 914-915); tanto se tiene por pagada (Gen. Est. Prim. Part. 558b-13),

casos con *tan:*

> el qual placer avian por tan deleytoso (Cron. D. Pedro III, 586b); por tan grand nemiga tenien ellos aquella guerra (Cron. Gen. 77b-9).

1.5.3. TAN + ADVERBIO

1.5.3.1. Los tratados gramaticales advierten que la clasificación de los adverbios no es una cuestión sencilla; los principales criterios manejados son el semántico y el funcional; combinados ambos, suelen separarse los adverbios *calificativos* (que marcan la modalidad de operar el sujeto en el predicado) de los *determinativos* (entre los que hay que colocar principalmente los de situación espacial y temporal y los de cantidad (162)).

1.5.3.2. La combinación de *tan* con los del primer grupo no tiene más restricción que la derivada del hecho de que el adverbio implique ya intensificación o comparación:

> Pedidas uos ha e rogadas el myo Señor Alfons,/ *Atan firme mientre* e de todo coraçon / Que yo nulla cosa nol sope dezir de no (Cid 2200-2202).
> E quando llego a la cibdat de Roma, fue *tan bien* recebido e *tan onrradamientre* que serie grieue cosa de contar (Cron. Gen. 24b-14); pero no **tan mejor (peor...).*

1.5.3.3. En este mismo grupo habrá que incluir también los adjetivos que funcionan como adverbios (163) y las locuciones adverbiales. Entre los primeros hay algunos que se repiten hasta convertirse en verdaderos tópicos, como *fuerte* y *recio:*

> quebrantaron los *tan fuerte* (Cron. Gen. 210b-20); dával el viento en los ojos *tan reçio* (Lucan. ex. 13, 103); *tan recio* se juntaron (Cron. D. Pedro XII, 557a) (164).

Las locuciones adverbiales presentan diferentes estructuras y distinto grado de gramaticalización:

a) *preposición + adjetivo:*

> e cometieron me *tan de rrezio* e tan assoora

(Cron. Gen. 42a-38); e *tan de ligero* e tan sin merecimiento mando matar a Gneyo Pompeyo (Cron. Gen. 119a-21). E alli se començaron anbos a ferir *tan amenudo* e tan de coraçon... (HTroy 69).

b) *preposición + sintagma nominal:*

Era *tan a rrazon* la nariz leuantada (Alex. O 1715a). (En P: tanto auje la naris a rason afeytada 1856); pesol *tan de coraçon* (Cron. Gen. 39b-1); *tan assoora* (Cron. Gen. 42a-38); que los ya *tan en su poder* tenia *(íd. 766b-22);* erraron *tan de mala guisa* (Gen. Est. Prim. Part. 133b-26); et él convencióme siempre *tan con razon,* que por fuerze le hobe de dezir lo que él querría saber (Lib. Est. XVIII, 29-55); ciertamente éstos son tan engañados et fazen en ello *tan sin razon* et tan grand su daño et tan grand poco seso, que non ha omne en l'mundo que conplidamente lo pudiesse dezir (Lucan. 5.ª parte, 302).

Conviene no confundir estos casos con aquellos en que *tan* está integrado en la locución adverbial:

e tan rrezio la saeta e *por tan gran fuerça* (HTroy. 106);

y mucho menos son aquellos otros en que *tan* forma parte de un atributo de carácter indirecto:

qe eres de tal gracia e *de tan grant mesura,*/ qe qui de voluntad te dice su rencura,/ tú luego li acorres en toda su ardura (Mil. 518); fue [...] tan

> bueno et *de tan buena alma* (Cron. Gen. II 663b-45).

Ambos sintagmas pueden encontrarse coordinados copulativamente:

> tan grandes et *tan de grant obra* et *de tan gran nobleza* son fechas, que en todo el mundo non podrien ser otras tan nobles nin tales (Cron. Gen. 768b-42).

1.5.3.4. Se necesitaría un análisis componencial riguroso de los adverbios determinativos para así hallar las razones explicativas de sus respectivas restricciones sintácticas. En principio parece que no es posible la intensificación de aquellos cuya medición es de carácter absoluto (**tan ayer, hoy...* (165)), y sí *tan pronto, tarde, cerca, lejos...* (166). Nuestro material nos proporciona abundantes casos con estos últimos:

> e los luengos caminos que ouo de fazer *tan ayna* los passaua que lo non pueden creer los omnes (Cron. Gen. 93a-32). E fueron Zeto e Calays con el, commo con su cabdillo en este fecho, e segudaron estas aues arpias *tan aluenne* que las leuaron a vnas yslas a que llamauan entonçes las yslas Ploçias (Gen. Est. Seg. Part. II 12a-10); e tan rrezio enbiaua la saeta e por tan gran fuerça, que nunca la *tan lexos* tirarie, quel podiese guaresçer loriga nin otra arma ninguna (HTroy 106). E quando amanesió fueron *tan cerca* de tierra, que vieron la flota de los turcos, que venian contra ellos (Ultram. II, CXC 408a); etc.

1.5.4. La distribución considerada en las páginas anteriores no siempre es mantenida; es cierto que el uso de la forma corta *(tan)* aislada del elemento modificado es raro:

> *Tan* só *plena* de malveztat,/ de luxuria e de maldat,/ que non puedo al templo entrar/ ni oso a Dios me reclamar (M.ª Egipç. 466-469) (167); volauan por el ayre las saetas texidas/ al sol togien el lumbre *tan* uenien *decosidas* (Alex. O 956c. En P: al sol tolien la lunbre *asy* yuan *cosidas* 984d);

pero no así el que *tanto* preceda inmediatamente al adjetivo, participio o adverbio:

> non serien las mugieres *tanto desuergonçadas* (Alex. P 1615a. En P: *tan* desuergonçadas 1473a); pero non sea *tanto compannero* que se atrevan á él fuera de razon (Tr. Nobl. XI, 194); e *tanto vicioso* los tenia (Calila B, 264-4371); habia un noble fijo, e *tanto bueno* que bien mostraba en todos sus fechos ser home generoso (Casts. e docs. BAE 90b). (Edic. de A. Rey: auia vn noble fijo e *mucho bueno* en que ensennaua en todos sus fechos que era omne...); eran ya *tanto allegados* (Ultram. III, CCVIII 415a); desque estouo *tanto dentro* que el entendio que se non osaria dexar ella del... (Leom. CXCV, 295);

y particularmente junto a una locucion adverbial:

> apretola *tanto de rrezio* (Sendebar 53); é *tanto apriesa* iban e venian (Ultram. II, VII 138b).

Y no hemos tenido en cuenta los numerosos casos de *tant,* con apócope de la vocal final:

> *tant grant* fue la fazienda (Alex. O 562a. En P: *tan* grande); non sera *tant artero* (Alex. O 368. En P: *tan* artero 376); *tant denodada ment* lo pudo guerrear (Alex. P 403a. En O: *tan* denodada miente).

1.5.5. *Tanto* es la única forma usada cuando el adjetivo (o participio) va precidido de la preposición *de:*

> *tanto* son *de traspuestas* (Cid 2784) (168); esta *tanto de çiega* (Alex. O 2193a); *tanto* era *de çiega* (íd. O, 1874b); era *tanto de bueno* este rey (Gen. Est. Prim. Part. 156a-42); etc.

Alguna vez se halla también *de + adverbio:*

> e *tanto de bien* lo queredes vos (Zifar 151) (169).

1.5.6. Cuando *tan* modifica a un adjetivo adjunto directo de un sustantivo, se nos presentan las siguientes posibilidades distribucionales:

a) *tan + adjetivo + sustantivo:*

> traya, maguer njñuelo, *tan grant sinpliçidat* (Sto. Dom. 10c). El del onçeno dia si saber lo queredes./ Será *tan bravo signo* que vos espantaredes (Sign. 18a); la enuidia es *tan mortal peccado* (Alex. O 2201).

La lengua medieval no es, como se sabe, rica en la

utilización de adjetivos; con *grande* (y algún otro, como la voz germánica *esquivo* de gran variedad semántica) llegan a constituirse verdaderas fórmulas estereotipadas de carácter narrativo:

> *tan grande ferida* le dio Diomedes (HTroy 84). E Menelao dio *tan grand ferida...* diol *tan grand ferida* (íd. 44) (170); dieronse anbos *tan grandes feridas* (íd. 45); diol *tan grand golpe* (íd. 44); e dieronse *tan esquiuas feridas* (íd. 9); e dieronse anbos *tan esquiuos golpes* (íd. 30); etc.

Con un numeral intercalado:

> diole *tan grandes dos feridas* (HTroy 69); diole *tan grandes tres feridas* (íd. 167).

b) *un + tan + adjetivo + sustantivo:*

> fizo de elefantes *un tan fiero corral* (Alex. 1900); vió una tan grant claridat (Guillelme 173); cayo en los ostrogodos *un tan grand espanto* (Cron. Gen. 254a-42);

c) *sustantivo + tan + adjetivo:*

> cogió *amor tan firme* (Mil. 494c); diol *beber tan amargo* que peor non podria (Loor. 72d); non les podien dezir *uerbos tan synalados* (Alex. O 1291); metiéronlos en *premia tan grant* e tan lozana (S. Mill. 368c); no pasaban por *monte tan espeso,* que no hiciesen todo camino llano (Ultram. II, VIII 140a); etc.

El verbo *ser* tiene valor de impersonal (171) en frases como:

> *non es homne tan senado,* que de ti ssea fartado, que no aya perdido el ssesso y el recabdo (Raz. Am. 182-184); que *non es pecado/ tan grande* ni tan orrible,/ que Dios non le faga perdón/ por penitençia ho por confession (M.ª Egipç. 29-32); *non es* en el mundo *ome tan sabedor* (Alex. O 1977a. En P: *non es ome* en el mundo *tan sabedor* 2119a);

y con él alterna *haber:*

> *Non abia* hi *tan ensenyado/* siquier mançebo siquier cano,/ *non* hi *fue tan casto/* que con ella non fiziesse pecado (M.ª Egipç. 373-376).

También en alguna frase afirmativa su valor es cercano al impersonal:

> *fue fambre* en la villa *tan grant* e la carestia que la *cabe*ça del asno valya .(1)xxx. marcos de plata (Faz 126) (172).

d) *un + sustantivo + tan + adjetivo:*

> dióli *una respuesta, tan fuert* e tan irada/ qe li costó bien tanto como una porrada (S. Mill. 266c); fizo *un uiento tan grande* (Cron. Gen. 14a-13); son *unos omnes tan pequeños* (HTroy. 186); alli se boluio vn torneo tan fuerte e tan esquiuo (HTroy. 114) (173); etc.

Con numerales y distributivos:

> prisieron [...] *dos bestias tan ligeras* (Alex. O 580); le he dado *tres feridas tan grandes* (HTroy 79); diol *otros siete golpes tan grandes* (HTroy 40); dieronle anbos *sendas feridas tan grandes* (HTroy 40); etc.

La poesía ofrece, por lo demás, mayores libertades en cuanto a la colocación de los elementos:

> desi *vna calentura*/ le tornaua el coraçon / *tan grand* e tan sin mesura/ que l'era muerte e al non (HTroy 193, vv. 25-28); *vna boz* dolorida/ dio *tan grand* que fue ferida (HTroy. 208 vv. 137-138); *tan grande amor* vnieron/ *leal* y *verdadero* (Sem Tob 506).

1.6. TAMAÑO

1.6.1. En competencia con *tan grande* la lengua medieval utiliza *tamaño* (< TAM MAGNUM) (174), escrito como una sola palabra o con sus elementos separados, sin ninguna restricción funcional ni posicional:

> la gloria *tamaña* será (Tres Reys 78); metio Dios entrellos *tan manna* confusion (Alex. O 1346a. En P: *tamaña*); fer nos a empos esto *tan manna* caridat (Alex. O 1283. En P: *tamaña*); e *tamaño* fue el bramido e el miedo que el leon ovo (Calila B 57-1071); et los pechos que les puso fueron *tamannos* que non auien de que los pagar nin los podien sofrir (Gen. Est. Seg. Part. I

135a-18); en este puso Dios tamanno poder (Lib. Cab. XVII, 13-8); etc.

Como ocurre con el resto de los intensificadores, se nos presenta también la variante *atamaño:*

davan los malfadados *atamannos* roydos (F. Glez. 252c); tomando con ellos *atamaño* afazimiento (Lib. Est. LXXXI, 136-12).

1.6.2. Las razones que determinan la elección de uno u otro parecen ser puramente estilísticas y derivan en parte del carácter culto de *tamaño;* junto a los incontables casos en que se registra *tan* + *grande,* parece reservarse *tamaño* para determinados contextos; así, por ejemplo, sólo tres casos hemos registrado en las obras de Don Juan Manuel consultadas, y en todos *tamaño* hace referencia a algún atributo de la divinidad:

la *piadat de Dios* es *tamanna* (Lib. Cab. XXXVIII, 45-206); el su *poder* era, et es *tamaño* (Lib. Est. VIII, 197-23); la *voluntad de Dios* es *tamanna* (Lucan. ex. 51, 259).

Ello no quiere decir que en tal contexto *tamaño* se ofrezca como exclusivo:

tan grande es el *poder de Dios* (Lib. Est. XII, 23-20); la *bondat* et *la piadat de Dios* es *tan grande* (Lib. Est. XXXXIII, 62-5).

Estas afinidades, sin embargo, se detectan en casos muy concretos; lo normal es que la alternancia se deba fundamentalmente al deseo de variedad estilística:

tan grandes fueron alli los poderes ayuntados et *tamanna* la fuerça del lidiar de amas partes e la mortandat *tan grand,* que desmayo Julio Cesar muy fuert ueyendo a los que auien seydo de antigo con el fuyr, que no auien ende uerguença (Cron. Gen. 91b-25); mas ellas, *tan grande* era el miedo que habian de caer en poder de aquellos traidores, que no lo sentian... *tamaño* miedo habian que las alcançasen aquellos malos hombres (Ultram. 123b).

El simple adjetivo *grande* puede constituir, además, un primer grado en una intensificación creciente y progresiva; se establece así un paralelismo expresivo, grato especialmente a los escritores en verso:

vío *grandes quirolas, processiones tamannas/*

qe nin udió nin vío otras d'ésta calannas (Mil. 700c);

mannas/ grandes eran *los pueblos* e *las uozes tâ-*

que oyeron el roydo a cabo de .111. iornadas (Alex. O 474) (175).

1.6.3. A esto hay que añadir los casos en que el singular *tanto* (*-a*) mantiene su significado originario (176):

tanto es el pesar e la yra que ellos toman (Gen. Est. Seg. Part. I 26a-3). Et *tanto* fue ell affazimiento e ell amiztad entre los de Israhel e aquellos pueblos (íd. 134b-27) (177);

con el cual alternan *tan grande* y *tamaño:*

tanta era alli la *priessa* de los enemigos et *tan*

grand el *feruor* del sol (Cron. Gen. 54a-40); *tamaño miedo* e *tamaño espanto* me as metydo (Calila B, 361-6058); (ms. A: *tanto miedo* me has puesto e *tan grant espanto* 6054).

1.7. REALIZACIONES ESPECIALES

Los modelos estudiados hasta aquí reflejan un estado que podríamos calificar de «ideal»; pero las realizaciones pueden apartarse en mayor o menor medida de las correlaciones que hemos considerado. Y no nos referimos a aquellas construcciones que se salen de la norma por causas extrasistemáticas (indecisión del hablante, falta de atención, mezcla esporádica de tipos sintácticos por indiferenciación o acumulación de relaciones, etc.), cuastión en la que aquí no podemos entrar (178). Nos interesan sólo aquellas, no esporádicas, que pueden explicarse mediante determinadas transformaciones sintácticas; en la medida en que ello sea posible, procuraremos conocer hasta qué punto se deben a primitivismo sintáctico o si son explicables como recursos estilísticos, sin olvidar que algunas son exclusivamente usadas por la lengua poética.

1.7.1. SUPRESION DE QUE

1.7.1.1. Todos los tratadistas parecen estar de acuerdo en que la subordinación como procedimiento sintáctico es escasa o nula en los primeros estadios de una lengua y procede de la parataxis; la trabazón no se expresa mediante palabras de subordinación —pronominales o conjunciones— o a través de una estrecha correlación modal-temporal, sino sólo por la íntima relación determinada por el contexto semántico, por la entonación, cadencia, pausas, etc. Y muchas veces la dependencia interna recíproca entre las frases se deja en manos de medios extralingüísticos (179).

Cuando la lengua va adquiriendo madurez siente la necesidad de señalar la ligazón entre principal y subordinada con el uso de conjunciones o elementos pronominales y, subsidiariamente, modificando modos y tiempos en la subordinada. Esto no quita que el lenguaje artístico acuda a la parataxis como recurso estilístico (ya que muchas veces proporciona una mayor vivacidad y rapidez, o resulta de mayor espontaneidad) o retórico, como sucede en el tan citado verso de Virgilio: *Tantas divitias habet, nescit quid faciat auro.*

En el castellano antiguo, por otra parte, no existía la separación actual entre las constantes incongruencias de la lengua hablada y la exactitud de la escritura. Se contentaba con dar a entender, sin puntualizar, y el oyente o lector ponía algo de su parte para comprender. Como ocurre con frecuencia en el lenguaje coloquial, la entonación sustituía a los recursos verbales y los nexos se suprimen con frecuencia; R. Lapesa interpreta los versos

> tan gran sabor de mí auia/ sol fablar non me podia (Raz. Am. 126-127);

de la siguiente forma: '*tan* gran placer tenía conmigo *que* ni siquiera me podría hablar' (180). R. Menéndez Pidal no ha dudado en considerar consecutivas oraciones yuxtapuestas del tipo:

> diol tal espadada con el so diestro braço,/ cortól por la çintura, el medio echó en campo (Cid 750-751); dizié qe so los piedes tenié un tal escanno,/ non sintrié mal ninguno si colgasse un anno (Mil. 152c) (181).

1.7.1.2. Es cierto que, en principio, sólo debe hablarse de oraciones compuestas cuando existe una marca formal de la misma; la relación ideológica no tiene de por sí entidad gramatical. Pero a veces determinados tipos se nos presentan como variantes de las subordinadas; las marcas faltan, pero la simetría con modelos bien marcados decide la caracterización (182).

En nuestro caso la simetría con las oraciones consecutivas es patente, y de ella es reflejo la presencia del antecedente elativo; en ocasiones la interpretación se ve comprobada por la confrontación de las diversas soluciones de los mss. de un mismo texto:

> *Tanto* non *pudo* Poro desir nin predicar/ non los *pudo* por guisa ninguna acordar (Alex. P. 2060a). (Ms. O: *Tanto* non *pudo* Poro desir nin predicar/ *que* los *podiesse* a nenguna guisa acordar 1918a).

1.7.1.3. La simple yuxtaposición de dos frases puede encerrar, entre otras, una relación lógica o psicológica de tipo consecutivo:

> toda era tollida, non se podié mandar (S. Mill. 132c). De panes e de uinos es rica e auondada/ non podrien .x. ombres uençer la denarada (Alex. O 1332a); la carga era grande no la podien mouer (íd. O 1731a);

donde el sentido ponderativo se deduce, con evidencia, del contraste de modalidad entre ambas frases. De nuevo nuestra interpretación se ve confirmada por la confrontación de los distintos mss. de un mismo texto:

> Partieronse los vandos quisieronse matar/ gran-

> de era la rrebuelta non los podien quedar (Alex. P 411). (Ms. O: *tan grant* era la reuelta *que* no la podien cuntar 403) (183).

Pero esto nos llevaría al análisis de la yuxtaposición en general, que queda fuera del propósito de este trabajo (184). El castellano medieval se servía de la mera yuxtaposición para la expresión de casi todas las relaciones de subordinación; progresivamente la lengua va especializando nexos para poder diferenciar los diversos matices de la relación hipotáctica.

1.7.1.4. En cambio, sí creemos que tiene interés para nuestro objeto detenernos en un caso concreto, que puede, además, arrojar luz acerca del carácter «suelto» de la sintaxis medieval. La escasa elaboración de la frase medieval, unida al predominio de la afectividad, ocasionan que a menudo la ponderación o relieve se realice mediante un cuantitativo absoluto (185), especialmente *mucho (muy);* en tal caso la correlación no puede establecerse y las frases quedan simplemente yuxtapuestas:

> el Rey e la Reyna eran *much* alongados/ no podrian en seys dias alla seer huujados (Sto. Dom. 506c).

Con frecuencia la prosa alfonsí resuelve como consecutivas normales muchas de las yuxtaposiciones tomadas de textos en verso:

> *Muy* grrand fue la fazienda, *mucho mas* el roido,/ daria el omne vozes e non seria oydo,/ el que oydo fuesse seria com grran tronido,/ non podria oyr vozes nin vn grrand apellido (F. Glez. 749).

> (Et *tamanna* era la priessa del lidiar et *tan fuertes* colpes le dauan *que* por grandes uozes que ell omne diesse non serie oydo. Cron. Gen. 418b-13). Grrandes eran los golpes, mayores non podian/ los vnos e los otros tod su poder fazian,/ muchos cayan en tierra que nunca se erzian,/ de sangre los arroyos mucha tierra cobrian (F. Glez. 750); (et *tantos* eran ya los omnes muertos de cada parte, *que* tod el uall corrie rios de sangre. Cron. Gen. 418b-16);

con lo que el texto pierde en espontaneidad y vivacidad lo que gana en elaboración sintáctica.

1.7.1.5. Entre la mera yuxtaposición y la correlación de subordinación hay que colocar aquellos casos en que la segunda frase viene introducida por *que;* sólo si se pierde de vista este proceso que consideramos se puede seguir hablando del carácter «expletivo» de este *que.* No pretendemos afirmar que *mucho (muy)* constituya correlación con *que,* pero sí que es un primer indicio de que la relación envolvente de las dos partes del período camina hacia la adquisición de elementos formales de expresión:

> Enfermó esti clérigo de *muy* fuerte manera,/ *qe* li querién los ojos essir de la mollera (Mil. 123a). Fazian *muy* grrand gozo *que* mayor non podian/ dos bodas que non vna castellanos fazian (F. Glez. 684) (186). E Polibetes torno contra el *muy* de rrezio, *quel* dio tan grand ferida, que lo echo por muerto en tierra (HTroy 87); é pues que el Rey vió aquel gigant, firió de las espuelas al caballo, é tendió la lanza é fuél ferir, é dió́l

> *muy* grand golpe por medio del cuerpo, *quel* falsó las armas, maguer que estaba bien armado (Ultramar, IV, CCCX 620a).

El hecho no se puede desconectar del valor polifuncional y casi «omnisignificativo» de *que*, partícula que en construcciones paralelas a las aquí consideradas puede vacilar entre el valor causal y el simplemente expletivo:

> Et por esto fueron otrossi los fijos de Israel muy espantados, *que* se querien fincar, e non querien yr a delante (Gen. Est. Prim. Part. 750a-12); é cabalgó en un caballo muy bueno é muy ligero, *que* non lo habia mejor en toda Turquía, é tal, que por correr doce leguas nunca cansaba (Ultram. II, CCLX 318a).

Aunque menos, *asaz* (187) puede presentarse también en esta misma situación:

> *Assaz* eran nauarros caveros esforçados/ *que* en qualquier lugar serian buenos prouados,/ omnes son de grrand cuenta, de coraçon loçanos,/ mas eran con el conde todos desuenturados (F. Glez. 751) (188). E asi acaesció, que por quanto la flota del Rey de Castilla, así galeas como naos, estaban en aquel logar de Calpe, como dicho avemos, é alli era una peña alta, é la flota de naos é de galeas estaba pegada cerca de aquella peña (porque alli avia fondura *asaz, que* las naos podian echar áncoras, é por esta razon estaban tan cerca de la tierra pegados á la peña que non se devisaban bien de lejos)... (Cron. D. Pedro XV, 496b) (189).

1.7.1.6. La estructura consecutiva yuxtapuesta por elisión de *que* es, pues, un hecho que revela primitivismo sintáctico, pero que es aprovechado por la lengua poética como recurso estilístico expresivo. Como oraciones formalmente yuxtapuestas sólo usan el Indicativo, y ya vimos cómo la subordinación implica la posibilidad (o la necesidad) de usar el Subjuntivo (190). Pueden corresponder a cualquiera de las correlaciones estudiadas por nosotros:

a) Con *tal:*

> La sombra d'aquel panno trae *tal* tempradura,/ omne con el ardor trova so él fridura (Mil. 613a); diole el rrey *tal colpe* por el diestro costado/ echolo muerto frio en tierra rregañado (Alex. P 509). (Ms. O: dio al rey *tal golpe* por el diestro costado/ *quel* echo muerto frio enna yerua del prado 497).

b) Con *tanto* y *tan:*

> Los sos sanctos sermones eran *tan* adonados,/ Sanaban los enfermos, soltaban los pecados,/ Çevaban los aiunos, guiaban los errados:/ Quantos que los oien todos eran pagados (Duelo 66). El dito de don Nastor fue *tan* bien adonado/ el ferbor del pueblo fue todo amansado (Alex. P 417). (Ms. O: El dicho de don Nestor fue *tan* bien adonado/ *quel* feruor malo fue todo amansado. 408); dieronse los cauallos *tan* firme pechugadas/ serien grandes dos torres por ellas derrocadas (Alex. P 1373). (El ms. O ha cerrado la oración introduciendo un nuevo verso: dioron

se los cauallos *tan* fieras pechugadas/ [que cayeron en tierra sus carnes quebrantadas]) llegaronse de yentes *tan* gran finidat/ semeiaua perpoco al ual de Iosaphat (Alex. O 2369). (Ms. P: llegaronse de gentes vna difinidat *que* semejaua por poco el val de Sojauat. e. 2497). Quando oyoron las yentes de la fuente retraer/ fueron en *tan* grant quexa querien se perder (Alex. O 1975). (Ms. P: fueron en *mayor* quexa *que* se querien ya perder). El buen Rey Sancho Ordonnez dio se muy grand vagar,/ ouo despues del plazo tres annos a passar,/ ouo en este comedio *(a) tanto* de pujar,/ todos los de Vropa non lo podrian pagar (F. Glez. 733) (191). (Prosificado en la Cron. Gen. así: El rey don Sancho diose estonces a grand uagar de guisa que passaron despues del plazo bien tres annos que el rey nin el conde non recudieron a este pleyto; et pujo *tanto* este auer, segund la postura que amos auien entressi, *que* todos los de Espanna non lo podrien pagar. 417b-41) (192).

1.7.1.7. El contraste en cuanto a la modalidad de ambas oraciones (afirmación/negación), unido en ocasiones al uso del condicional en la segunda, sigue siendo recurso frecuente para la consecución del relieve, en general de carácter hiperbólico:

Tant era la mi alma cargada de tristiçia,/ *Non* avia de vida *nin* cobdiçia *nin* sabor (Duelo 47a); fazienda tan granada es *tanto* enpobrida/ *abes* pueden dos monges auer en ella ujda (Sto. Dom. 202) (193). Demas serán *tan* claros, non vos cuido mentir,/ *Non podrian* siete soles tan fuer-

> te-mente luçir (Signos 54c); trahe solombrera *tan* mansa e tan queda/ *non serie* co(m)prada por nenguna moneda (Alex. O 1713). (Ms. P: fazie vna sonbriella *tan* mansa e *tan* queda/ *que* non serie conprada por njnguna moneda. e. 1854).

1.7.1.8. El hecho de que la segunda frase constituya un período complejo favorece la supresión de *que:*

> dioron les *tan* fiera priessa de lit a los sennores/ *quantos pelos auien uertíen tantos sudores* (Alex. O 1056); hy fizo Alexandre golpes *tan* synalados/ *mientre ombres ouier seran siempre cuntados* (íd. 1197).

En estos casos el mecanismo de la trabazón sería más complejo; rara vez la acumulación de elementos nexuales se produce. En el siguiente caso de *Alexandre,* en que la consecutiva constituye un período hipotético, el ms. O cierra la correlación consecutiva, pero prescinde del *si* condicional; en cambio, el ms. P expresa la condición, pero no completa la correlación consecutiva:

> Como de las espaldas non auia que temer/ podie de los delantre meior se defender/ mas *tan* fiera priessa podien en el poner/ *que* çient manos ouiesse aurian hy que ueer (Alex. O 2069); mas *tan* fiera priesa sabien en el poner/ *sy* çient manos ouiese aurie pro que veyer (íd. P 2211).

Compárese con

> Otrosy los garçones e los viejos que se embevesçen en el juego/ A Dios nin a sus santos

nunca fazen buen rruego,/ Rreniegan e descreen, ganan *talmaño* [sic] *fuego/ Sy* en este comedyo murieren, yrse an para el ynfierno (Prov. Salam. 103-106).

La yuxtaposición queda superada, sin embargo, en algunos casos:

Tanta de buena yente era muy allegada/ *que sy* non por que era cuentra ellos la fada/ ouieran los griegos a Troya amparada/ e non fuera su cosa tan mal acabada (Alex. O 435). (En cambio, en P: *Tanta* de buena gente y era aplegada/ *sy* non que era contra ellos la fada/ ouieran de los griegos a Troya enparada e. 445); el carro en que yua *tanto* era de fermoso/ *que quj* lo podie veyer tenjes por venturoso (Alex. P 837c). (En cambio, en O: el carro en que yua *tant* era de fremoso/ *quien quier* quel podie ueer tenies por uenturoso. e. 810).

Compárese con:

Toda muger nasçida es fecha de *tal* massa,/ lo que mas le defienden aquello ante passa (LBA, S 523a).

1.7.1.9. Por analogía puede darse alguna vez la yuxtaposición con un antecedente de manera. Es discutible el sentido de los versos

el león quando lo vío, assí envergonçó,/ ante mio Çid la cabeça premió e el rostro fincó (Cid 2298-99) (194);

pero se encuentran casos en que hay alternancia con correlaciones consecutivas:

> si lo auia el braço si lo auie lespada/ era la maldita *de guisa* fadada/ a quien quier que golpaua sola vna uegada/ en escudo aieno numqua darie lançada (Alex. O 96). (En P: era la maledita *ta(n)* mal adonada/ *que* a quien ella colpaua sola vna vegada). Las torres son espesas segund que aprendemos/ *sobre guisa* son muchas cuenta non les sabemos/ los dias de vn año disen que serien diesmos/ de qui las non viese creydos non seriemos (Alex. P 1505). (En O: Las torres ha espessas segundo aprisiemos/ *atantas* son *que* cuenta dar non les podriemos. e. 1363).

1.7.2. ANTEPOSICION DE LA CONSECUTIVA

1.7.2.1. En la correlación consecutiva, la principal —que contiene el antecedente— debe necesariamente preceder a la subordinada. La inversión de este orden deshace la trabazón formal —no la relación lógica y psicológica—, y ambas quedan como yuxtapuestas:

> Martín Antolínez mano metio al espada,/ relumbra tod el campo, *tanto* es linpia e clara (Cid 3648-49).

1.7.2.2. Interesa, ante todo, no confundir esta yuxtaposición con lo que constituye una simple exclamación epifonemática:

> ¡O desdichado de mi! Por ser leal padezco mal.

> Otros se ganan por malos, yo me pierdo por bueno. ¡El mundo es tal! (Celest. II, 68).

Suele repetirse que a fuerza de emplearse sin partícula correlativa, *tanto* y *tan* se hicieron equivalentes de 'mucho' y 'muy' (195), y esto es cierto cuando se emplean sin referencia más allá de su frase:

> sano lo dexé e con *tan* grand rictad (Cid 1399). Vio cosa mal puesta, çiudat *tan* denegrida,/ Pueblo *tan* desmayado, la gente *tan* dolorida (Apol. 43a). El pueblo e la villa houo grant alegria;/ Todos andauan alegres, diziendo: ¡*Tan* buen dia! (Apol. 621b) (196);

pero no puede afirmarse lo mismo cuando la correlación sintáctica desaparece exclusivamente por la inversión del orden:

> exien lo veer mugieres e varones,/ burgeses e burgesas por las finiestras sone,/ plorando de los ojos, *tanto* avien el dolore (Cid 16b-18). Ferrant Gonçálvez, ifant de Carrión,/ non vido allí dos alçasse, nin cámara abierta nin torre;/ metiós sol escaño, *tanto* ovo el pavor (íd. 2286-87); la gente que tan grandes bramidos oya,/ coydauan que era preñada, *atanto* se dolia (LBA, 99a).

1.7.2.3. Esta construcción ha recibido varias interpretaciones sólo aparentemente diferentes. Ya fue considerada como consecutiva por E. Lerch (197), el cual piensa que la consecuencia está sobreentendida.

La idea de elipsis —necesaria, exigida— vuelve a ser recogida por diversos tratadistas modernos de la sintaxis francesa, como G. y R. le Bidois (198) y Kr. Sandfeld (199), pues en francés la situación es idéntica:

> Elle ne le reconnut pas, *tant* il était changé.
> Elle m'a réveillé, *tant* elle criait.

El afán de explicar toda oración consecutiva como inversión de lo causal ha hecho que estas yuxtaposiciones quedaran marginadas, ya que en ellas es la expresión de la causa la que queda pospuesta. En una lengua como el alemán es posible la inversión utilizando los mismos elementos: *ich war so müde, dass ich einschlief/ ich schlief ein, weil ich so müde war.* Pero para esta misma inversión el español necesita acudir a algún intensificador absoluto, o sencillamente limitarse a la yuxtaposición.

Con un enfoque diacrónico, otros prefieren seguir insistiendo en el hecho de que la yuxtaposición es signo de primitivismo sintáctico y la subordinación es reflejo de la madurez que las lenguas van alcanzando (200). Así, F. Brunot y C. Bruneau (201) sostienen que «la structure de la phrase complexe est assez lache en ancien français. Il arrive fréquemment qu'un outil de liaison —conjonction ou relatif— ne soit pas exprimé:

> Jo ai tel gent plus bele ne verreiz (Chanson de Roland 564). J'ai une telle armée que vous ne verrez jamais plus belle./ Cascuns puet revenir, je tant n'iert encantés. (Adam le Bossu, *Jeu de la Feuillée* 7). (Personne n'est jamais 'enchanté' a un tel point qu'il ne puisse revenir á lui [retrouver son bon sens, sa liberté])».

En cualquier caso se cuenta con que entre ambas frases hay interdependencia; esta exigencia recíproca tiene como índice formal cualquiera de los antecedentes de intensidad y no con valor absoluto.

1.7.2.4. La ausencia de trabazón formal entre una y otra frase permite que la consecutiva antepuesta pueda constituir, a su vez, un período complejo de carácter igualmente consecutivo:

> E despues acabo de seycientos annos que Roma fue poblada, leuantaron se los espannoles contra ella, e fue *tan* grand aquel leuantamiento *que* ningun romano no y osaua yr, ni por razon de conquerilla, ni aun cuemo en manderia: *tamanno* miedo auien de los espannoles (Cron. Gen. 27b-21); auia en ella *tantas* piedras preçiosas e de *tantas* maneras, *que* non ha onbre sañoso que la corona e la ymagen viese que se non alegrase luego, *de tal guisa* se lle esclaresçie la vista e toda la cara (HTroy 187).

1.7.2.5. En los casos en que la consecutiva antepuesta es un período complejo, coordinado o subordinado, puede ser quebrada por la frase que contiene el término elativo:

> Quando auia el rey a iustiçiar ladron/ daualo al cauallo en logar de prision/ ante lo auje comjdo *tanto era gloton/* que .xxiiii°. lobos comerian vn moton (Alex. O 100. En P: *tanto era de gloton* e. 112); pero juraron todos *tanto eran esforçados/* que se non fuesen dende fasta seyer vengados (Alex. P 582). Mas non auien ya fiuza de veerlo, *tanto les venie tarde,* e doliense dende mucho (Gen. Est. Seg. Part. II 215a-32).

1.7.2.6.1. En principio, todos los antecedentes pueden presentarse en esta construcción yuxtapuesta:

> non avia menester sol, *tanto* de sy alunbraua (LBA, 1268c).

La colocación en cabeza de la misma favorece la pervivencia de la forma íntegra *tanto* en los contextos analizados en 1.5.:

> Martín Antolinez mano metió al espada,/ relumbra tod el campo, *tanto* es *linpia* e *clara* (Cid 3648-3649). Non podiamos meçernos, *tanto* eramos *cansadas* (Duelo 163c); fablar non se podian *tant* eran *mal golpados* (F. Glez. 490c) (202); etc.

La forma íntegra era prácticamente norma con el atributo indirecto:

> tant era de lunbrosa (Sto. Dom. 234c); tanto eran de bellidas (Sta. Or. 29d); tanto era de sabroso (Alex. P 837b. En O: tant era orgoioso 810b); etc. Para su uso con *haber* (tanto ovo el pavor, tanto auian grant bondat, tanto he fiera rancura,...) vid. 1.4.1.9.

1.7.2.6.2. Igualmente son abundantes los casos con las formas concordantes y con la apocopada *tan:*

> Querria en la tiesta levar grandes mazadas/ mas que soffrir las cuitas, *tantas* eran granadas (Duelo 55c); e las sonbras no fazen sonbra ninguna enel tiempo del estiuo, *tan* derecho passa el sol sobre los cuerpos delas cosas (Gen. Est. Prim. Part. 117b-25); etc.

1.7.2.6.3. En cambio, *tal* no se encuentra prácticamente en este tipo de yuxtaposición; aunque sí formando parte de las locuciones de manera-intensidad:

> *en tal guisa* estaua cercada de grant gente de moros (Cron. Gen. 738a-15); *de tal guisa* se lle esclaresçie (HTroy 187); *en tal manera* estaban enojados é escarmentados los de la hueste (Ultram. I, CCXXVI 131b); *en tal estado* son llegados ya los fechos (Cron. D. Pedro I 428a).

Y con ellas alterna *así:*

> al sol tolien la lunbre *asy* yuan cosidas (Alex. P. 984d. En O: *tan* uenien decosidas). E segund dizen duroles siete sedmanas que nunca entraron en poblado; *assí* era llenna de moros toda la tierra a aquel tiempo (Cron. Gen. 342b-36).

1.7.3. QUE SIN ANTECEDENTE

1.7.3.1. En latín la proposición relativa expresaba frecuentemente una relación lógica (fin, condición, causa, consecuencia, etc.). En las relativas consecutivas la introducción del Subjuntivo pudo deberse en parte a una idea latente de posibilidad:

> Domus est quae nulli mearum uillarum cedat (203).

Los relativos podían ir precedidos de los mismos correlativos que el *ut* consecutivo:

> Nec... quis quamst *tam* opulentus qui mi obsis-

> tat in via (Plauto, Curculio 284). Si quis est *talis* qui.. me accuset (Cicerón, in Catilinam, 2, 3).

1.7.3.2. En romance *que* pasó a ser una conjunción universal, una especie de comodín gramatical del que la lengua se ha servido, y se sigue sirviendo, para la expresión de cualquier relación de subordinación; el contexto se encargaba de determinar el tipo de relación:

> Clamo Sanpson al Criador e dixo: «Ay, Sennor, mienbret agora de mi e dame fuerça *que* me pueda vengar de los Philisteos (Faz. 210) (finalidad). Yo dire palaura sobre Yrrael *que* amas las orejas retingan a todo aquel que la oyra (Gen. Est. Seg. Part. II 218a-37) (final-consec.). E fizo el Rey facer alli un torneo, é entró en él, é fué ferido en la mano derecha de una punta de espada, en guisa que estaba en grand peligro, *que* le non podian tomar la sangre (Cron. D. Pedro III, 429a) (causal) etc. etc. (204).

Aunque no siempre esto ocurre, y se roza el carácter expletivo que las gramáticas adjudican a este *que* cada vez que la relación entre dos frases no está claramente definida o simplemente no encaja en el cuadro fijado tradicionalmente:

> Tantos moros yazen muertos *que* pocos biuos a dexados,/ Ca en alcaz sjn duda les fueron dando (Cid 785-786); metyol' toda la lança por medio la tetyella,/ *que* fuera del espalda paresçio la cochyella (F. Glez. 696c) (205); los cavallos se espantaron,/ *que* tener non los podian (Alf. XI 65a). Asosegada estava la tierra,/ *que* non avía guerra de ningún cabo (Moced. Rodr. 293).

1.7.3.3. En nuestro caso, el carácter consecutivo nace de la confrontación de las dos frases componentes del período:

> Traen oro e plata *que* non saben recabdo (Cid 799) (206). Cuytaron la dolores *que* se queria morir (Apol. 268c). Et traye de auer doro et de plata *que* dizen que no auie cuenta (Cron. Gen. 61b-28).

1.7.3.4. Paralelamente a lo que ocurre en las correlaciones consecutivas plenas, el énfasis puede derivar del contraste de ambas frases en cuanto a la modalidad (afirmación/negación):

> miedo an en Valençia *que no* saben qué se far (Cid 1155). Quando uino de ueer a Dios, resplandesciel la cara *que ninguno non* le podie catar a ella, ca toda la tenie cubierta dela gloria de Dios (Gen. Est. Prim. Part. 749b-15). En viendome entrar se turbauan, *que* no hazian ni dezian cosa a derechas (Celest. IX, 176).

1.7.3.5. La lengua moderna, especialmente la de carácter coloquial, más cargada de afectividad, hace uso constante de este *que* consecutivo: *la plaza estaba que no cabía un alma; está que trina (muerde, se sube por las paredes...); hace un frío que corta la cara* (207); *bailan que es una maravilla; aquí ruedan las noticias que es un primor;* etc. (208). En ocasiones el sentido hiperbólico se refuerza con términos y locuciones que los hablantes crean para la expresión de la exageración: *Les voy a dar una de bofetás que va a tener que hacer las participaciones un notario* (C. Arniches, *Es mi hombre)* (209). El recurso no es nuevo; V. García de Diego advierte que, además de *tal* y *tanto,* varios indefinidos han adquirido a lo largo de la historia de la lengua sentido «comparativo»: *dicen unas cosas que avergüenzan* (210).

En efecto, el proceso puede descubrirse en nuestros textos:

> e diole *vna* ferida de vna saeta en la cara, *que* luego aquella ora cuydo ser muerto el rrey Fion (HTroy 31); levantose *una* grand tormenta *que* cuidaron perescer (Casts. e docs. BAE 86b).

A este propósito resulta reveladora la confrontación que A. G. Solalinde hizo de las versiones españolas del *Roman de Troie* (211). Una frase de la versión de Alfonso XI como

> e dio le *vna* ferida *que*le fizo, mal su grado, dexar la siella, e firio lo muy mal enel rostro (p. 140);

se corresponde en la versión en prosa y verso con

> e feriolo *de guisa quel* fizo perder la silla.

Lo mismo sucede en:

> E diole Matan Claruel *una* grand ferida enel oio, *que* gelo lanço luego fuera de la cabeça (versión de Alfonso XI, p. 141); e diol *tal* golpe dela lança por el oio *que* gelo echo fuera dela cabeça (versión en prosa y verso).

1.7.3.6. También en estos casos se acude con frecuencia a la elipsis para explicar la ausencia de antecedente. A. Bello (212) alude concretamente a que «es usada y elegante la supresión de *tal: se comenzaron a descoger unos cabellos que pudieran los del sol tenerles envidia* 'tales que'. Por su parte, V. García de Diego (213) afirma: «*que* conjuntivo sin partícula correlativa se halla en todas las épocas después de un sustitutivo o adjetivo, por analogía del relativo:

> *Io te los faré llanos, la mi fixa querida, / Que non havrás embargo en toda tu venida* (Sta. Or. 106c)».

Así podría explicarse, según algunos, la presencia de la preposición *de* en frases coloquiales como *se puso ella de contenta que si le piden un cuplé lo canta y lo arsiona (= acciona);* la preposición *de* se combina con un adjetivo predicativo determinado por una proposición consecutiva que describe el estado psíquico (214).

1.7.3.7.1. Opina R. Menéndez Pidal que en casos como

> Alegre fo mio Çid, que nuqua más ni tanto / ca de lo que más amava yal viene el mandado (Cid 1562-63);

«*que* representa una frase adverbial 'de tal modo que', o simplemente 'como'» (215).

Pensamos que, en efecto, comparación y consecuencia acaban confluyendo en estas frases, especialmente si algún término comparativo aparece en la segunda proposición:

> Assi diz el sennor de los Ebreos, dexa mio pueblo e servirme a, e si non dexares, cras aduzré la

> langosta en to termino e cobrira la faz de la tierra que non la podran ver, e combra todo lo que remaso al pedrisco, e enplirse an las casas de los Egipcios *que* non vieron *tantas* tos parientes nin veran ya *mas* (Faz. 68). Estevan, rendi gracias a Dios el buen Sennor,/ gran gracia te ha fecha *qe* non podrié *mayor* (Mil. 261b) (216); et lloraua e solloçaua *que mas* non podie (Gen. Est. Seg. Part. I 261a-22) (217).

Con la estructura consecutiva el hablante resalta ponderativamente —muchas veces hiperbólicamente— una cualidad o un hecho, cosa que la simple comparación no consigue. Un mismo contenido, pues, puede realizarse como estructura comparativa o consecutiva:

> E mando fer Pasqua a fijos de Israel, e fezieronla *tan rica mientre que non* fue fecha *tan alta mientre* en tierra de Jherusalem (Faz. 159); fueron li al captiuo *tales* nuebas uenjdas/ *que non* oyo *tan* buenas nunca njn *tan* sabridas (Sto. Dom. 707c). Diol beber *tan* amargo *que peor non* podria (Loor. 72d); guardo *tan byen* la tierra *que non* pudo mejor (F. Glez. 121b). Quien trae la vianda o el su tajador,/ Por *tal* cabo alli llega *que non* puede *peor* (Rim. Pal. N 479c).

En estos casos no tiene por qué cumplirse el requisito de posterioridad temporal de la consecutiva respecto de la principal:

> Aqui *veo* atal cosa que nunca *vi* tan grande (Roncesv. 35); *dieramos* tal derecho que non *podiera* meior (Alex. O 1694d). (En P: *dieron* vos tal

derecho que non *pudieron* mayor 1835). Mas Dios Nuestro Sennor *dioles tal agua aquella noche, que nunca omne tan fuerte diluuio vio* (Cron. Gen. 574b-20).

La diferencia formal no se correspondería aquí, pues, con una diferencia de carácter semántico o lógico, pero sí valorativa; aún hoy pertenece a la decisión del hablante elegir entre *son tan buenos como no hay otros, son tan buenos que no hay otros,* etc., en el habla coloquial.

1.7.3.7.2. Por otro lado, si la relación semántica entre ambas frases no origina ningún carácter ponderativo, el *que* tiene un valor cercano a las consecutivas de manera (v. cap. 2) o simplemente a las modales (218); su equivalencia será, según los casos, la de un nexo de manera *(de manera que)* o —si es negativa— simplemente la de una proposición modal introducida por *sin + que + Subj.* (o *sin + infinitivo):*

> E fuese e tornose por un corral que tenia e metiose en su casa *que* non lo vio ninguno e metiose debaxo de su cama adonde el e su muger dormian (Calila B, 221-3689). Et el mantouo su regno muy en paz grand tiempo, *que* se le *non* leuanto y bollicio ninguno (Cron. Gen. 483b-87); et prisol una flaqueza tan grand quel fizo estar quedo en somo de la ribera, *que* se *non* pudo mouer (íd. 67b-7). E en tod esto callos sienpre, e encelo el fecho en su coraçon *que* gelo *non* entendio omne del mundo (Gen. Est. Seg. Part. I 254a-19). Et fincaron los cavallos sanos, *que* les *non* fizo ningún mal el león (Lucan. ex. 9, 89).

El Subjuntivo aparece, por ejemplo, si depende de una frase negativa (219):

> Mas tan grandes e tantos auie y delos otros principes e otros omnes buenos, quelo *non* pudieron desuiar *que gele non ouiessen* a amostrar (Gen. Est. Prim. Part. 106a-2). No es eso nada, ni lo creas; que aunque la tu ventura fuese tan grande, que me matases ó me vencieses, lo que no podria ser, tú *no* puedes escapar *que no mueras* conmigo (Ultram. LXXXIX, 49a).

1.7.3.7.3. Cuando se presenta el contraste 'todo'/'ninguno', la frase negativa no hace otra cosa que servir de refuerzo redundante e intensivo de la frase afirmativa:

> ovieronle a yurar *todos* los omnes de la tierra que non falio(t) *ninguno* (Faz. 121) (220); e *toda* la tierra fue perduda e yerma que non finco *ninguna cosa* en ella (Cron. Gen. 14a-4). E fezieronla bien asy, calos mataron *todos* los catiuos a sus sennores, que *tan sola mente non dexaron ninno nin muger* (Leom. CXCVII, 298);

aunque pueden señalarse posteriormente excepciones o condiciones:

> e de quatrocientas e diez uezes mil omnes que aduxieron en su huest, *todos* los mato alli Julio Cesar, que *no* escaparon ende *si* non muy pocos (Cron. Gen. 64a-24); et moriron y *todos* los mas, que non escapo ende *ninguno, si* non el duc et unos pocos con el (Cron. Gen. 332a-51); et fue

> assi fecho, ca la mayor parte *todos* fincaron y muertos o catiuos, que non escaparon *sinon* algunos pocos que se huuiaron meter entre los cristianos et fuxieron (Cron. Gen. 485b-24).

1.7.3.8. El *que* aparece en ocasiones fuertemente desconectado de lo anterior:

> Et desque la infanta doña Sancha lo vio, con el grand pesar que ende hobo echóse sobre él poniendo la su cara con la suya, faciendo muy esquivo llanto, deciendo muchas cosas doloriosas que serian largas de contar, *que non* habia *home* en el mundo que el corazon non quebrase (Casts. e docs. BAE XLIII, 169b).

Esto ocurre necesariamente tras frase interrogativa:

> la redondez y forma de las pequeñas tetas, ¿quien te la podria figurar? *Que* se despereza el hombre quando las mira (Celest. I, 34).

Para Lerch la frase introducida por *que* indica el motivo de la pregunta (221).

1.7.3.9. Conviene insistir en que no se trata de algo que afecte sólo a un tipo de oraciones, sino de un proceso, muy complejo, que se refleja en todo el aspecto sintáctico de una lengua. La lengua lucha por superar la mera yuxtaposición y adquirir recursos sintácticos propios de cada modalidad de subordinación; un paso intermedio lo constituye la utilización de *que,* uno de cuyos valores puede ser el consecutivo. Los diversos grados de este proceso que va de la mera yuxtaposición a una progresiva trabazón subordinativa dan una sensación de inestabilidad sintáctica en nuestros textos:

> firie Etor en ellos non les daua vagar (Alex. P 102c. Yuxtaposición). (En O: ferio Ector en ellos *que* les non daua uagar. (Con *que*)). Haviagelo la madre todo bien razonado,/ Que non queria mentir por un rico condado (Sta. Or. 5c); prisieron los caualleros dos bestias ligeras/ *que* fueras Buçifal non ouieron companneras (Alex. O, 580). (En P: prisieron dos cavallos dos bestias *tan* ligeras/ *que* fuera Buçifal non aujen conpañeras. e. 607).

1.8. ORACIONES HIBRIDAS

1.8.1. A. Badía, que ha caracterizado de «suelta» a la sintaxis de la poesía épica, en oposición a la más «trabada» de la prosa histórica (222), señala como uno de los rasgos caracterizadores de esta última su preocupación por la subordinación. Y así, oraciones independientes en el *Cantar del Cid* han pasado a convertirse en oraciones sintácticamente subordinadas (223) en la frase más elaborada de la *Crónica General* alfonsí:

> Pues quel vos ayrastes, Alcoçer ganó por maña;/ al rey de Valençia dello el mensaje llegava,/ mandólo y çercar, e tolléronle el agua./ Mio Cid salió del castiello, en campo lidiava,/ venció dos reyes de moros en aquesta batalla (Cid 876-880). (En la Cron. Gen.: Et el rey de Valencia enuio y sus poderes con dos reys moros contra el, et cercaronle alli et tollieronle ell agua, *assí que* lo

non pudiemos ya soffrir. 531a-17). A Saragoça sus nueuas legavan,/ non plaze a los moros, firme mientre les pesava (Cid 905-906). (En la Cron. Gen.: Et estas nueuas daquellos grandes fechos del Cid llegaron a Saragoça, et peso *ende* mucho a los moros et a los sus reys. 532a-2) (224); todas essas tierras todas las preava,/ a Saragoça metuda lâ en paria (Cid, 913-914). (En la Cron. Gen.: et corrio a Saragoça; et fizoles *tanto* de mal *fasta quel* ouieron de pechar et darle parias. 532a-10).

1.8.2. Posteriormente ambas relaciones se desglosan, y cada una fija sus recursos propios de expresión. Una estructura como *insistió tanto hasta que lo consiguió* tendrá que optar por la realización como temporal *(insistió hasta que lo consiguió)* o bien por la consecutiva *(insistió tanto que lo consiguió)* (225).

1.8.2.2. En rigor, la relación temporal está implicada en la correlación consecutiva, pues casi siempre *tanto,* si no se une a sustantivos pertenecientes al campo semántico de lo temporal *(tiempo, día, vez —vegada—,* etc.), obtiene el rasgo *'tiempo'* de los verbos a los que modifica; según los casos, se manifiestará con aspecto durativo o reiterativo:

> E *tanto* ge lo dixo *fasta que* le rrespondio el mur e le dixo: «Semeja que non as...» (Calila A, 169-2549). (En B: *tantas vezes* me lo as dicho. 169-2828). Mas el no lo quiso fazer, e *tanto* los touo cercados *fasta que* los aduxo que non hauien conseio ninguno de uianda que comiessen (Cron. Gen. 17a-15). Et *tanto* yogo aquel papa et los

otros con ell en la carcel *fasta que* morieron y de fambre et de lazeria (íd. 251b-6).

1.8.2.3.1. El uso de *hasta* hace que sólo puedan usarse determinadas formas temporales; por lo que respecta al Indicativo sólo dos correlaciones son posibles:

A) *pretérito perfecto simple-pretérito perfecto simple:*

a) Con *tanto*

Tanto las *rogó* fata que las *assentó (Cid 25). Amola* tanto troa ques *fizo* enfermo por ella (Faz. 141) (226); Tanto *pudo* el Rey las cosas afficar/ fasta que *ouo* el aruol a faular (Alex. O 304) (227) et *cuytolos* tanto fasta que *cuydaron* los moros que los entrarien por fuerça (Cron. Gen. 571a-15). Et esta palabra *fue sonada* tanto por la tierra fasta que la *ovo* de oyr el rey, et preguntó por qué dezían las gentes esta palabra. (Lucan. ex. 41, 205). Tras Don Juan Manuel su uso decrece.

b) Con *tanto (-a, -os, -as) +sustantivo / 'tiempo'/.*

Con *tiempo* sólo es posible el singular; con *día* y *vez,* exclusivamente el plural:

é estuvo *tanto tiempo* en la cerca, hasta que cumplio aquello que Nabucodonosor habia comenzado (Ultram. III, CXCVI, 410b). Et endereçó el regno de Armenia, et moró y *tanto tiempo* fasta que sopo muy bien el lenguage et todas las maneras de la tierra (Lucan. ex. 25, 147). Et esta razón le dixo *tantos días* et *tantas vegadas,* fasta que el privado entendió que el rey non tomava ningún plazer en las onras deste mundo... (íd. ex. 1, 56); et montó sobre el águila, et vino a ella *tantas vezes,* feriéndola, fasta que la fizo dester(r)ar daquella tierra (íd. ex. 33, 184).

B) *presente-presente*

Como miembro neutro del paradigma verbal, el presente puede ser usado también tras *hasta.*

a) Con *tanto*

E el buen cavallo por ventura tanto lo *cavalgan* e lo *afruentan,* porque es fuerte, fasta que se *quebranta* e *rrebienta.* E el omne de noble coraçon, por ventura tanto *pasan* contra el los malos con su enbidia, fasta que lo *matan,* e su bondat es causa por que perezca (Calila A, 93-1399). (En B: e el ome leal e verdadero *tanto* lo afruentan los malos *que* con la enbidia que le an, le buscan mal e le traen a muerte. 93-1669); e *sueles* tanto andar co(n) poluo mesclada/ fasta qu'en lo(do) *eres* tornada (Raz. Am. 240); tanto me *encaresçe* que guarde esta poridat, fasta que *dize* que si a omne del mundo lo digo, que toda mi fazienda et aun la mi vida es en grand periglo (Lucan. ex. 32, 178).

b) Con *tanto (-a, -os, -as) +sustantivo / 'tiempo'/.*

torna luego a esse rio a lauar se e rastra mucho de su natura por el campo, e por la tierra e por ell arena, e desi bannasse, e *tantas uezes faze* esto fasta que *entiende* que sera tollido aquell olor e le aura ella perdudo (Gen. Est. Prim. Part. 55a-41).

1.8.2.3.2. El Subjuntivo puede venir exigido por la modalidad negativa o performativa de la principal, o porque ésta va asimismo en Subjuntivo (228):

> mas por facer mayor pesar al Emperador é mayor deshonra á él é á su linaje, que en otra muerte ninguna que les pudiesen dar, que las metiesen en poder de los escuderos, é que *se echasen tantas veces* con ellas fasta que las *matasen* (Ultram. I, LXXXII 51b). Et dével ser sienpre muy obediente et muy omildoso, et guardarse de tomar connél grant afazimiento en los fechos pequennos et entremeterse en las privanças menudas, *nin* seguir tanto la corte et la privança fasta que se *torne* a él en menospreçio et al rey et a las gentes en enojo (Lib. Enfen. IV, 107-32). Otrosí, el que da limosna tal que non siente menos lo que da, yo non digo que tal limosna sea mala, mas digo que sería mejor si *diese* tanto por amor de Dios, fasta que *sintiese* alguna mengua (íd. LX, 95-66).

1.8.2.4. Por otro lado la preposición *hasta,* a la que han ido a parar los valores de *usque* lat. (229), puede tener su valor fundamental en la dimensión espacial; *tanto* está condicionado por los rasgos de significación del verbo:

> e aquell *entro tanto* por Espanna fasta que llego a

la prouincia de Luzenna (Cron. Gen. 27b-45); *andudieron* tanto, fasta que llegaron a un río en que avía pieça de molinos (Lucan. ex. 27, 165).

Es claro que, aunque no como dominante, el rasgo temporal rara vez está ausente:

e *siglo* tanto por la mar adelante fasta que llego a la ysla de Çitarea a do era el gran tenplo de la deesa Diana (Leom. LXXVII, 166) (230). Tanto *anduvo* Turin *buscando* á Julio fasta que lo falló (Lib. Est. XVIII, 31-9).

1.8.2.5. La construcción con *hasta* tuvo particular fortuna, y pasó a emplearse cualquiera que fuese el valor de *tanto* y con cualquier tipo de sustantivos:

e sentio *flaquesa tanta* fasta que hovo a decender de su caballo (Bonium 299); diole *tantos de golpes* fasta que le quedo (Calila B, 27-493); los fueron quebrantando, e uenciendo e matando *dellos tantos* fasta que ellos le demandaron treguas e pazes (Gen. Est. Seg. Part. I 121a-11); diole *tantos golpes* hasta que lo mato (Zifar 148); et començaron a fazer *tantas malas obras,* fasta que Dios se enojó dellas et enbió el delluvio sobre la tierra (Lib. Est. XXVII, 42-95). Et *tantos* dixieron esto fasta que lo trasquilaron todo (Lucan. ex. 29, 172);

e incluso con *tal:*

e dio tal golpe al can *fasta que* lo mato e lo aquedo (Calila A, 255-3911); (ms. B: e fuese

> para el gato e tomole e diole *tantos golpes* fasta que lo mato. 255-4235).

Pero este mismo destino afortunado provocará su decadencia y conducirá a su desuso; mermado o perdido el valor de *hasta,* sólo indica la existencia de límite. Pero la señalación de término está ya implicada en la propia correlación consecutiva: el efecto, resultado o consecuencia lógica.

Como hemos dicho, tras Don Juan Manuel se inicia su decadencia, y hay autores que no utilizan esta combinación híbrida, como el Canciller Ayala. No existe ya en La Celestina.

A la preposición *hasta* ha vuelto a acudir la lengua moderna para crear nuevas locuciones que sirven de renovación expresiva en esta clase de oraciones: *hasta el punto de que, hasta tal extremo que,* etc.

1.8.3. CAUSAL-CONSECUTIVAS

1.8.3.1. La preposición *hasta* integrada en la correlación consecutiva tuvo especial fortuna, como acabamos de ver; pero no fue, ni mucho menos, la única. Otras preposiciones precedían al correlativo *que* complicando más la relación entre subordinante y subordinada.

Una de ellas, *por,* con la subordinada en Indicativo, originaba un tipo de estructuras a caballo entre el sentido consecutivo y el causal (231):

> e començaron les a fazer *tantas terrerias por que* ouieron a auer guerras en uno (Cron. Gen. 15b-35); et *tantol* rogaron *porque* lo ouo de fazer (Cron. Gen. 657b-10); dauanles de sus donas e de sus dineros *tantos por que* se auien ellas a

vençer para la locura que ellos querian (Gen. Est. Seg. Part. II 215a-7). Julio, dixo el Infante, *tantas razones,* et *tan buenas* me abedes dicho, *porque* debo perder esta dubda (Lib. Est. LXXIX, 132-48); et mataron et destruyeron dellos *tantos porque* fincaron vençedores los cuervos de toda su guerra (Lucan. ex. 19, 121) (232).

1.8.3.2. Cuando el Subjuntivo viene exigido por la modalidad de la frase principal (negativa, performativa, etc.) (233), no implica ningún carácter final o subjetivo, por lo que la relación es idéntica a la de los ejemplos anteriores:

> *Nunca tanto* pudieron bollir nin trebejar/ *por que* de nula guisa la pudiesen entrar (Alex. P, 704a). (En 0: Nunca *tanto* podieron uoluer e trabaiar/ *que* por nulla guisa la podiessen entrar. 676a). *Non* tomes en un dia *tan grand* afacimiento con el home, *porque* hayas después á menguar en ello (Casts. e docs. BAE, 155b); *non deue* omne ser *tan* bueno a otro *por que* a sy le venga grant dapnno (Leom. CXLI, 236).

Aunque en menor medida que en las construcciones que hemos llamado temporal-consecutivas, también el valor causal puede estar diluido y la preposición *por* no añadir ningún sentido nuevo a la relación; se llega así a una neutralización con la correlación consecutiva normal:

> et si Dios me fiziere *tanta* merçed *porque* El falle en mí *tal* meresçimiento, *porque* me deva escoger para ser compañero de los sus siervos et ganar el Paraýso; sé por çierto, que a este bien et a este

> plazer et a esta gloria, non se puede comparar ningún otro plazer del mundo (Lucan. ex. 3, 68).

1.8.4. RELATIVAS CONSECUTIVAS (234)

1.8.4.1. En las oraciones anteriores no ha desaparecido de *que* su originario valor de relativo neutro; especialmente cuando el antecedente es *tal* (235):

> ovo en est comedio tal cosa conteçido/ por que ovo el rreyno ser todo destruydo (F. Glez 42c) (236).

Con otras preposiciones, dado que no hay iniciado ningún proceso de gramaticalización, el valor relativo es más claro:

> el poder que yo aquí tengo es *tan* grande *de que* no puedes escapar ni guarir, ni aun el Emperador, si quisiere, que no le echen fuera de la cibdad de Nimeya, é le no fagan perder lo mas de cuanto ha (Ultram. I, LXXIX, 49a) (237). Pero non aventuredes por él *tanto* de vuestra fazienda, *de que* vos podadas arepentir mucho, fasta que ayades provado su obra (Lib. Enfen. XXVI, 132-195). Pero si el vos quisiere servir, estonce podredes vós fiar en l', pero siempre fiat en l' *tanto de que* vos non pueda venir daño (Lucan. ex. 19, 122) (238).

1.8.4.2. La preposición *de* unida a *que* no aporta ningún valor nuevo a la relación de subordinación; por el contrario rompe la correlación consecutiva; y lo mismo ocurre con otras preposiciones:

> si fueren los bues o las bestias *tales con ke* pueda omne labrar (Doc. III, Crestom. p. 114); ond a mester que de guisa fagamos por que les desuie nos el grand danno que nos dellos podrie uenir, e que *atal fecho* nos tomemos *conque* podamos salir acabo (Cron. Gen. 46a-1) (239).

1.8.4.3. En todos los casos puede acudirse a un adverbio relativo:

> fue y el rey don Vermudo ferido de una lança, ferida *tal dond* cayo daquel su cauallo a tierra, et murio y (Cron. Gen. 482b-26); é al Emperador mesmo se le podria levantar *tangrande* [el daño] *por do* podria perder lo mas de su tierra, segun el poder que el duque ha (Ultram. I, LXXVII 44b); conséiovos yo que çerredes el oio en (e)llo, pero en guisa que lo non faga *tantas vezes, dende* se vos siga daño nin vergüença. (Lucan. ex. 13, 104).

1.8.5. FINAL-CONSECUTIVAS

Con Subjuntivo, la preposición *por* integrada en una correlación consecutiva, puede añadir sentido o matiz final. En todos aquellos casos en que el Subjuntivo es debido al carácter performativo o negativo de la principal, es la preposición *por* el índice formal que hace explícita la intención de finalidad.

> Et en el primero sea puesto *tal* escarmiento, *porque* otros non se atrevan (Tr. Nobl. XXXV, 202) Entonce le mandó el rey que, pues él sabía do era, que fuesse él por ello et troxiesse *tanto porque* pudiesse fazer tanto quanto oro quisiesse

(Lucan. ex. 20, 125) (240); guisat que las fagades *tales, porque,* quando deste mundo salierdes, *que* tengades fecha *tal* morada en l'otro, *porque* quando vos echaren deste mundo desnuyo, *que* fagades buena morada para toda vuestra vida (Lucan. ex. 49, 242) (241): dixo: «yo ire a su casa de esa vuestra vesina,/ e le dare *tal* escanto e le dare *tal* atalvina/ *por que* esa vuestra llaga sane por mi melesina (LBA 709).

1.8.6. No afirmamos nada nuevo al decir que las relaciones lógicas de causalidad, finalidad y consecuencia están estrechamente ligadas y emparentadas; es un hecho admitido por evidente, y no falta incluso quien las agrupa para su tratamiento (242).

La expresión de la consecuencia y de la finalidad llegan en ocasiones a confundirse (243). Por otro lado, la frase consecutiva suele explicarse como inversión de la causal, cosa que aunque gramaticalmente no puede hacerse (244) suele ser verdad desde el punto de vista lógico. Por último, las nociones de causa y de finalidad andan tan cercanas que muchas veces resultan inútiles los esfuerzos por hallar diferencias en la lengua que reflejen la distinción entre el motivo o el fin: *viene para que yo lo consuele* (245).

La relación cronológica o temporal (no lógica), siempre presente, puede aparecer expresada dentro de la correlación consecutiva; como lo que importa destacar es el límite o resultado, las estructuras con *hasta* son las que tuvieron mayor fortuna.

Por otra parte, como veremos, la comparación —que subyace siempre en la relación consecutiva de intensidad— se nos muestra en ocasiones reflejada en el plano de la realización.

La lengua medieval lucha por fijar tipos que respondan con claridad a relaciones bien definidas. Pero esto no siempre se consigue; la suma o acumulación de diversos sentidos relacionantes se refleja en las estructuras gramaticales híbridas.

1.9. USO DE MODOS Y TIEMPOS

1.9.1. No es posible establecer reglas estrictas en este sentido por lo que respecta a las oraciones consecutivas de intensidad; si tenemos en cuenta que entre principal y subordinada (246) subyace siempre una relación anterior-posterior, se comprenderá que no sea necesario expresar la posterioridad mediante una forma temporal específica.

1.9.2. Cuando no hay intervención de la voluntad o intención del hablante subjetiva, la expresión de la consecuencia o efecto emplea el modo de lo actual, el Indicativo. En este caso la correlación verbal no tiene más restricción que la que impone el propio carácter de la relación: la forma empleada en la subordinada no podrá señalar tiempo anterior al que señala el verbo de la principal. El incumplimiento de esta regla debe hacernos dudar del carácter correlativo de *que:*

> sant Beneyto *salio* ende otro dia *tan* sano *que* solamientre non se le *llego* el fuego a ningunas de sus uestiduras (Cron. Gen. 256b-32. *llego* 'habia alcanzado').

He aquí algunas de las posibilidades.

1.9.2.1. Pretérito perfecto simple-pretérito imperfecto.

mato tantos que no *auien* cuenta (Cron. Gen. 65a-30); et *ovo* tan grand miedo, que non *sabia* si era muerta o biva (Lucan. ex. 35, 191).

1.9.2.2. Pretérito imperfecto-pretérito perfecto simple

tanto *auie* buen enienno e sotil coraçon / que *uençio* los maestros a poca de sazón (Alex. O 17).

1.9.2.3. Pretérito perfecto simple-pretérito perfecto simple

tales *foron* los colpes que les *crebaron* amas (Cid 3647); el duque *ovo* del tanta malenconia que le *mando* prender e echarlo en la carçel (Calila, B 338-5656).

1.9.2.4. Pretérito imperfecto-pretérito imperfecto

atal *era* que quanto aprendia en un dia *olvidavalo* en el otro (Bonium 77); ca *auian* con el todos tanta dileccion/ que se *dolia* cascuno mucho de coraçon (Sto. Dom. 503c).

1.9.2.5. Pretérito pluscuamperfecto-pretérito imperfecto

Et él dixo que sopiese que fuera muy más rico que él, et que agora *avía llegado* a tan grand pobreza et en tan gran fanbre quel *plazía* mucho quando fallava aquellas cortezas que él dexava (Lucan. ex. 10, 92).

1.9.2.6. Pretérito perfecto simple-presente

fizo tal escarmiento e tal danno en ellos/ que a los nietos oy en dia se *alçan* los cabellos (Alex. O 145); tantos *fueron* los sabios que fallaron en las sabidurías, que non *ay* en el mundo cosa que ya dicha non sea. (Lib. Est. LXV, 102-9).

1.9.2.7. Pretérito perfecto compuesto-presente

Tamaño miedo e tamaño espanto me *as metydo* que me *semeja* que nos ha de acabar la fyn (Calila B, 361-6058).

1.9.2.8. Presente-presente

Tanto *eres*, muerte, syn bien e atal, que desir non se *puede* el diezmo de tu mal (LBA, S 1567a).

1.9.2.9. Pretérito perfecto simple-futuro

et tan muchos *fueron* daquella vez los moros en aquella batalla, que entre los que y murieron et los que cativaron et los que ende escaparon et fuxieron, que por siempre jamas *avran* ende que contar los que vinieren (Cron. Gen. 404a-25).

1.9.2.10. Presente-futuro

Conde, yo *sé* que tal *es* el vuestro entendimiento que en pocas palabras que vos omne diga *entendredes* todo el fecho (Lucan. ex. 25, 145).

1.9.2.11. Futuro-futuro

> Mas *dezir* vos *he* yo tantas que *entendredes* vos que sin dubda es esta la mejor ley. (Lib. Est. XXXIII, 48-26) (247); sy vergüença non oviere, tal cosa *podrá* fazer algún día, que en los días que biva sienpre *será* engannado (Lib. Cab. XIX, 17-93).

1.9.2.12. El futuro en este caso alterna con el presente de Subjuntivo, que puede explicarse como indicación de la posibilidad. El futuro ha terminado por absorber este valor en español, por lo que hoy caerían fuera de la norma correlaciones como:

> *tomarán* espanto é escarmiento tal, que ninguno otro hombre del mundo *sea* atrevido ni osado a igualarse conmigo en fecho de armas, ni contra otro caballero (Ultram. I, LXXIV, 42a); quiero que seades bien çierto que yo le *faré* tanto bien que él et los que bien le quieren, *tomen* ende plazer et los que non la amaren *tomen* ende enbidia (Lib. Est. XXII, 34-19).

1.9.2.13. La forma *-ra* puede conservar su originario valor de pluscuamperfecto:

> dixo a su padre et a su madre que tales cosas le *dixiera* don Alvar Háñez, que ante quería seer muerta que casarse con él (Lucan. ex. 27, 161);

pero también puede tener sentido de simple pasado:

> et la calentura muy grand tanto entro por la

> tierra a dentro e ayuso que fundio metales de uenas que auie alli dellos, e tanta *fuera* la fuerça dela fundiçion que torcieron los metales. (Gen. Est. Prim. Part. 14b-48).

1.9.2.14. En la consecutiva pueden aparecer formas temporales de pasado cuando la principal usa el presente, término neutro en el paradigma verbal (248):

> fizo salir delos abismos agua que lo cubrio todo e lo tiene aun oy fecho lago, et esta agua que *es* tal que assi como el otra et la calentura del sol criauan alli toda cosa, que assi lo *estoruaron* alli despues este fuego e esta agua (Gen. Est. Prim. Part. 133b-35).

Este carácter neutro del presente hace posible, no sólo su valor de pasado («histórico»), sino también su empleo con valor futuro, atemporal, etc.:

> e por ende noche e dia/ *biue* en tal pena e dolor/ que nunca *auie* alegria (HTroy. 193, v. 50-52).

1.9.2.15. Para las consecutivas que constituyen una resolución de carácter expresivo de una comparación, vid. 1.7.3.7.1.

1.9.3.1. El uso del Subjuntivo en la consecutiva puede venir determinado por la modalidad negativa de la principal. En este caso los pasados piden la forma subjuntiva del pretérito:

> mas tanto *non podieron* contender nin bollir/ qe

> valient una paja li *podiessen* nucir (S. Mill. 202c); *ni eran* tantos que se *atreuiessen* salir a lidiar con sos enemigos (Cron. Gen. 104a-33). Et commo quiera que estavan cerca del puerto, *non era* la mar tan vaxa que el rey et el cavallo non se *metiessen* todos so el agua (Lucan. ex. 3, 71).

Habrá que contar aquí con el condicional, futuro del pasado para los gramáticos (249):

> *non pedrie* tal cosa entre su uoluntat/ que non *fues oydo* de su neçessidat (Alex. O 1126).

1.9.3.2. Y las formas que no son de pasado se construyen con presente de Subjuntivo en la subordinada:

> *non sera* tan armado/ que non *sea* bien prouado/ de mi lança (HTroy 56, vv. 115-117). Pero *non es* tan cruel, nin tan fuerte el Señor/ Que si tu perdonares a quien te fizo error,/ Non *aya* merçed de ti e *oya* tu clamor,/ Ca mucho es piadoso siempre al pecador (Rim. Pal. N 184). *Non sera* el tan descortes que *entre* en lo vedado sin licencia (Celest. VII, 146).

1.9.3.3. No faltan ejemplos, sin embargo, en que se usa el Indicativo a pesar de la presencia del constituyente Negación en la principal (250):

> *nunca fazie* tal golpe que ombre non mataua (Alex. O 1003). *Non serien* las mugeres tanto desuergonçadas/ que por dubdo del siglo non *serien* destemadas (Alex. P 1615a). (En cambio, en O: Non serien las mugieres tan des-

> uergonçadas/ que por dulda del sieglo non *fuessen* defamadas); mas *non era* tan valiente que non *ouo* a caer del cauallo a tierra (HTroy 178).

En realidad, la razón del Subjuntivo no reside tanto en el hecho de que la principal esté en forma negativa como en el carácter especial que el constituyente Negación proporciona a la relación entre principal y subordinada; la «consecuencia» queda como rechazada con fuerza fuera del campo de posibilidades (251).

1.9.3.4. Si en la principal negativa *tal, tanto* o *tan + adjetivo* funcionan como atributo, la subordinada puede optar entre el Subjuntivo:

> *nin era tal* que la non *podiese* el muy bien tornar por tiempo a su parte (HTroy 154); mas *non era tanta gente* que grant dapnno les *podiese* fazer (Leom. LXXIX, 168);

o el infinitivo precedido de preposición:

> Pero esto pudo ser el comienzo del mundo, por quanto los omnes *non eran tan sotiles para fallar* mamparo, asy a las grandes calenturas como a las grandes friuras (Leom. IIII, 67).

Con elusión del infinitivo si el contexto sintáctico-semántico lo permite:

> Recudiólis Teófilo con gran simplicidat,/ «Sennores, mudat mano por Dios e caridat,/ ca *non so* yo *tan digno pora tal dignidat,*/ fer tal electión serié grand ceguedat» (Mil. 715).

La preposición más utilizada es *para,* pero no la única:

> e tu otrosi non te duelas, que *non eres* tu *(tan) nescia de cuydar* que yo non havia de morir (Bonium 300).

En latín se encuentra el relativo, como *ut,* tras *comparativo+quam:* maior sum quam cui possit fortuna nocere (Ovidio, Metam. 6, 195) (252), en relación con lo cual hay que considerar estas estructuras romances. En el plano de la realización, *tan + adjetivo* puede alternar con algún otro elemento que implique una idea de proporción o desproporción respecto a lo enunciado en la subordinada:

> ¡O çibdat mal aventurada, commo llorarias sy sopiesses lo que adelante te esta aparejado lo que agora te alegras!, ca avn estas alegrias *non son bastantes para responder* a los muy grandes llantos que te han a çercar (Leom. LXXXV, 173).

Ya Lerch (253) las estudiaba como consecutivas. En las lenguas iberorrománicas, en que estas construcciones no son muy abundantes, suelen explicarse como imitación del francés; así lo hace, por ejemplo, Silva Dias para el portugés: «O port. moderno, imitando a syntaxe francesa, emprega, em correlação com *de mais, demasiado, muito* ('demasiado, assaz, bastante') una or. final de 'para que' (ou 'para' com infinitivo) para exprimir a ideia de proporção ou desproporção, v. gr.: 'E demasiado esperto para que caia em tal' equivalente a: 'não é tão pouco esperto que caia em tal'» (254).

La construcción se utiliza también en frases afirmativas:

> No tengas en mucho ni te marauilles de mi pasado sentimiento, porque concurrieron dos cosas en tu habla, que qualquiera dellas *era bastante para* me *sacar* de seso (Celest. IV, 97).

El español moderno se sirvió de *ser* solo para esta estructura:

> no es para asustarnos (='no es {tan + adj., tal, tanto} que nos asuste); es para morirse de risa (255);

y en mayor grado el francés (con la preposición *à)*:

> c'est à éclater de rire; il pousse des cris à reveiller les morts (256).

En francés, además, el infinitivo ha tenido en estos casos especial fortuna y ha pasado a usarse con nexos de manera *(en sorte de, de manière à, de façon à, au point de, jusqu'à + infinitivo)*, sobre todo en el dominio familiar y coloquial.

La relación de comparación que subyace en toda estructura consecutiva, aparece manifiesta en ocasiones en este tipo de oraciones:

> No es *tan* tonto *como para pensar* que Pedro lo va a conseguir. La herida no fue *como para* causar la muerte,

especialmente en la lengua coloquial, nivel en el que se

producen acumulaciones de relaciones semejantes a las estudiadas anteriormente como estructuras híbridas: *le hará entender que no es tan malo que (→ para que → como para que) deba dejar de hacerlo.*

1.9.3.5. Igualmente puede explicarse el Subjuntivo por la presencia del constituyente Interrogación —la mayor parte de las veces de carácter retórico— en la principal:

> Quien será tan fardido que le *ose* esperar,/ Ca el leon yrado sabe mal trevejar? (Sign. 61c). ¿Que mal tan arrebatado puede ser, que no *aya* yo tiempo de me vestir ni me des avn espacio a me leuantar? (Celest. XX, 286). ¿Qual dolor puede ser tal que se *yguale* con mi mal? (íd. I, 26).

En estos casos el Subjuntivo no se debe a una intención de finalidad; se explicaría por la modalidad muy compleja según la cual se piensan y se presentan estos enunciados. No se trata de una declaración fría, de una pura y simple constatación; en todas hay, además, un matiz de duda o de protesta; en suma, intervención del sentimiento y la afectividad.

1.9.3.6. **Principal exhortativa** (257)

1.9.3.6.1. La oración principal de carácter performativo exige el presente de Subjuntivo en la subordinada. En cuanto a las formas verbales específicamente imperativas, recordemos que, con argumentos que sólo contemplan el plano de las frases realizadas, se ha llegado a conclusiones hasta cierto punto opuestas. Así, mientras Alarcos (258) piensa que el imperativo se opone al resto de la conjugación y queda fuera de sistema porque pertenece a un plano especial de la lengua («Appell»), otros (259) opinan que no existe oposición entre Subjuntivo e Imperativo, sino que constituyen una sola unidad del sistema. Ni siquiera se puede hablar, según esta última posición, de neutralización, puesto que no hay ninguna construcción sintagmática de plena diferenciación; el significado modal del Subjuntivo es expresado en la segunda persona del sing. y del pl. por dos significantes que aparecen en distribución complementaria, y en las demás formas *(cante, cantemos, canten)* hay coincidencia:

> atales cosas *fed* que en plazer *caya* a nos (Cid 2629). Del comienço fasta el cabo pensat bien lo que digades,/ *fablad* tanto e tal cosa que non vos *arepintades* (LBA 721a) (260).

Es negativa a la vez en:

> pero *non sea* tanto compannero que se *atrevan* á él fuera de razon (Tr. Nobl. XI, 194). ¡El nuestro mal *non ssea* atanto/que sobre nos regnen paganos!

1.9.3.6.2. El mandato lleva siempre implícita una finalidad, y de ahí el matiz final que siempre suele sumarse a estas oraciones (261):

> Facanos Deus omnipotes tal serbitjo fere ke denante ela sua face gaudioso segamus (Gl. Emil., *Orígenes,* p. 7). Madre, si fallesciero, faz en mí tal venganza/ que tod el mundo fable de la mi malandanza (Mil. 527c); guisemonos e guardemonos dellos e pongamos tales guardas e tales ata-

layas que non nos tomen otra vez asy de sobrevienta (Calila B, 199-3325).

1.9.3.6.3. Al lado del imperativo, la lengua dispone de diversas fórmulas de carácter performativo: *que + Subjuntivo, deber + infinitvo, conviene que + Subjuntivo,* etc.

> E, sennor, *que ayamos* tal graçia por tu plaser que todos aquellos que rremenbrança alguna fesieren de nos en quanto nos rrogaren e demandaren ayuda [...] ayan parte... (Plác. 154) (262). El perlado que ha de pedricar e ha de amonestar e de castigar los otros, *menester ha que* tal sea el que non aya en si manzilla de lo que castiga e reprehende en los otros (Casts. e docs. XVII, 106); el que de su tierra se parte *conviene que* tal recabdo *dexe* en ella, que cuando viniere, que falle que non le enpeçio la su partida dende (Lib. Cab. XXVI, 23-40); para las guardar et las mantener, *deve guisar* de aver tantas fortalezas et tales, que las pueda bien basteçer et labrar et aver grant gente para las poder defender (Lib. Enfen. XVI, 119-17).

1.9.3.7. Finalmente, el Subjuntivo será obligado siempre que la principal forme parte, a su vez, de un período de subordinación y utilice tal modo:

> ruégovos que me digades lo que entendedes en esto, *porquel yo pueda* dar tal conseio que se falle él vien dello (Lucan. ex. 25, 143).

1.10. CONSIDERACION FINAL

1.10.1. Dentro de las oraciones consecutivas, las de

intensidad constituyen un subtipo homogéneo; a diferencia de las que estudiaremos en los capítulos próximos, que son de formación romance, sus correlaciones tienen antecedentes latinos (también *así,* vid. cap. 4), y expresan esencialmente el efecto o consecuencia de una situación o de una cualidad que alcanza un cierto grado. Sin lugar a dudas es el procedimiento sintáctico más usado y de mayor expresividad a la hora de encarecer una cualidad o un hecho. La lengua medieval, de enorme carga afectiva, usaba, y hasta abusaba, de este tipo de subordinación con el que trataba de conseguir atraer hasta la sugestión al oyente o lector; especialmente las crónicas y obras narrativas de carácter histórico acuden constantemente al énfasis, al relieve que proporcionan estas estructuras. Frecuentemente intensificación cualitativa y cuantitativa (numérica o de magnitud) se acumulan coordinativamente para que la cualidad o acción quede resaltada con enorme fuerza atrayente y de captación del oyente-lector:

> *tan* luenga les fincaua la guerra, et *tantas* las batallas (Cron. Gen. 77a-41); uinieron tempestades *tantas* et *tan* grandes (Gen. Est. Prim. Part. 360b-20). E *tanto* le dixo destas e de otras cosas *tales* e *tan* desaguisadas (Gen. Est. Seg. Part. II 11a-46); darle *tal* consejo e *tan* bueno (HTroy 65); son *tales* hombres é *tan* poderosos é *tantos* (Ultram. I, LXXVI 44a); que sean *tantas,* et *tales,* et *en tales comarcas* (Lib. Est. LXVII, 108-121); son *tales* sus yerros, e *tan* feos e *tantos* (Rim. Pal. 122b).

El énfasis, como rasgo predominante, puede llegar a neutralizar las diferencias de valor de los distintos términos elativos:

> e *tal colpe* dio [...] e diol *tan grant colpe* (Gen. Est. Seg. Part. I 443b-23).

1.10.2. La moderna gramática generativa y transformacional ha hecho suya una tesis sugestiva acariciada por gran parte de los historicistas; las oraciones estudiadas como subordinadas adverbiales derivarían, según ella, de las frases relativas, las cuales, a su vez, deben ser explicadas siempre a partir de oraciones simples nucleares. Roger L. Hadlich plantea así la tesis: «If the relativization process we have sketched for the circumstantial and intensity types of adverb clauses turned out to be applicable to all adverb clauses, we would be able to delete the *advconj* category from the grammar, since all conjunctions would be derivable from combinations of simple sentence categories. All adverbial conjunctions would be merely surface reflections of certain deep structure conditions» (263). La demostración de tal idea exige trabajos previos sobre los diferentes subtipos de subordinación adverbial; sin ellos es imposible acometer un estudio de conjunto: «if we accepted this concept, conjunctions which were not derivable from underlying phrases would all come from the coordinating conjunction category *(coord)* and *advconj* would be unnecessary as a separate category. The details of this analysis, of course, *still remain to be* worked out» (264).

1.10.3.1. Nuestro estudio puede ayudar a descubrir este parentesco entre consecutivas y comparativas por un lado y —mediatamente— con las relativas. Varias veces hemos aludido al hecho de que en toda oración consecutiva hay una comparación subyacente. No estaba descaminada la *Gramática* académica al considerarlas como «una especie de las comparativas», aunque la consideración semántica de los hechos le hiciera emparentarlas con «las de desigualdad» (265). Pensamos más bien que por debajo de

es tan grande que no cabe por la puerta

hay que contar con una comparación de igualdad:

(I) es tan grande como X;
(II) X no cabe por la puerta;

donde el miembro X de la relación no está definido y puede hacer referencia a todo aquello que cumpla lo expresado en (II).

1.10.3.2. No falta quien da por supuesta la igualdad estructural de comparativas y consecutivas, siendo diferente tan sólo el elemento segundo de la correlación de acuerdo con la naturaleza del miembro que introduce. Así, V. García de Diego, al hablar de las partículas «comparativas» afirma: «Como correlativa de *tan* se usa *como* cuando el segundo miembro es nominal: *es tan fuerte como un roble;* se usa *que* cuando el segundo miembro es oracional: *es tan fuerte que nunca se cansa*» (266).

Pero es sabido que en la lengua medieval se usa *como* subordinativo (cfr. R. M. Pidal, *Cid,* §197₂)):

> [mandó que]...pusiese *tal* recabdo *como* ella non pudiese por ninguna manera partir de alli del Alcazar fasta que el Rey ordenase dó lo avia de tener presa (Cron. D. Pedro IX, 464a). E si

> algunas otras cosas oviere de librar entre él é vos, nos con la merced de Dios entendemos ponerlas *en tal estado como* vos seades bien contento (íd. X, 555b).

Por su parte, el reciente *Esbozo de una nueva Gramática* de la Real Academia Española reconoce que nuestras correlaciones deben separarse de las que utilizan los relativos, pues a *tal, tanto* sólo por extensión se les puede dar el nombre de antecedentes, al no poseer la propiedad de representar el mismo concepto de persona o de cosa, en una misma extensión, que el relativo. A ello se añade el hecho de que los relativos correlativos han sido sustituidos casi por completo, incluso en la lengua literaria, por la «conjunción pronominal» *como* (§2.7.6., p. 263). En cambio, en 3.21.6. se califica a *como* de *«adverbio»*, lo cual revela la diversidad de criterio existente en la obra académica.

1.10.3.3. Un mismo contenido, según hemos tenido ocasión de comprobar, puede ser realizado como estructura comparativa o consecutiva.

> Trobáronli la lengua *tan* fresca e *tan* sana/ *qual parece* de dentro la fermosa mazana (Mil. 113a).
> E así paresce que en todos los linajes de las virtudes castigo Aristóteles al rey Alexandre, é por estos castigos fué él *tan* grand rey *como non hobo otro tan poderoso fasta él* (Casts. e docs. BAE, 186b).

No en vano los antecedentes son los mismos y pueden introducir los dos tipos, sucesivamente

> si vos non vos quessássedes yo non me quessa-

> ría,/ ca como pozo fondo, tal es santa María. *Tal* es sancta María *como* el cabdal río,/ *qe* todos beven d'elli, bestias e el gentío (Mil. 583-584) (267); *atal* era ssu crençia, *commo* en manera de rreligion, *que* ssi alguno quería dexar este mundo, tenía que yua a Dios (Seten. ley XIX, 50);

o simultáneamente

> E otra tentaçion, floxa en paresçer,/ Demuestra se *tan* flaca *como que* non ha poder/ para donar; mas quando continua a cresçer,/ A luengo tiempo daña con su mucho enpesçer (Rim. Pal. E 1655).

1.10.3.4. De hecho, muchas veces una estructura formalmente consecutiva no es más que una variante más expresiva de la comparación (268); en tal caso no es necesario que se cumpla el requisito de la relación anterior-posterior:

> Aqui veo *atal* cosa *que nunca* vi *tan* grande (Roncesv. 35). E mando fer Pasqua a fijos de Israel, e fezieronla *tan* rica mientre *que non* fue fecha *tan alta mientre* en tierra de Jherusalen (Faz. 159).

1.10.3.5. Que la intensificación elativa constituye el rasgo decisivo separador de las oraciones consecutivas respecto de la comparación fue ya entrevisto por A. Bello, que trata conjuntamente las correlaciones de *tal* y *tanto (tan)* con los relativos *cual* y *cuanto (cuan)* —en lugar de estos últimos puede aparecer el adverbio relativo *como*— y con *que* —llamado por él simplemente «anunciativo»—; pero no entra en consideraciones gramaticales: «*Tal* y *tanto,* ora sean sustantivos, adjetivos o adverbios, se contraponen también al anunciativo *que* usado adverbialmente; pero en diferente sentido: *tal como,* significa 'semejante'; *tal que,* determina la calidad e n c a r e c i é n d o l a; y lo hace por medio de una circunstancia que no t i e n e s e m e j a n z a con ella...» (269).

1.10.3.6. Corresponde a la gramática generativa y transformacional el haber hecho explícito el proceso que enlaza las correlaciones de los adverbios relativos con las oraciones relativas; *como,* al igual que *donde, cuando, cuanto,* es un elemento derivado transformacionalmente, y no tiene por qué figurar a nivel de estructura profunda:

Σ_1 ha sucedido de una manera
Σ_2 nosotros pensábamos la manera (incrustada)
⟶ ha sucedido de una manera —la manera nosotros pensábamos—;
⟶ ha sucedido de la manera que pensábamos;
(⟶ ha sucedido como pensábamos) (270).

Asímismo la correlación comparativa (aquí nos interesan especialmente las de igualdad) constituye un caso de transformación relativa; ésta se aplica cuando un antecedente en la oración matriz es repetido en la incrustada, y consiste esencialmente en la sustitución de la repetición incrustada del antecedente por una palabra relativa; esto lleva consigo la correspondiente ordenación de la frase incrustada, de modo que el relativo ocupe la posición inicial.

Pero la transformación comparativa exige, además, identidad de matriz e incrustada por lo que respecta a núcleo del predicado:

> Juan *trabaja* tanto como Pedro *(trabaja)*; Juan *juega* tan bien como Pedro *(juega)*; Juan es tan *tonto* como Pedro (es *tonto)*; etc.

donde se eliminarían después los elementos redundantes. Oraciones como *tu hermana habla tanto como yo pensaba* cumplen también dicha exigencia, aunque la derivación sea algo más complicada; al final nos encontraríamos con una estructura del tipo *tu hermana habla tanto como yo pensaba que tu hermana habla*, sobre la cual actuaría igualmente la supresión de elementos redundantes (271).

1.10.3.7. Pensamos, pues, que debajo de toda construcción consecutiva de intensidad subyace una comparación que se establece con un término en el que se presentan, entre otros, los rasgos /–def, + univ/; de estos rasgos emana el valor intensificador (el «encarecimiento» al que A. Bello se refiere) que se suma al antecedente y termina convirtiéndose en dominante (no olvidemos, por otra parte, que *tal* y *tanto (tan)* coinciden en la expresión de la igualdad o semejanza y se separan por la presencia del carácter cualitativo y cuantitativo respectivamente).

Pero para que la estructura consecutiva pueda establecerse se exige la supresión de la comparación en el plano de la realización; sin tal requisito el antecedente no puede cargarse de valor elativo: *Juan habla tanto como X, que (el cual) aburre* (272).

1.10.4. La supresión del término de comparación carga de valor ponderativo al antecedente, y al mismo tiempo transforma la naturaleza de *que*. Nuestra hipótesis podría contribuir, de paso, a un mejor análisis de esta forma. No hará falta advertir, sin embargo, que la naturaleza de *que* se encuentra a menudo lejos de estar nítidamente definida (273); en ocasiones un reproductor pronominal sumado a la consecutiva podía ser perfecto equivalente del relativo en la función respectiva, sin contar con el carácter ponderativo:

> Cada uno de los sabios dixo *tales palabras* e *tales enxiemplos que* los coraçones de los omnes entendidos fuelgan *con ellos* (Lib. 8. Prov. 3. *que... con ellos* = 'con los que'). E la culebra que se llegava a tus pies es una espada que te presentaron de Alhinde, *que* non *le* sabra omne poner precio (Calila A, 283-4386. *que...le* = 'a la que') (274).

Desde hace algún tiempo diversos tratadistas se han ocupado de la naturaleza y del funcionamiento de *que*. y algunos de ellos, aun reconociendo que posee distintos usos y valores, no encuentran justificación de la separación tradicional *que* (relativo)/*que* (conjunción) (275).

1.10.4.1. Para B. Pottier (276) la función verdadera y única del morfema *que* es permitir que el SV (sintagma verbal) entre en la misma construcción en que entra el SN (sintagma nominal): *me declaró su oposición (que se oponía) a mi proyecto; antes de su marcha (que se marche).* Así, cualquier construcción que admita como complemento un SN, admitirá también teóricamente un SV con tal de que le preceda el morfema *que*. En español —continúa diciendo Pottier—, como en francés, la oración no admite más que un SV: **el libro es verde está en la mesa* tendrá que decidirse en alguna de estas soluciones: *el libro es verde y está en la mesa, el libro (que es verde) está en la mesa, el libro (que está en la mesa) es verde.* En los dos últimos casos el *que* hace del SV un sintagma de función nominal. Hay que distinguir —advierte Pottier— entre la naturaleza del sintagma, nominal o verbal, y la función que desempeña en la frase.

En suma, concluye el autor francés, trátese de la «conjunción» o del «relativo», el *que* sirve únicamente para dar la función de SN a un sintagma que, por naturaleza, es verbal. La diferencia establecida entre los dos *que* procede de la diferencia entre los tipos de combinación. Cuando el primer término de la proposición es verbal, se dice que *que* es conjunción; cuando el primer elemento es nominal, se habla de relativo. Pero es una forma única, dotada de una función única, la de nominalizar el SV, que adquiere dos matices sólo por encontrarse en dos contextos sintácticos diferentes.

1.10.4.2. E. Alarcos (277) afirma que «tal separación [relativo/conjunción] no se justifica diacrónicamente». Pero, admitida la unidad básica de su función —la nominalización—, piensa que los dos matices señalados por Pottier bastan para que se distingan dos signos /QUE/ diferentes, aunque homófonos; /QUE/[1] (Conjunción) transpone la oración al nivel inferior de elemento de oración, confiriéndole la función que desempeña normalmente el nombre: *nos preocupa: no trabajan* ——→ *nos preocupa que no trabajen.* Se trata de un transpositor por conexión que queda, por tanto, al margen de las relaciones gramaticales de la oración transpuesta. /QUE/[2] (relativo), transpositor de una oración a término adyacente en un grupo nominal: *los alumnos no trabajan; nos preocu-*

pan ⟶ *los alumnos que no trabajan nos preocupan.* Le confiere, pues, la función cumplida en general por el adjetivo, y queda incluso en la estructura de la oración.

Alarcos no vacila en afirmar que en oraciones del tipo *Juan está que muerde* (278), *sirvieron la sopa que abrasaba,* no hace falta interpolar elementos eludidos (*tan + adjetivo,* por ejemplo), pues la construcción es paralela a *sirvieron la sopa fría,* y el hecho de que *que abrasaba* sea más afectivo o expresivo que el adjetivo normal *caliente* no es asunto ya de estructura ni función gramatical.

Pero si no limitamos el análisis a la mera realización superficial, esta identidad de estructura no podrá sostenerse, ya que ambas frases tienen una historia derivacional propia; para el adjetivo *caliente* basta con pensar en una transformación relativa:

> sirvieron la sopa [y la sopa estaba caliente]; sirvieron la sopa, que estaba caliente; sirvieron la sopa caliente.

Por el contrario se hace necesario un doble proceso de incrustación para explicar el valor (en palabras de Alarcos «más afectivo o expresivo») de *que abrasaba:*

> sirvieron la sopa; [la sopa estaba tan caliente como X/–def, + univ/] [X abrasa]

Sin intención de ser rigurosos, los últimos pasos de la derivación podrían semejarse a éstos:

(x)	sirvieron	la	sopa	que	estaba	tan	caliente	que abrasaba
(y)	sirvieron	la	sopa	ϕ	ϕ	tan	caliente	que abrasaba
(z)	sirvieron	la	sopa	ϕ	ϕ	ϕ	ϕ	que abrasaba (279).

En todo caso, el propio Alarcos se ve forzado a la introducción de un nuevo *que* (/QUE/^{3}) al enfrentarse con las estructuras comparativas: «no está claro el papel de *que* en *Pedro es más alto que su padre*». No encaja ni en QUE/^{1} ni en /QUE/^{2}. Los términos entre los que aparece *que* constituyen un segmento con unidad funcional; su presencia está determinada conjuntamente por la presencia de los dos términos precedente y siguiente, que juntos o aislados cumplen idéntica función respecto a sus núcleos. Algo parecido a la /Y/ de *bebe vino y agua,* o sea, elemento conectivo de términos equifuncionales. La diferencia no estriba en su función sintagmática, sino en los valores semánticos de los términos que unen. Con /Y/ se enlazan términos con el mismo grado de cuantificación, con /QUE/^{3} términos de distinto grado o contrapuesto. En suma, /QUE/^{3} es una «conjunción que une segmentos equifuncionales de cuantificación diferente, y exige para su aparición la presencia del cuantificador oportuno en el segmento precedente». Y en nota a pie de página insinúa: «probablemente en las oraciones llamadas consecutivas se debe contar también con /QUE/^{3}: *tanto le insistieron que aceptó la oferta*».

1.10.4.3. C. Hernández Alonso (280) coincide con Alarcos en la interpretación de este /QUE/^{3}, y por ello habla de «conjunción relativa»; del valor conjuntivo tomaría el *que* la función de nexo, y del relativo la referencia al elemento cuantificador, que en ocasiones puede omitirse. Además, C. Hernández recoge la insinuación de Alarcos y la hace suya: «igualmente ligado a este valor comparativo, como secuela de él, encontramos el *que* consecutivo, con forma semejante, aunque con variación semántica, lógicamente, y en el cual la hipérbole cuantitativa o cualitativa puede quedar omisa». Con ello intenta rebatir la interpretación de Alarcos de las oraciones *Juan está que muerde, sirvieron la sopa que abrasaba* como adjetivas. Para él, la ausencia del elemento cuantificador hiperbólico queda suplida por la pausa fonética y el sintonema de anticadencia del primer grupo fónico.

Aún más oscuros, y sin ningún tipo de explicación, quedan los casos llamados por él «relativo-consecutivas»: *...una tempestad que nos hizo dueños de los tejados,* y las locuciones conjuntivas *conque, así que,* etc., todas ellas —afirma— derivadas y con el mismo valor consecutivo.

1.10.4.4. Beatriz R. Lavandera (281), para quien —como para Pottier— la forma *que* no necesita ser dividida en formas homónimas y sólo puede hablarse de usos de *que* derivados de las características del contexto, declara expresamente que su análisis no alcanza a las locuciones con *que (además de que, ya que, siempre que, salvo que,* etc.) ni al *que* comparativo (por supuesto, tampoco al *que* de las oraciones consecutivas, aunque no se refiera a ello); a pesar de lo cual se atreve a afirmar: «En el material de este tipo que he revisado no encuentro nada que haga pensar que el significado del *que* sea distinto aquí». Pero algo más adelante confiesa: «sin embargo, para dar cuenta de estos ejemplos necesitaría asignar significados a las otras formas que figuran en las locuciones y a la construcción comparativa» (282).

1.10.4.5. El *que* de las oraciones consecutivas, por último, permite el desarrollo recursivo de la frase, cosa que no es posible con *cual, cuanto* o *como:*

Pedro trabaja tanto como Juan (283)

En cambio, en la estructura consecutiva no es posible, en teoría, fijar un límite; la lengua medieval, poco preocupada por la variedad estilística, no duda en alargar la frase por medio de cadenas de consecutivas:

> *Tanto* fue Dios pagado de las sus oraciones/ *Que* li mostró en çielo *tan* grandes visiones/ *Que* debian a los omnes cambiar los corazones (Sta. Or. 24); e *tanta* era la muchedumbre de las armas que echauan, *que* ante la oscuridat de los poluos *tan* poco ueyen los caualleros et la otra yent a que firien, *que* ningun cuerpo non finco y sin ferida nin de omne nin de bestia (Cron. Gen. 54a-12); *tan* uicioso es aquel logar *que* el su uicio *tan* grande es *que* a cerca llega de la gloria del Parayso celestial (Gen. Est. Prim. Part. 5a-29) *Tant* denodada ment lo pudo gerrear/ *Tantos* muchos vasallos le pudo matar/ *que* commo dis Omero que non quiere bafar/ tantos *eran los muertos que* non los podien contar (Alex. P 403). E *tantos* murieron y de caualleros, e de vnos e de otros, *que asi* enbargaron el canpo los muertos *que* los biuos non auien por do lidiar (Gen. Est. Seg. Part. II 148a-15).

NOTAS

(1) *Tal* deriva del lat. TALIS, –E. *Tanto,* de TANTUS, –A, –UM. Son voces de uso general y comunes a todos los idiomas romances (J. Corominas, DCELC, IV, pp. 347 y 371). Más difícil se presenta la procedencia de *tan;* Corominas no se inclina ni a favor de los que pretenden hacerlo derivar directamente del adverbio lat. TAM (M. Lübke lo admite como posible, REW 8546; R. M. Pidal lo da como seguro, *Cid,* p. 861) ni de los que prefieren derivarla del neutro TANTUM (Ascoli, AGI VII, 586; Hanssen, Rohlfs, etc.). *Atal* y *atanto,* ant., no se emplean ya en la prosa del siglo XVI. R. M. Pidal, *Gram.* § 74$_{2n}$, ve supervivencias del ablativo en casos como *quanto magis, tanto melius* 'cuanto más, tanto mejor'.

(2) La distinción tradicional entre pronombres y adjetivos determinativos, cancelada ya por A. Alonso (*Gram. castellana,* I, Apéndice III), ha sido suficientemente removida y aclarada por F. Lázaro, *Problemas de terminología gramatical,* PFLE, II, pp. 383-392.

(3) Los neutros *tal* y *tanto* no son diferentes por su forma de los masc. sing. El uso de *tal* como sustantivo neutro es escaso en español moderno (para usos antiguos y clásicos, vid. Gessner, ZRPh, XIX, 1895, p. 165; Bello, *Gram.* § 340, p. 138; Hanssen § 540; Keniston, *Syntax* 13.1; M. Pidal cita como ejemplo el v. 3707 del *cantar: atal le contesca o siquier peor);* se trata de un uso arcaizante y literario, pura supervivencia de usos antiguos. Hoy al neutro *tal* sustituye corrientemente *eso, tal cosa;* y, como en otras agrupaciones, se da la competencia de *semejante.*

Bello aduce este ej. de *tal* como adverbio (Gram. § 388, p. 148):

> Hizo el postrer acto de esta tragedia madama de Gomerón, saliendo ella y dos hijas suyas niñas en busca del conde, y pidiéndole arrodillada a sus pies la vida de sus

hijos: el conde le respondió entonces pocas palabras: *tal* que hubo de volverse algo consolada.

Y comenta que *tal* equivale aquí a *de tal modo.*

(4) A. Bello-R. J. Cuervo, *Gramática de la lengua castellana,* cap. XVII, pp. 137-141.
(5) *Tanto* ha absorbido el significado del lat. TOT (correlativo QUOT), 'tan numerosos'.
(6) A. Bello, íd. §§ 386-388, pp. 147-148.
(7) RAE, *Gram.,* p. 217. En el reciente *Esbozo* el tratamiento es parcialmente diferente, como comprobaremos más adelante.
(8) A. Alonso-P. H. Ureña, *Gramática castellana,* Buenos Aires, 24.ª ed., 1967.
(9) R. Seco, *Manual de Gramática española,* Madrid, 6.ª ed., 1963.
(10) *Gram.,* p. 88. Ya veremos que no es desconocida la deixis sensible con estos elementos (cfr. S. F. Ramírez, *Gram.* § 138, p. 266).
(11) *Gram.,* p. 44.
(12) C. Hernández Alonso, *Sintaxis española,* Valladolid, 1970.
(13) M. Seco, *Gramática esencial del español,* Madrid, 1972.
(14) F. Marcos Marín, *Aproximación a la gramática española,* Madrid, 1972, 3.ª ed. 1975.
(15) *Gram.,* p. 174 (cfr. Bello, *Gram.,* § 388).
(16) Las vacilaciones —y confusiones— comentadas se vienen arrastrando en la mayor parte de las gramáticas españolas. Y no faltan incoherencias curiosas; J. A. Pérez Rioja, *Gramática de la lengua española.* Madrid, 4.ª ed., 1961, incluye a *tal* y *tanto* en un Apéndice de homónimos (pp. 451 y ss.) que —como el propio autor manifiesta— supone un previo estudio de la parte correspondiente a Morfología y Sintaxis. Pero, sorprendentemente, en ninguna de las dos partes han sido estudiados. En dicho apéndice *tal* es etiquetado de: a) pronombre indefinido, b) adverbio de modo, c) conjunción comparativa, d) conjunción distributiva; y *tanto* de: a) adjetivo indefinido, b) adverbio de cantidad (generalmente exclamativo), c) sustantivo. Con frecuencia no da ejemplos, y muchos de los propuestos parecen de laboratorio.
(17) F. Hanssen, *Gramática histórica de la lengua castellana,* Paris, 1966, §§ 183, 496, 540, 630.

(18) R. M. Pidal, *Cantar de Mio Cid. Texto, gramática y vocabulario*, Madrid, 4.ª ed., 1964. Especialmente § 146, 6) y 8).

(19) V. García de Diego, *Gramática histórica española*, Madrid, 3.ª ed., 1970.

(20) S. Fernández Ramírez, *Gramática española. Los sonidos. El nombre y el Pronombre*, Madrid, 1951.

(21) En p. 267, n.2, p. 268, n.3. En § 183, al hablar de la correlación consecutiva, pero lo evita con estas palabras: «De la correlación pronominal en el complejo consecutivo: *tal... que, tanto... que*, trataremos en otro capítulo». Ese capítulo es aún hoy promesa.

(22) Cfr. Sta. Or. e. 157.: *Tal era la companna, tal era el lugar*, en que ya han sido descritos *companna* y *lugar*. En ausencia de contexto se nos puede ofrecer una situación límite: *tales son los amigos con los que salgo a pasear* ('esos', 'estos'; 'así, como los he descrito').

(23) Nuestro material proporciona abundantes casos:

> *non* fue y *tal* dellos que non fuese rrey o conde (H. Troy, p. 85); *non* ovo y *tal* que osase entrar (Lançarote).

Con otra partícula negativa:

> nunca a *tal* ferie que se partiese del pagado (HTroy 74).

A veces aparece el sustantivo *hombre:*

> ca nunqua fue *omne* que oyesse las sus palabras que se non pagasse dellas. (L. B. Proverb. p. 3); (NEG... hombre = 'nadie, ninguno').

Casos afirmativos:

> et que ouyese otrosí tales en su conseio quel amasen lealmente e lo sopiessen bien conseiar, e que fuessen onrrados e entendidos e de buen seso (Seten. p. 22). A vna muger da Dios vn fijo de vn conçebimiento e a otra da dos o tres de vna vegada; e tales y ouo que llegaron a siete. (Cast. e docs. I, 39).

M. Pidal, que, como hemos visto, sitúa a *tal* y *tanto* entre los indefinidos, establece equivalencias semejantes a las de S. Fernández *(Cid,* p. 336):

> Tales y a que prenden, tales y a que non (Cid, v. 3501) (= 'unos tomaban, otros no');

y no duda en seguir considerando como indefinido (insistiendo, eso sí, en el valor ponderativo) a *tal, -es* en casos como:

> Hya varones, ¿quien vido nunca tal mal? (Cid, v. 3377).

(24) Cantidad y tamaño —con estas u otras denominaciones— son los valores semánticos que le adjudican los estudios anteriormente señalados; todos parecen estar de acuerdo en la oposición *tal*-cualit./*tanto*-cuantit. La presencia casi constante del carácter elativo (rasgo ponderativo, enfático o, como quiere Bello, encarecimiento) explicaría el valor de superlativo absoluto ('mucho, muy') con el que se usan *tanto, tan* frecuentemente (R. M. Pidal, *Cid,* § 146), especialmente en series enumerativas. Este carácter elativo puede llegar a ser dominante y producir en ocasiones una neutralización de la oposición cualit./cuantit.; en esos casos *tal* puede alternar con *tanto* o con *tan + adj.*

> e dio *tal* colpe... e diol *tan grant* colpe (Gen. Est. Seg. Part. I, p. 443b-23),

hecho que se ve apoyado por las subclases de sustantivos a los que *tal* se aplica; sobre todo a partir de la época alfonsí, se nos ofrece con frecuencia como adjunto de sustantivos que son reacios a una intensificación cualitativa: dioles tal *agua* aquella noche (Cron. Gen. p. 574b-20); (cfr., por el contrario:

> esta agua que *es tal* que assí como el otra et la calentura del sol criauan alli toda cosa, que assí lo estaruaron alli despues este fuego e esta agua (Gen. Est. p. 133b-35).

Algunos sustantivos se repiten incesantemente en diversas obras, hasta convertirse en verdaderos clichés narrativos; es el

$$\text{dar} + \left\{\begin{array}{l}\text{tal(es)}\\ \text{tan gran(d)(es)}\end{array}\right\} + \left\{\begin{array}{l}\text{golpe(s)}\\ \text{ferida(s)}\end{array}\right\}$$

(25) Particularidades que comparte con otros cuantitativos: *mucho, poco,* etc.

(26) Lo admite el neutro en *por lo tanto. Lo tal* es ant. y clás. (v. Keniston, *The Syntax of Castilian prose: the sixteenth century,* 1937, Chicago; p. 141), aunque alguna vez aparezca algún caso esporádico moderno (cfr. Bello, *Gram.* § 342).

(27) S. Fdez. Ramírez cita este ejemplo de Valle-Inclán: *¡Tanto güeno!*

(28) Real Academia Española (Comisión de Gramática), *Esbozo de una nueva gramática de la lengua española,* Madrid, 1973.

(29) *Esbozo,* 2.6.5., p. 217. La parte del *Esbozo* correspondiente a la Sintaxis, calco del *Curso Superior de Sintaxis española* (Barcelona, 9ª ed., 1964), efectúa algunos cambios y omisiones verdaderamente reveladores. S. Gili Gaya, *Sintaxis,* p. 318, recogía el parecer de la *Gramática* académica de que las «oraciones consecutivas no son más que una especie de las comparativas de desigualdad» (RAE *Gram.,* p. 389). En el Esbozo se omite tal afirmación; tampoco se habla ya de *que* como relativo neutro, sino que se califica de conjunción. Volveremos sobre todo esto.

(30) J. Dubois es Françoise Dubois-Charlier, *Eléments de linguistique française: syntaxe,* Paris 1970, distinguen, a propósito de los adverbios de grado (Advgr) del francés, los que son/+compar/(*plus, moins, aussi*), que desencadenan un SPrep (el llamado complemento de comparación), de los que son/-compar./ (*peu, très,* etc.), que no permiten ese SPrep. Pero creemos que es preferible hablar de [±compar. explícita] ya que, en rigor, todos los cuantitativos llevan implícita una relación con algo.

(31) Hoy, *mucho* no puede conmutarse sin más con *muchos* plural, y conserva cierta eficacia estilística; sirve para variar el discurso. Cfr. M. Morreale, *Aspectos gramaticales y estilísticos del número,* BRAE, LI, 1971, pp. 83-138, § 18.5.

(32) *Todo* tiene un comportamiento especial, aunque se encuentra también un uso de sing. genérico: *todo libro.*

(33) Con *otro* sólo cabe la anteposición:

tantas otras maneras (Lib. Est. cap. LXXVI).

(34) En realidad, todos los pronombres indefinidos (salvo *cada*) pueden funcionar o funcionan exclusivamente como términos

primarios sin complemento. Cuando funcionan como términos primarios con adjuntos actúan anafóricamente. En esos casos, cuando el término secundario —siempre en el sentido de los rangos de Jespersen— es un pronombre *(tal otra, otras tantas)*, no es fácil decidir cuál de los dos es el principal y cuál el adjunto.

(35) A ello hay que añadir la forma apocopada *tant*, paralela a *mucg* (vid. F. Hanssen, *De los adverbios muchos, muy, mucho, en antiguo castellano,* AUCh, CXVI, 1905, 83-117). Para Hanssen la forma íntegra en *tanto es limpia, muchos es grant* es consecuencia de la regla que excluye el auxiliar del primer lugar de la frase; el uso va disminuyendo en el siglo XIII.

(36) Vid. además Bello, *Gram.* § 853 y nota 111 de R. J. Cuervo, especialmente para usos clásicos (*Le dijo tantas de cosas,* Quijote, I, 32).

(37) Igualmente *muchos otros.*

(38) Entre otros, ya M. Criado de Val, *Gramática española,* 3.ª ed. Madrid, 1959, incluye a los demostrativos —junto a otros elementos— en el capítulo dedicado a los determinantes.

(39) Roger L. Hadlich, *A transformational grammar of Spanish,* New Jersey, 1971 (Hay trad. esp., Madrid, 1973).

(40) F. Dubois-Charlier —J. Dubois, *op. cit.* La regla de rescritura del constituyente PostArt sería:

$$\text{Post Art} \rightarrow \left(\begin{Bmatrix}\text{Cardinal}\\ \text{Numeral}\\ \text{Tel}\end{Bmatrix}\right) + (\text{Dénotatif})$$

(41) Esta restricción es válida para el esp. moderno; no así para el castellano medieval, donde —como veremos— es posible: *tales tres reyes.* En italiano es posible aún hoy: *tali tre libri* (v. A. Colombo, *I determinanti in italiano: un esperimento di grammatica generativa,* en Lingua e Stile, IV, 1969, pp. 183-203)

(42) Por su parte el esp. rechaza esta posibilidad: **tales mismos hombres.* Pero sí: *estos mismos hombres.*

(43) En esp. es posible *el tal individuo.*

(44) Este bloqueo no se produce en español medieval, al menos cuando *tal* funciona como término primario:

e de estos tales tienes tantos (Tr. Nobl. XXIX, 201).

(45) Esp. *un tal, unos tales.*

(46) A. Colombo, *I determinanti... (op. cit.)*

(47) Recordemos que ya Hanssen, que considera a *tal* demostrativo, apuntaba que puede llegar a ser indefinido *(un tal Alvarez, tales y tales cosas).*

(48) Vid. antes F. Hanssen, R. M. Pidal, S. Fernández Ramírez, etcétera.

(49) F. Lázaro Carreter, «El problema del artículo en español: una lanza por Bello», en Homenaje a la memoria de Don Antonio Rodríguez-Moñino, Madrid, Castalia, 1975, 347-371.

(50) A falta de una denominación mejor, nos referimos a aquellos sustantivos que postulan un complemento. (Cfr. S. Fernández Ramírez, *Gram.,* § 78).

(51) Id. p. 798 *pleyto* 'convenio, contrato, negociación'.

(52) R. M. Pidal, *Cid,* Vocab. p. 423 *abenir,* reflex. 'convenirse, ponerse de acuerdo'.

(53) Por proforma nominal se entiende un término del diccionario que comporta en su definición un conjunto de rasgos léxicos fundamentales, pero no rasgos semánticos definidores de un sentido. En cierto modo se hace referencia a las «palabras genéricas» de la gramática tradicional (*cosa, yo, alguien,* etc).

(54) Obsérvese la alternancia *esta habenentia-tal habenentia.*

(55) Sin ningún signo de puntuación, pero totalmente paralelo:

> efiziemos *tal pleyto* que si el uno de nos muriese, que el otro no aya poder de casar (Pidal, Docs., n.º 254, p. 341, 1232).

(56) Para A. Galmés de Fuentes, *Influencias lingüísticas del árabe en la prosa medieval castellana,* BRAE, 1955, XXXV, 213-275 y 415-451; 1956, XXXVI, 65-131 y 255-307, esa repetición de *que,* cuando la estructura aparece quebrada por algún paréntesis, se debe a influencia árabe.

(57) Vid. Hanssen, *Gram. Hist.* § 650; Keniston, Syntax, 28.265 29.381; 29.462. Cfr. S. F. Ramírez, *Gram.* § 78.

(58) R. M. Pidal, *Cid,* § 194.

(59) Cfr. con QUOD:

> diemos le.CCCC. morabedis, *sub tali condicione* e *tali pacto quod* dominos Garsias Egidij deue soluer e quitar todos los debdos... (Docs. Lings., 255, p. 342).

(60) *Tal* se integra en diversas locuciones medievales de diferente valor, que aquí no podemos estudiar. Es el caso, por ejemplo, de *por tal que* ('para que', final), de la que nos volveremos a ocupar; *en tal de* ('en vez de'); etc.

> Dixieronme agora que vinies e afeyteme, e dixe a esta vieja que saliese a ti por tal que te prouase si vsauas las malas mugeres, e veo que ayna seguiste la alcaueteria (Sendebar, p. 34). E pugnad de ganar amigos, e escogedlos ante que vos aseguredes en ellos, e non fiedes en ellos fasta que los probedes *por tal que* vos non arrepintades quando rrescibierdes danno dellos (Bonium p. 96). Piensa ante de la obra *por tal que* non digan mal de tu fecho (Bonium p. 134).

Los ejemplos son muy abundantes: Tr. Nobl. cap. VII; HTroy p. 1, p. 10, etc.; Bonium p. 125 L. 1; etc. Como locución final es considerada, entre otros, por Lloyd A. Kasten y Lawrence B. Kiddle en su edición del *libro de las Cruzes,* de Alfonso el Sabio (Madrid-Madison, 1961) que citan como ejemplo:

> *et aqui agora en este logar quiero complir lo que mengua desta razon, et esplanar lo, et departir lo por tal que sea esta razon complida* (p. 162a)

Respecto a *en tal de* 'en vez de': Casts e docs. p. 216, p. 217 n. 26, etc.

(61) Según J. Bastardas Parera (*Particularidades sintácticas del lat. medieval. Cartularios españoles del S. VIII al XI.* Barcelona-Madrid, 1953), el primer ejemplo de la conjunción *que* con valor consecutivo se encuentra en el Diploma Silonis Regis, 8, año 775, procedente de la catedral de León:

> talisque illum ultio consequatur diuina que omnes uidentes terreant et audientes contramescant;

precisamente en correlación con *tal.*

(62) Cfr. *¿has visto un hombre más tonto?*

(63) Vid. antes, 1.1.

(64) Cfr. W. v. Wartburg-P. Zumthor, *Synt.* pp. 313 y ss.

(65) Los índices de frecuencia de unas posibilidades y otras son, lógicamente, diferentes. Pero todos están documentados.

los malos sabores tales son que de primero parescen bien e despues tornan mal (Casts. e docs. BAE 177b).

(66) En el siguiente caso cada ms. se decide por una solución: Calila B, 24-440: Nin falle en ninguna dellas rrazon que fuese *verdadera* nin *derecha, tal* que la conoçiese ome entendido, e non davanse.
Calila A, 21-421: E nin falle en ninguna dellas rrazon que fuese *verdadera* nin *derecha,* nin *tal* que la creyese ante entendido, e non la contradixiese con rrazon.

(67) Nos referimos naturalmente a las formas concordantes; como neutro, el uso de *tal* es raro:

qui buena dueña escarnece e la dexa despuós/ atal le contesca o siquier peor (Cid, vv. 3706-07).

Vid. Bello, *Gram.* § 388. Hoy no se encuentra este uso adverbial a no ser en locuciones estereotipadas del tipo *tal y como lo dije, ¿Qué tal?;* etc.

(68) Vid. cap. III. Con un antecedente de manera (cap. II) sólo he hallado un caso: e son de guisa que non han saber (Bonium p. 354-4);

(69) Es anómala la intercalación de un adjetivo:

era la cosa de tal *mala* natura (Sto. Dom. 401a)

(en la ed. de Fr. A. Andrés, Madrid, 1958: *de tan mala natura).*

(70) Vid. Ernout-Thomas, *Synt.* § 337 c, p. 338; Hofmann, *Syntax,* § 300 a, pp. 558-559.

(71) La repetición de *que* es resuelta por P en un período subordinado condicional.

(72) Para R. Menéndez Pidal, *Cid* p. 354 «el Imperfecto de Subjuntivo, cuando el verbo principal está en Imperfecto de Subjuntivo o en Condicional, expresa el presente (v. 2677) o el Futuro (v. 2678)»

(73) La *Crón. Gen.* lo resuelve así: ...que las cosas que ell a aqui mostrado sol non son de oyr nin de retraer (p. 392).

(74) R. Lapesa, «Del demostrativo al artículo», NRFH, XV, 1961, 23-44. Del mismo, «El artículo como antecedente de relativo en español», *Homenaje. Estudios de Filología e Historia*

literaria lusohispanas e iberoamericanas, La Haya, 1966, 287-298.

(75) No así con *cual,* pues desde los primeros ejemplos puede advertirse la fusión de *el* y *qual* en un solo instrumento sintáctico donde *el* carece de todo valor autónomo; de hecho no puede usarse sin antecedente expreso:

> pero tal bollicio era en la gente de Sevilla, que armaran una galea é otros navios, de los quales non se pudiera defender (Cr. D. Pedro XXVIII, 573b) que en la vida que nouiese a beuir en este mundo deue fazer tales obras por las quales llegue a Dios e... (Casts. e docs., L, 217). Vid. también R. M. Pidal, *Cid,* § 142, p. 333.

(76) Vid. más adelante, oraciones causal-consecutivas, 1.8.3.

(77) En Ultram. I, LXXVI, 44a: *podrian traer la tierra á tal peligro, á que nos no podrémos dar consejo,* la preposición *a* ante *que* parece ser mero contagio de la de *a tal peligro.*

(78) El sustantivo *sazon* 'tiempo, época' pasó a tener un significado muy cercano al de *estado,* con o sin referencia al rasgo [tiempo].

> Alex O, e. 2224: Veemos muchas vezes todesto acaeçer/ que quando pierde ome pariente o auer/ ome que bien lo quier tantos puede doler/ que uiene a *tal sazon que* quier recreer. Alex P, e. 2366: ...tanto se quiere doler/ que viene a *sason que* quiere rrecreyer.

(79) En el sentido amplio del término, que incluye lo mismo el movimiento real que el simplemente figurado: a tal estado veno por este pecado, que quisiera ante non ser nacido que ser vivo (Casts. e docs. IX, 71).

(80) Un proceso semejante podrían reflejar construcciones del esp. moderno como *hasta tal punto, hasta (a) tal extremo,* etc. El plural se oye en este segundo caso, no así con el sustantivo *punto.*

(81) Para S. Fdez. Ramírez, *Gram.,* p. 266, la posposición es insólita.

(82) Cfr. R. M. Pidal, *Cid* p. 416.

(83) En la Cron. Gen. p. 392: ...que las cosas *que ell a aqui mostrado* sol non son de oyr...

(84) En la Cron. Gen., p. 397: dieronse *tales colpes.*

(85) Lo mismo cabe decir —prescindiendo de su uso en exclamaciones— de MUCHO y DEMASIADO. Vid. M. Morreale, *Aspectos gramaticales y estilísticos del número,* BRAE, 1971, p. 131-132. Sin embargo, hoy *mucho* no puede conmutarse sin más con *muchos* plural, y conserva cierta eficacia estilística; sirve para variar el discurso:

> había traído con él de Segovia gran acopio de cronicones de España, mucho libro de caballerías, no pocos de devoción.

(86) Cfr. R. M. Pidal, *Cid* p. 336. Más ejs. *Cid,* v. 1141, 1783, etc.

(87) En concordancia con los plurales *descabennadas* et *rascadas.*

(88) Digamos, de paso, que *tanto* debe ser tenido en cuenta a la hora de analizar los mecanismos de la actualización en español. F. Lázaro (*El problema del art. en esp.* ... cit) ha visto que *la oposición el/ϕ* establecida por A. Alonso («Estilística y gramática del art. en español», incluido en *Estudios lingüísticos. Temas españoles,* Madrid, 1961) y, últimamente por E. Alarcos («El artículo en español», en *Estudios de Gramática funcional del español,* Madrid 1970), es supuesta; dichos signos no pueden oponerse, no pertenecen a la misma clase funcional. La oposición 'esencia'/'existencia' tendría en este caso la expresión tanto/-s; compárese:

> *tanto buen caballero* (enfoque esencial);
> *tantos buenos caballeros* (enfoque existencial).

(89) Ambos pertenecen a la misma obra, que para R. M. Pidal (*Hist. troyana en prosa y verso,* Madrid 1934) es traducción del *Roman de Troie.* Cfr. A. G. Solalinde, RFE, 1916, pp. 124 y ss.

(90) No es posible que funcione como atributo con un sustantivo contable.

(91) Cfr. *vaca, -as/carne de vaca.*

(92) Sustantivo de magnitud: 'tan larga'.

(93) Ello impide que en ocasiones lleve un complemento preposicional que determine la raza, tipo, oficio, etc.

(94) En: *la segunda plaga fue dela muchedumbre de las ranas, que* ***tantas*** *fueron que assi andauan...* (Gen. Est. Prim. Part. 364a-

33) se establece la concordancia con el sustantivo que especifica al colectivo.

(95) El caso *Juro el rey que a otro anno tanta gent adurie que el pueblo de Samaria no les abastarie, que prissessen sennos punnos* (Faz. p. 127-13) es considerado por el autor de la edición poco claro («Le sens est très peu clair» dice Moshé Lazar, *Faz.* nota p. 127); creemos que es el carácter 'suelto' de la sintaxis lo que puede ofrecer alguna dificultad, pero, tanto si el verbo *abastar* significa 'abastecer, proveer', como quiere Lazar, como si significa 'bastar, ser suficiente', el sentido consecutivo y conclusivo es claro; el último *que* (tras *abastarie*) tiene el valor de un nexo ilativo *(por tanto, por ello).*

(96) En el esp. moderno no es posible la concordancia de *cada* con plural, sólo con singular y con los numerales (vid. S. Fdez. Ramírez, § 203, p. 442).

(97) E. Benveniste, *Actif et moyen dans le verbe* (incluido en *Problèmes de linguistique générale,* Paris, 1966, pp. 168-175). Cfr. J. Larochette, «Les aspects verbaux en espagnol ancien», RLR, LXVIII, 1937-39, 327-421.

(98) El rasgo /acción/ distinguiría, p. ej., a *correr* de *vivir.*

(99) Vid. J. Bouzet, *Orígenes del empleo de estar,* EMP, IV, Madrid 1953, pp. 37-58.

(100) En este caso y en el anterior con *ser* como auxiliar; vid. R. M. Pidal, *Cid,* p. 359.

(101) Si no hace referencia a algún sustantivo del contexto lingüístico *tantos* implica siempre el rasgo /persona/: mato tantos que no auien cuenta (Cron. Gen. 65a-30). E yazian en el canpo muertos tantos de la vna e de la otra parte... (Gen. Est. Seg. Part. II, 146a-48).

(102) El rasgo /factitivo/ caracteriza a los verbos transitivos que tienen homónimos /-tr/; compárese *e estonces subieron hi tantos* (Ultram. IV, CCCXIX, 624a) con *subo las maletas al quinto piso.*

(103) Para M. Pidal (*Cid,* p. 315) «las lindes del adj. adverbial y del adverbio se confunden, hallándose concordados lo mismo el adj. *nuevos son legados* (v. 2347) que ciertos adverbios que concuerdan con los adjetivos a que se refieren: *tantos son de muchos* (v. 2491), *tantos eran muchos* (Siete Infant. 229-27)». Cfr. A. Bello, *Gram.* § 1022.

(104) Los N de productos naturales o artificiales que se componen de trozos, granos, partículas, etc. pertenecen a una de las dos

categorías (cosas-sustancia) o vacilan entre las dos. Hay a veces alternancia entre sing. de sustancia *(polvo),* pl. de cosas *(polvos)* (Cf. S. F. Ramírez, § 94, p. 171).

(105) Cfr. nota 68.

(106) Ya Bello, a propósito del ej. de Ercilla «*Tanta* bandera.../Tanto estandarte», comenta: «Como si dijera 'aquel gran número de banderas, pendones, etc., ejemplo notable por la énfasis de muchedumbre que va envuelta en el sing. de *tanto;* sin embargo de que la demostración del singular de este adjetivo (!) recae sobre la cantidad continua y la del pl. sobre el número» (*Gram.* § 341).
Hoy se puede escuchar: *tanta nariz, poco cuello, ...* con valor extensivo. E incluso con exclusivas intenciones cualificantes y expresivas: *Maquiavelo era mucho hombre y mucho político para...* Y digo 'exclusivas' porque, en mayor o menor grado, la intención estilística cualificante nunca está ausente: *tanto buen cauallero* (HTroy 118-7).

(107) A variación estilística puede deberse su posposición en:

> Et fue *tal* el colpe... e la sangre fue *tanta* (Gen. Est. Seg. Part. I 442b-6).

(108) Contamos con las notas de R. Lapesa, *Los casos latinos: restos sintácticos y sustitutos en español,* BRAE, XLIV, 1964, pp. 57-105, §§ 4-5. No nos ha sido posible consultar la tesis inédita de L. Beberfall, *A history of the partitive indefinite construction in the Spanish language,* Univ. de Michigan, 1952.

(109) Con *gente* los casos son abundantes: *ayuntaron tanta de yent* (Cron. Gen. 658b), *habian muerto tanta de gente, que apenas podria ser contada (Ultram. II, III, 134b).*

(110) Como Mil. e.693c: sennor fas *tanta de graçia* sobre mi, peccador. En algunas ediciones *tan de gracia,* que sería caso único, insólito; en el ms. de Ibarreta *tanta de graçia.*

(111) Con lo que no conviene confundir la construcción de atributo indirecto con *de: esta tanto de çiega* (Alex, O e.2193) *era tanto de bueno este rey* (Gen. Est. 156a-42), etc. que estudiaremos más adelante.

(112) R. M. Pidal, *Cid,* p. 382.

(113) R. Lapesa, *Los casos latinos,* § 4.

(114) Vid. R. Lapesa, *Sobre la apócope de la vocal en castellano antiguo. Intento de explicación histórica,* EMP, pp. 185-226.

(115) Id., *Los casos latinos,* § 5, p. 63. Algunos cuantitativos han adoptado formas especiales: ***un poco** de agua.*
En relación con las construcciones partitivas indefinidas habría que poner construcciones también populares como ***tiene de cura** lo que yo **de médico.***

(116) La Cron. Gen. lo adapta así: et fallaron en las tiendas muchas arcas llenas de oro et de plata et muchos uasos et armas et otras noblezas... et dio y *muchas noblezas* daquellas que fallaron... (395a-41).

(117) El orden de los elementos es siempre más libre en la construcción partitiva que en la no partitiva en castellano medieval; hemos visto que con frecuencia *tanto* se separa del complemento partitivo (Cron. Gen. 439a-5; Merlín).

(118) En cast. med. *decir de* significaba también 'hablar de (sobre) algo (alguien)'. Así: *dirévos de Muño Gustioz* (Cid, v. 3671) [Cfr.: *tanto les dijo de bien del Emperador e de mal de los latinos...* (Ultram. I, CCXXIX, 132b)].

(119) Prosificado en la Cron. Gen. así: *et tenien tan grand prea de cativos et de ganados que era muy grand cosa.*

(120) S. Fdez. Ramírez cita como raro su uso en el esp. moderno como adjunto de un adjetivo (vid. nota 27).
La utilización de los neutros como adverbios se daba ya en latín (MULTUM, TANTUM, etc.). Por otra parte, pese a que en romance no hay huella de ablativo, hay restos con valor adverbial: QUANTO MAGIS, TANTO MELIUS 'cuanto más, tanto mejor'. R. M. Pidal, *Gram.,* § 74_2, p. 206.

(121) A. Alonso, *Gram.,* II, p. 163, lo incluye entre los «adverbios pronominales», concretamente en la subclase de los demostrativos; pero se desvía hacia la manera de significar y no entra en su comportamiento funcional. También A. Bello lo llama «adverbio demostrativo de cantidad» (*Gram.,* § 386).

(122) Vid. E. Alarcos, *Verbo transitivo, verbo intransitivo y estructura del predicado,* en *Estudios...,* pp. 109-123. No podemos entrar aquí en las dificultades con que tropieza una clasificación de los verbos según rasgos de subcategorización; éstos deben ser definidos en función de la sintaxis. Parece claro, de todos modos, que la oposición /+ tr./ ~ /–tr./ es la primera que debe ser analizada en una subclasificación de los verbos en español. La visión diacrónica plantearía sin duda muchos problemas; en cast. med., p. ej., un verbo como *crecer* podía funcionar como no transitivo:

tanto crescieron las aguas que no las podia omne pasar (Faz. 173);

o como transitivo (presencia del rasgo /factitivo/):

Ca este Pago crecio tanto ell ymperio (Cron. Gen. 44b-1).

(123) Cuitar (<COGITARE) 'obcecarse' (M. Alvar, *Vida de Sta. María Egip*çiaca, Madrid, 1972, II, p. 210).

(124) Cfr.: Tanto *ouieron* todos enno al *que ueer* (Alex. O, 1417a). Con *de:* ni ouo tanto *de uer* (Cron. Gen. 94a-45). Con *tener:* tanto *tenia* cad'uno en lo suyo *que ver* (F. Glez. 319a).

(125) R. M. Pidal, *Cid*, Vocab., p. 730, señala 'acercar' como una de las acepciones: *lególas al coraçon*, v. 276, v. 355. Este valor lo encontramos con frecuencia en el uso pronominal del verbo:

estos dos se llegaron tanto aquel dia al muro de la villa, que el uno... (Ultram. I, CCXXIII, 129b),

y, al menos en la lengua coloquial, pervive hoy:

llégate al estanco.

(126) Cfr. *tanto le afirmó esto* (Lucan. ex. 27, 165).

(127) Cfr. *Tarde atanto por que quando llegue açerca de aqui salio a nos un leon e derramonos a todos* (Calila, 76-1378).
Esto no quiere decir que el valor temporal no esté presente en otros muchos contextos, si bien no como predominante:

Tanto quiere jugar e reir,/ que nol miembra que ha de morir (M.ª Egipç., V. 169-170).

(128) En esta obra el nexo es especialmente abundante: p.2, l.32; 3-1; 8-1; etc.

(129) B. Palomo Olmos, *Transitividad sin objeto directo en superficie*, dirigida por F. Lázaro Carreter, Madrid, 1973.

(130) En: *vas a engordar con tanto comer patatas*, *tanto* va en concordancia con el infinitivo. Y en frases como *tanto le dijo que se iba...*, el valor adverbial de *tanto* viene determinado por la orientación semántica de su significado ('tantas veces').

(131) R. M. Pidal, *Cid,* § 175.

(132) Hay algún caso sin pronombre:

El padre con las fijas lloran de coraçon,/ assí fazían los cavalleros del Campeador (Cid, 2632-33). Cfr.: assí ferá lo de Siloca, que es del otra part (Cid, 635).

(133) Véase Eva Seifert, *Haber y tener, como expresiones de la posesión en español,* RFE, XVII, 1930, pp. 233-276 y 345-389.

(134) R. Lapesa, *Historia de la lengua española,* p. 155.

(134b) *Cid,* p. 303.

(135) Cfr. tan grant oue el miedo (Gen. Est. Seg. Part. I-139b-26).

(136) *Haber* como auxiliar en:

tanto auia el rey echado grant pauor (Alex, O, 222).

Con *tan:*

Avie la buena duenya tan gran auer ganado.

(137) *Haber tan gran sabor* y *haber tan gran pesar* se convierten en fórmulas estereotipadas de relieve: Guillelme 195, Leom. CXCVI, 297; Carta D. Juan Manuel, etc. Con *tamaño: hobo tamaño pesar* (Ultram. II, III, 135a), *tamanno sabor auie cada uno de casar con ella* (Cron. Gen. 12a-19).

(138) En Alex., O y P utilizan verbos diferentes:

Alex. O: dan tan buena olor (e. 1302). Alex. P: tanto han buen olor (e. 1444).

(139) Con otros verbos transitivos la construcción es paralela:

tamanno cogiemos dend *el miedo* (Gen. Est. Seg. Part. I, 11a-16).

(140) Vid. más adelante §

(141) El ms. A usa construcciones más sencillas (temporal y coordinación copulativa):

E pense en la lazeria e en la angostura de la rreligion e dixe asy: '¡O, que pequeña es esta lazeria para aver por ella la folgura perdurable!'

Sobre *tanto mas, quanto mas...* dice A. Bello, *Gram.*, p. 331, §§ 1023-1024: «si *más, menos* se emplean como adverbios rechazan antes de sí las formas apocopadas *muy, tan, cuán: mucho más agradable, tanto menos rico.* Si también se dice *mucho mayor, cuanto peor,* es porque estos comparativos envuelven el adverbio *más*».
(Cfr. R. M. Pidal, *Gram.*, § 742 nota, p. 206).
Ambos elementos pueden estar separados:

> et *quanto* el philosopho *más* lo alongava, *tanto* avía el rey *mayor* quexa de lo saber (Lucan. ex. 21, 128).

(142) Karl Ettmayer, *Analytische Syntax der französischen Sprache,* Band I, Halle, 1930; especialmente el cap. XIII (Wirkungssätze/Folgesätze).

(143) En esp. corresponderían, según ellos, al primer tipo las correlaciones de intensidad y *así... que,* y al segundo las de manera y manera + intensidad *(de guisa que, de manera que,...)* además de *así que.*

(144) Esta construcción (tanto + neg. + v. modal *poder* + infinit.) se repite insistentemente: S. Mill. 291c; Alex., O, 1918; Leom. XXIX, 105; etc. Con *nin,* sin elemento negativo de apoyo precedente: *tanto le pudo dezir nin predicar* (Apol. 527a). Pero no es, ni mucho menos, un orden fijado: *no los puede tanto auorreçer* (Alex., O, 1474), *non podieron tanto se denodar* (Alex. O, 1922); especialmente con elementos negativos distintos de *no: nunca tanto podioron uoluer e trabaiar* (Alex., O, 676) (íd. Ultram. II, CCL, 311a; Leom. CXLIIII, 239; etc.).

(145) Vid. F. Hanssen, *Gram.*, § 634, pp. 268-269; R. M. Pidal, *Cid,* pp. 412-414. Sobre usos de *ser* y *estar* en la lengua antigua puede consultarse J. Bouzet, *Orígenes del empleo de estar. Ensayo de sintaxis histórica,* en EMP IV, 1953, pp. 37-58. Para nuestro objeto carece de interés separar los usos atributivos de los usos como auxiliares, ya que el comportamiento con *tan-tanto* es idéntico, salvo la posibilidad de la posposición: *fueron atormentados é apremiados tanto* (Ultram. I, 15-8a), exclusiva de la pasiva. (Cfr. *tanto non puede sseyer castigado,* M.ª Egipç., v. 47).

(146) El adjetivo aísla aquí la frase relativa de su antecedente.

(147) El desgajamiento de *tanto* facilita la libertad de posición del

adjetivo respecto a su sustantivo en estos casos; e incluso el hecho de que un sustantivo funcione como atributo: *tanto seria enojo de lo escuchar* (HTroy, 183-12). En algunas ocasiones *tanto* parece recobrar su significado originario, aunque no mantenga la concordancia con el sustantivo:

> mas pero non fue ferido ninguno dellos, ca *tanto* fue la *grand priesa,* que non se podieron mas ayuntar... (HTroy, 43-34). E *tanto* fue aquel dia *la porfia* entre los vnos e los otros, que se fizo de anbas las partes gran dapño mucho a desmesura (íd. 75-9).

(148) Cfr. 1.4.2.
(149) *Gram.,* § 386, pp. 147-148.
(150) De igual modo, aunque con reservas, parece pensar M. Alvar *(Vida de Sta. M.ª Egipçiaca,* Madrid, 1970, p. 283) a propósito de:

> *tanta fue cortesa* (M.ª Egipç., v. 283).

(151) En 1.4.2.4.
(152) Aislamiento de la frase relativa. Cfr. Cron. Gen. 26a-27, 1.5.1.1.
(153) Calco de la sintaxis latina.
(154) Vid. más adelante *tan + adverbio,* p. 1.5.3.
(155) Vid. R. Navas Ruiz, ***Ser y estar.*** *Estudio sobre el sistema atributivo español,* Salamanca, 1963; especialmente los capítulos dedicados a los verbos que introducen un atributo del sujeto o del objeto directo. El propio autor confiesa que sus criterios para diferenciar las oraciones atributivas de las semiatributivas no son en muchos casos decisivos.
(156) Sobre *ir* y *andar* como verbos atributivos vid. J. Bouzet, *op. cit.*
(157) El caso inverso sería: *vio y a la infante Poliçena, e paresçiole tan bien* (Gen. Est. Seg. Part. II, 144a).
(158) R. Navas Ruiz, *op. cit.*
(159) En la versión modernizada hecha por Pablo Cabañas (*libro de Apolonio,* Madrid, 1969) se adapta como «estaba avergonzada», que altera sustancialmente el sentido.
(160) Un sustantivo como predicativo en: *veia á Zuleman tan niño* (Ultram. II, III, 135a). Cfr. *el diablo es* ***tan maestro*** *et tan sabidor (Lib. Cab. XXXIV, 31-18).*

(161) Eva Seifert, *Haber y tener como expresiones de la posesión en español,* RFE, XVII, 1930, pp. 233-276 y 345-389.

(162) Para *tan mucho, tan poco,* vid. 1.3.3.4.

(163) Vid. antes 1.5.2.1. y 1.5.2.2.

(164) Estos mismos adjetivos, además, forman adverbios en *-mente* y se integran en locuciones de carácter adverbial: enfermo *tan fuerte mente* que era mjraçion (Sto. Dom. 538c) abraçose con el *tan rreziamente* (Calila B, 218-3625) e cometieronme *tan de rrezio* e tan assoora (Cron. Gen. 42a-38).

(165) En cambio *más acá, más allá, mucho más allá,* etc.

(166) Pero, aunque no son posibles **tan antes, *muy después,* etc., sí lo son *mucho antes, poco después, más adelante...* Si en ocasiones se oye *está muy encima, está tan encima,* etc. es porque hay alteración de su contenido significativo. (Cfr. *es tan así,* en que *así* se adjetiva).

(167) En la misma obra:

> *tanto* fue *plena* de luxuria (M.ª Egipç. v. 86). Ella fue *tan peyorada* (íd. v. 419). Cfr. E tan conplido fue de saber e *tan lleno de bondad* (Bonium, 246).

(168) Vid. R. Lapesa, *Los casos,* § 4, p. 62.

(169) En español coloquial se ha consolidado un giro complejísimo con *de* ponderativa y de realce, cuyos antecedentes han sido estudiados por F. Krüger, *El argentinismo «es de lindo»,* Madrid, 1960. (Vid. nota 178.)

(170) En alternancia con *diol tan ferida* (HTroy 44-22). Cfr. nota 24.

(171) Para M. Pidal, *Cid,* p. 846, no puede tomarse *es* como impersonal en

> grand alegria es entre todos (Cid, 1236); grand duelo es al partir del abbat (Cid 1441); quanto que es y adelant (Cid 1150) ('cuanta tierra hay allí'),

a pesar del sentido que da a esta última frase.

(172) Cfr. fue tan grant muchedumbre (Alex. O, 1938). En cambio, el ms. P: fue tan grant *la* multedumbre (íd. p. 2080).

(173) Cfr. alli se boluio vna tan grand buelta e *un torneo* tan esquiuo (HTroy 33-15)

(174) J. Corominas, DCELC, IV, p. 358. Tiene valor comparativo —aunque sólo sea implícito—, con plena conciencia del valor

etimológico, no sólo en la Edad Media sino también en el Siglo de Oro. Según Corominas se venía anticuando —al menos en algunas partes de España— a fines del XVI. Como sustantivo, *tamaño* es reciente; aún no figura en el Diccionario de Autoridades.

(175) Cfr. en el parentesco acaeçe a las uezes *muy gran* enemistad e tamaña malquerencia... (Calila B, 361-6046)

(176) No cuando tiene valor cuantitativo numérico:

tanta era la yent, e tan grand la priessa (Cron. Gen. 76b-34). No falta algún caso en que ocurre lo contrario: *tan* + *grande* con valor numérico: e passando la huest, *tan grand fue la yent* que, dell uso et de la pesadura de los omnes et de las bestias, ouo la puent a falleçer (Cron. Gen. 216b-50).

(177) Cfr. las mismas subclases de sustantivos en: *tan grande* es en ella la fiuzia e ell atreuimiento de la su fermosura... (Gen. Est. Seg. Part. I, 155a-28); *tan grand* era la fambre en la cibdad (Cron. Gen. 255a-50).

(178) De otras construcciones tampoco vamos a ocuparnos por ser posteriores a nuestro período de estudio; así, la preposición *de* puede funcionar como partícula ponderativa: *de muy hinchada y llena quiere rebentar* (Celest. Prólogo, p. 13). (Cfr. F. Krüger, *El argentinismo 'es de lindo'. Sus variantes y sus antecedentes peninsulares. Estudio de sintaxis comparativa.* Madrid, 1960.)

(179) Hoffmann, § 288, p. 526; A. Meillet, *Ling. histor. et ling. française*, p. 162; Ernout-Thomas, *Syntaxe*, pp. 291 y ss. A. Tovar, *Gramática histórica latina. Sintaxis*, Madrid, 1946; M. Bassols de Climent, *Sintaxis latina*, II, Madrid, 1971 (3.ª reimpr.); les Bidois, *Syntaxe*, §§ 5, 502, 1505, 1506.

(180) R. Lapesa, *Historia*, p. 155. (Vid. A. M. Badía, *Els origens de la frase catalana*, en AIEC, 1952, pp. 43-54; y *Dos tipos de lengua cara a cara* en Studia Philologica, Hom. a D. Alonso, I, 1960, pp. 115-139).

(181) *Cid*, p. 336.

Cuando el término antecedente es considerado como un simple ponderativo (='muy'), como ocurre en la versión modernizada del Poema del Cid hecha por F. López Estrada (Madrid, 1969) a propósito de

> Los de Carrion son de natura tan alta/ non gelas devién querer sus fijas por varraganas (Cid, 3275-3276);

la relación hipotáctica desaparece.

(182) Vid. F. R. Adrados, *Lingüística estructural,* Madrid, 1969; especialmente pp. 377 y ss.

(183) También pueden alternar con *que* sin antecedente:

> ferio Ector en ellos *que* les non daua uagar (Alex. O, 525c); ferie Etor en ellos non les daua uagar (Alex. P, 537); diol por medio la boca al parlero loçano/ non trago peor hueso njn moro njn christiano (Alex. P, 1351) diol por medio la boca al parlero loçano/ *que* non trago pero muerso njn iudio njn pagano (Alex. O, 1210).

(184) Tenemos noticias de que se está realizando un estudio, en este sentido, del Cantar del Cid. Parece indudable que prosa y verso necesitan enfoques diferentes; una serie como:

> Mays Hector e Anchiles, cada que se fallauan,/ abaxauan las lanças, grandes golpes se dauan,/ rronpianse las lorigas, los escudos quebrauan,/ cayen de los cauallos, mas luego los cobrauan;/ desy de las espadas muy fuerte se ferien,[0] cortauan los amofares e los yelmos rronpien (HTroy. vv. 29 y ss).

no es concebible en la parte en prosa de la misma obra.

(185) 1.4.2.1.

(186) La prosa alfonsí, lineal y trabada, no puede permitir este ritmo roto y suelto del poema:

> Et auien todos, tanbien los grandes como los menores, muy grand plazer con su sennor (Cron. Gen. 415)

(187) De oc. ant. *assatz* 'suficientemente, mucho', y éste del lat. vg. AD SATIS (Lat. SATIS 'suficientemente'). Vid. J. Corominas, DCELC, I, p. 296.

(188) En coordinación copulativa en la prosificación alfonsí:

> Los nauarros assaz eran caualleros esforçados et serien buenos doquier... (Cron. Gen. 418).

(189) Cfr. dieronse *asaz* grandes feridas en las cabeças, *asy que* les salia la sangre por muchos logares (HTroy. p. 36).

(190) Vid. Alex. O, 1918a, 1.7.1.2. Sobre el subjuntivo como modo de la subordinación, vid. A. M. Badía, *El subjuntivo de subordinación en las lenguas romances y especialmente en iberorrománico,* RFE, XXXVII, 1953, pp. 95-129.

(191) Según Marden *otro tanto,* lectura que transformaría el sentido.

(192) Otras veces la prosa alfonsí, como hemos visto, altera la frase; para ello se ve obligada a prescindir del intensificador:

> Veyen d'una sennal *tantos pueblos armados*/ ovyeron muy grand miedo, fueron mal espantados,/ de qual parte venian eran marauillados,/ lo que mas les pesaua que eran todos cruzados (F. Glez. 553);

es adaptado en la Cron. Gen. así: Et los moros uieron los estonces como el conde, et ouieron muy grand miedo, et fueron muy mal espantados... (Cron. Gen. 405a-36)
A la hora de modernizar una frase de este tipo se puede optar por completar la correlación consecutiva o prescindir del antecedente; esto último es lo que se hace con

> La bondat de los metges era tan granada/ Deuye seyer escripta, en hun libro notada (Apol. 322c),

que se resuelve así:

> La bondad de los médicos era grande esmerada/ debía ser escrita, en un libro anotada (Odres, p. 87).

(193) Abés 'apenas, difícilmente'. J. Corominas, DCELC, I, p. 8.

(194) Para R. M. Pidal, *Cid,* p. 483, *así* tiene aquí valor absoluto ponderativo equivalente a 'de tal modo, muy bien, mucho'. En nota rechaza la opinión de Vollmöller, que sitúa la coma después de *así,* porque daría mala cesura al verso.

(195) R. M. Pidal, *Cid,* pp. 317, 336, 415.
Para G.ª de Diego *(Gram. hist.,* p. 400), el sentido ponderativo —«admirativo» lo llama él— deriva de la supresión del segundo miembro de la correlación
¡se ponen *tan* pesados...!

que en cast. antiguo se usaba sin sentido suspensivo:

¡Dios, tan grant alegria (Duelo, 196a); ¡Pesar atan fuerte! (L. B. A. 1054f).

(196) En la versión modernizada de P. Cabañas «¡Qué buen día!» (p. 130).

(197) Eugen Lerch, *Historische französische Syntax,* II Band, Untergeordnete Sätze und unterordnende Konjunktionen, Leipzig, 1929.

(198) G. et R. le Bidois, *Syntaxe du français moderne* (Ses fondements historiques et psychologiques), París, 1968 (2.ª ed.), § 1507, p. 481.

(199) Kr. Sandfeld, *Syntaxe du français contemporain. Les propositions subordonnées,* Genève, 1965, § 247, p. 408.

(200) Cfr. Hoffmann, Ernout-Thomas, Tovar, Bassols, etc. (op. cit.).

(201) F. Brunot-C. Bruneau, *Précis de Grammaire historique de la langue française,* París, 1969, p. 144.

(202) La prosificación en la Cron. Gen. constituye aquí una verdadera 'amplificatio': *et tan grandes fueron los colpes que se dieron, que amos fincaron embaçados ende, de guisa que non se podieron fablar nin ferir uno a otro.* (Cro. Gen. 402b-43).

(203) Vid. Ernout-Thomas, *Synt.,* § 337c, p. 338; Hoffmann, § 300a, pp. 558-559. Raphael Kühner, *Ausführliche Grammatik der lateinischen Sprache,* II Band, Satzlehre, 2. Auflage, neubearbeitet von Carl Stegmann, Hannover, 1912, también distingue entre consecutivas sustantivas, relativas y adverbiales; pero sólo considera a estas últimas consecutivas propiamente dichas.

(204) Cfr. R. M. Pidal, *Cid,* pp. 813-814. En el v. 1823, *Andan los días e las noches, que vagar non se dan,* el hemistiquio segundo es añadido para muchos.

(205) En la versión modernizada de E. Alarcos (Col. Odres Nuevos, 2.ª ed. 1965) se ha seguido con la construcción consecutiva, utilizada en el verso segundo:

tanto hincólo la lanza, por medio, en la tetilla,/ que fuera, por la espalda, asomó la cuchilla.

(206) *recabdo* 'cuenta, número, medida'; *non saben recabdo,* 'es incalculable, es inmenso' (R. M. Pidal, *Cid,* p. 821).

(207) Para W. Beinhauer, *El español coloquial,* Madrid, 1968, p. 276, se llega aquí a «una curiosa mezcla de oración relativa y consecutiva». Constituye un procedimiento de expresión de la idea del adjetivo superlativo.

(208) Sobre todos estos ejs. véase más adelante, pp. 256 y ss.

(209) W. Beinhauer, *El español coloquial,* Madrid, 1968, p. 200.

(210) V. G.ª de Diego, *Gram. hist.,* p. 400-401.

(211) A. G. Solalinde, *Las versiones españolas del 'Roman de Troie',* RFE, III, 1916, pp. 121-165.

(212) *Gram.,* § 1063, pp. 340-341.

(213) *Gram. hist.,* p. 401.

(214) W. Beinhauer, op. cit., p. 277 y ss. Cfr. M. Regula, *Contributions variées à la linguistique espagnole,* en Actas del XI Congr. Intern. de Ling. y Filol. Románicas, IV, pp. 1853-1863.

(215) *Cid,* p. 352.

(216) Modernizados por Daniel Devoto, Col. Odres Nuevos, 5.ª ed., 1969: «Esteban, rinde gracias a Dios, tan buen Señor,/ que tal gracia te ha hecho que no podría mayor.

(217) La simple yuxtaposición, sin *que,* puede cubrir la misma relación

> fasie la siesta *grant,* mayor omne non vido (L. B. A. 461b) (ms. G.). (En ms. S: otrossy yo passava nadando por el Ryo, fasia la syesta grande, mayor que ome non vydo.)

(218) De *modal-consecutivas* habla, p. ej., Hans Schultz, *Das modale Satzgefüge in Altspanischen,* Berliner Beiträge zur roman. Philologie, VII, 1, Jena/Leipzig, 1937.

(219) Véase más adelante, 1.9.3.

(220) En Faz. 109: Este Geu mato *todos* los que remanecieron del casado de (A)cab, amigos e parientes e nodrices, que *nol* remaso *parient* en parient. («no ...parient» = 'nadie'). M. Lazar, en nota, «mingentem ad parietem», y I-j-4: «quien orine a la pared».

(221) E. Lerch, *die Bedeutung der Modi im Französischen,* Leipzig, 1919, p. 85 y *Synt.,* p. 75.
(Cfr. para el port., Augusto Epiphanio da Silva Dias, *Syntaxe Historica Portuguesa,* Lisboa, 1933, § 393 (p. 285), que cita como ejemplo:

> descando, ond'estas? que nunca te ve ninguem.

(222) A. M. Badía, *Dos tipos de lengua cara a cara,* cit.

(223) En el orden lógico o mental puede seguir ostentando una prelación sobre las demás.

(224) *ende* es uno de los elementos de ilación, que también contribuye a trabar más la frase.

(225) Nuestra conciencia lingüística recibe apoyo de las adaptaciones modernizadas de textos medievales. En las versiones de la útil colección «Odres Nuevos», de Ed. Castalia, estas oraciones híbridas se resuelven, unas veces como consecutivas:

> Et el raposo et el carnero, commo falsos conseieros, catando su pro et olbidando la lealtad que avían de tener a sus señores, en logar de los desengañar, engañáronlos; et *tanto* fizieron, *fasta que* el amor que solía seer entre el león et el toro tornó en muy grand desamor (Lucan. ex. 22-33); («los engañaron, en vez de decirles la verdad, y se esforzaron *tanto que* la amistad que unía al león y al toro se tornó en aversión»). Idem. Lucan. ex. 1-56; ex. 33-184; ex. 41-205; ex. 44-221; ex. 45-224.

y otras veces como temporales:

> El escudero les preguntó *tanto, fasta quel* ovieron a dezir qué cosa era aquello que querían saber (Lucan., ex. 50-249). («El escudero les fue preguntando *hasta que* se enteró de qué era lo que investigaban»);..., et tardó *tanto fasta que* fue jubgado a muerte, et seyendo jubgado, llegó... (Lucan. ex. 45-225). («Otra vez fue preso y llamó a don Martín, pero este no vino *hasta que* ya había sido condenado a muerte») (Id. ex. 27-165).

Alguna vez se elige una estructura consecutiva especial:

> tanto las rogó fata que las assentó (Cid, 2803). «De tanto como las ruega, alzarse logran las dos» (Cfr. nota 178);

y no falta quien mantiene la estructura mixta, a costa de transgredir la norma actual:

> *Tanto* fue en ella el amor ençendiendo / *Fasta que* cayo en el lecho muy desflaquida (Apol. 197). («Tanto en ella se

fue el amor encendiendo hasta que en el lecho cayó enflaquecida»).

(226) Sólo hemos encontrado usada *trea* en esta obra y *Fuer. Arag.* (12-13): E si, feita la uendida d'aquella pendra, el precio non bastare a pagar el deudor, pennore decabo *tantas uezes troa que* cobre so deudo o so dreito, segun la forma que es dita de suso, *troa que* sea pagado.

(227) También con *ouo* + a(de) + infinitivo: Alex. O, 703; íd. O, 1220a; íd. O, 2082, Cron. Gen. 32b-51; Lucan. ex. 41-205; id. ex. 44-221; etc.

(228) Vid. más adelante modos y tiempos (1.9.).

(229) *usque* aparece en algún documento no literario arcaico:

Aro abuelo era sua caligema, e paskanlo e bestanlo se(m)per erit bibo. Akrapun e Sango pascanlos e bestanlos, tanto usque pan poscan deredemere (Doc. e. 1090, arag. Sobrarbe, Orígenes, p. 43).

(230) *siglar* 'navegar' < fr. *sigler* < anglonorm. *segl* 'vela de barco'. Deriv. *singladura*.

(231) *Porque*, escrito como una sola palabra, ha llegado a convertirse en nuestra lengua en un nexo conjuntivo causal, si bien su sentido final no había desaparecido aún en la época clásica.

Porque veas, Sancho, el bien... (Quijote, I, 11). Vid. J. Corominas, DCELC, p. 849.

(232) Resuelta como consecutiva clara en la versión modernizada de «Odres Nuevos».

y mataron a tantos que los cuervos quedaron vencedores. Id. Lucan. ex. 5.º-252.

(233) Vid. más adelante modos y tiempos, 1.9.

(234) Vid. 1.7.3., *que* sin antecedente.

(235) Vid. 1.2.8.2-1.2.8.4. Y nexos ilativos, más adelante, cap. 5.

(236) Cfr. A monte Oliveti fui en vision levada/ Vidi y tales cosas por *qui* so muy pagada (Sta. Or. 154).

(237) Cfr. Et otrosí los que touyesen los ssus offiçios ffuesen tan nobles e tan buenos de *qui* él ffuesse sseruido e aconpannado bien e onrradamiente (Seten. 22).

(238) Versión modernizada en «Odres Nuevos»: «... entonces y sólo entonces podríais fiaros de él, pero siempre *de manera que* no os pueda venir por ello mal ninguno».

(239) En Ultram, I, LXXVI-44a:

> ..., que podrian traer la tierra *á* tal peligro, *á que* nos no podrémos dar consejo;

la preposición *a* puede explicarse como contagio de *á tal peligro.*

(240) Unas líneas antes, con *para:*

> Desque el rey vio que él podía fazer quanto (oro) quisiese, mandó (traer) tanto daquellas cosas para que pudiese fazer mill doblas. (Lucan. ex. 20-24).

(241) Tras el paréntesis, se prescinde de la preposición y repite sólo *que.* En cambio no se repite en

> Conséiovos yo que fagades y *tales obras* en este mundo *porque* quando dél ovierdes de salir, *falledes* buena posada en aquel do avedes a durar para siempre. (Lucan. ex. 49-242.)

(242) Así lo hace, p. ej., Karl Ettmayer, *Analytische Syntax der französischen Sprache.* Band I, Halle, 1930, que estudia los tres tipos en el cap. XI, bajo el título «Suggestive Satzgruppe».

(243) Vid. Ernout-Thomas, *Synt.* § 405, pp. 417-418. Baehrens, a.O.87, explica el origen del QUOD final-consecutivo como contaminación de

> AVARUS EST QUOD NON DEDIT.
> + TAM AVARUS EST UT NON DEDERIT.
> → TAM AVARUS EST QUOD NON DEDIT.

Hoffmann (§ 313e, p. 581-582) cree que es más fácil suponer que una vez que QUOD compite con UT y alcanza las más diversas funciones, fue asimilando las significaciones que le faltaban.

(244) Vid. 1.7.2.3.

(245) F. Brunot, *La pensée et la langue.* especialmente Livre XXI, caps. VII y IX.

(246) Siempre en ese orden; la anteposición de la consecutiva obliga a la yuxtaposición. Vid. 1.7.2.

(247) Aún como perífrasis no gramaticalizada.

(248) El presente queda como término neutro en todas las correlaciones establecidas por E. Alarcos (*Estudios de gramática funcional,* p. 65); no indica matiz modal (como Indicativo) ni tiempo pasado (realizado) ni tiempo futuro (realizable).

(249) Cfr. S. Gili Gaya, *Sintaxis,* § 129, p. 167.

(250) El indicativo puede deberse a veces a condicionamientos de la rima:

> Que la divina hermosura/ De Doña Ana no es tan *poca*/ Que hasta un mármol no pro*voca*,/ Y no es el alma tan dura. (Lope de Vega, Los comendadores de Córdoba, II, 2.)

(251) Lo mismo puede afirmarse de otros tipos oracionales:

> no es porque yo lo quiera.

(252) Vid. Ernout-Thomas, *Synt.* § 337c, p. 338. SIGNA RIGIDIORA... QUAM UT IMITENTUR VERITATEM (Cicerón, Brutus, 70).

(253) E. Lerch, *Synt.* IX, 5, p. 395.

(254) A. E. da Silva Dias, *Sint. Hist. Port.* § 395.

(255) Una canción popular comienza: *la cosa está de llorar,* con la prep. *de* utilizada en este mismo sentido.

(256) Familiarmente, sin *c'est.* Vid. Les Bidois, *Synt.* § 1508, pp. 481-482 y §§ 1533-35, pp. 494-496.

(257) Con el término *performativas* se hace referencia a las frases de significación imperativa (orden, mandato, consejo, etc.); es decir, lo mismo las del tipo *busca a tu hermano* que *debes buscar a tu hermano, buscas* (buscarás) *a tu hermano,* deseo (quiero, te aconsejo, etc.) *que busques a tu hermano,* etc.

(258) E. Alarcos, *Gram. Estructural,* § 103, p. 108; también *Estudios de gram. funcional,* p. 60-61.

(259) Véase, entre otros, M. S. Ruipérez, *Notas sobre estructura del verbo español,* en Problemas y principios del estructuralismo lingüístico, Madrid, 1967, pp. 89-96.

(260) Cfr. L. B. A. e.721 y e.1605 en 1.2.8.4.

(261) Vid. antes, final-consecutivas, 1.8.5.

(262) Con transformación infinitiva:

> ..., la quarta: *seer* el rrey atal que non osen venir ant'el los omnes que le son syn culpa (Fl. Filos. 31).

(263) Roger L. Hadlich, *A. transformational grammar of Spanish*, Englewood, New Jersey, 1971, p. 180. [Hay traducción española, Madrid 1973.]

(264) Id. pp. 180-181.

(265) RAE, *Gramática de la lengua española*, Madrid, 1931, p. 389. En el reciente *Esbozo de una nueva gramática de la lengua española* (Madrid, 1973) se omite tal consideración.

(266) Vicente García de Diego, *Gram. Hist.* p. 399.

(267) En este caso nos hallamos en el límite con el *que* meramente explicativo. Cfr.

> Las mugeres son atales commo el arbol del adelfa que ha fremosa color e fremosa flor, et cuando la come el torpe que... (Lib. B. Proverb. p. 26).

(268) Vid. 1.7.3.7.1.

(269) A. Bello, *Gram.* § 1062. Cfr. todo el cap. XL, pp. 338 y ss.; §§ 338-351 y §§ 1023-1024.
Gramaticalmente, la estructura comparativa y la consecutiva se diferencian por muchas peculiares posibilidades; la construcción consecutiva bloquea la utilización de restrictores (*casi, sólo...*), que sí son posibles en el resto de los usos de *tal, tanto:*

> Casi tantos como yo pensaba; * son casi tantos que no cabrán;

por otra parte la frase consecutiva permite el desarrollo recursivo (vid. 1.10.4.5.), no la comparativa; etc.

(270) Este último paso sería opcional. Vid. W. W. Cressey, *Language*, 44, 1968, pp. 487-500.

> Cfr. iré al lugar —el lugar tú dirás—
> ——→ iré al lugar que tú digas
> (——→ iré (a) donde tú digas).

(271) Vid. R. L. Hadlich, *Gram. transform.*, trad. esp. p. 286. No sería, sería, con todo, el caso más complicado:

> *Pedro es tan tonto como listo es su hermano*

(272) El rasgo /énfasis/ está por estudiar, y es algo que pertenece al subcomponente semántico de la gramática; la propia comparación es uno de los recursos más utilizados para conseguir realce expresivo, a veces hiperbólico: *come como un león*. La elusión de un término/-def.,+univ./como origen de relieve no es algo exclusivo de un tipo oracional; el carácter valorativo del demostrativo *aquel* (e incluso de *el* como antecedente del relativo) se debe en parte al carácter de universalidad que posee en

¡ay de *aquel* que tire la primera piedra! (='todo aquel que, cualquiera que,...')

(273) Vid. 1.2.7. y 1.2.8.

(274) Tal sentido vendría apoyado por el hecho de que no sólo *tal*, sino incluso *tanto, tan* se presentan a veces sin cerrar la correlación:

E dizen que traya en esta galea *tantas joyas* e *tan preciadas las quales* fasta en aquel tienpo nunca fueran vistas (Leom. CXCV-296).

(275) No olvidemos, por otra parte, la capacidad que el relativo latino tenía de expresar diferentes relaciones lógicas (fin, causa, condición, concesión, consecuencia), y que a señalarlas contribuía en ocasiones el uso del Subjuntivo:

DOMUS EST *QUAE* NULLI MEARUM VILLARUM *CEDAT* (Cic. ad Familiares spistulae, 6, 18, 5). Vid. Hoffmann, *Synt.* § 300a; Ernout-Thomas, *Synt.* § 337c. Cfr. QUE sin antecedente, 1.7.3.

(276) *La lingüística moderna y los problemas hispánicos,* RFE, XL, 1956, pp. 209-228. Recogido hoy en *Lingüística moderna y filología hispánica,* Madrid, 1968.
Systématique des éléments de relation. Etude de morphosyntaxe structurale romane, París, 1962

(277) E. Alarcos, *¡Lo fuertes que eran!,* Strenae, Homenaje al Prof. García Blanco, Salamanca, 1962. *Español*/que/, Archivum, XIII, 1963. Ambos trabajos se encuentran ahora recogidos

en el vol. *Estudios de gramática funcional del español,* Madrid, 1970, pp. 178-191 y 192-206, respectivamente.

(278) Véanse más ejemplos con *estar* en 1.7.3.5. Para M. Regula en estos casos no puede hablarse de proposición consecutiva, dado que ésta depende siempre de una proposición «á sens relativement comple, mais non d'un verbe copule» (*Contributions variѐes à la linguistique espagnole;* en Actas del XI Congr. Intern. de Ling. y Filol. Románicas, IV, 1853-1863). En cambio habla de consecutiva en ejs. como

Tiene una cara que la ves y no se te olvida

(279) Otras observaciones podrían hacerse a propósito de las consideraciones de Alarcos en torno al /QUE/[2] (relativo). Para él la diferencia entre relativas explicativas y especificativas se sitúa fuera del puro nivel gramatical, dado que las relaciones morfológicas entre los elementos constituyentes de unas y otras son las mismas; son diferencias exclusivamente de relación léxica.

Para el enfoque generativo-transformacional sí se trata de una diferencia de estructura gramatical; en rigor, sólo las especificativas pueden estudiarse como relativas, ya que las explicativas son simples apositivas. Así lo refleja la historia derivacional de una y otra modalidad:

Los niños que estaban allí, vieron el accidente (sólo algunos), en que el sujeto se rescribe como:
SN ——→ Det. + N + O
Los niños, que estaban allí, vieron el accidente *(que = los niños),* donde
SN ——→ Det. + N + Y + O

Algunos (vid. R. A. Jacobs-P. S. Rosenbaum, *English Transformational Grammar,* 1968, pp. 259-262) derivan las explicativas de coordinadas normales: *los niños estaban allí y los niños vieron el accidente,* lo cual tiene la ventaja de que no hace falta introducir una nueva regla, ya que serviría la misma que se utiliza para la coordinación: O —— O + coord. + O
En cualquier caso, la diferencia estructural de «explicativas» y «restrictivas» (o especificativas) es clara.

(280) *El* ***que*** *español,* RFE, L, 1967, pp. 257-272.

(281) *La forma QUE del español y su contribución al mensaje,* RFE, LIV, 1971, pp. 13-36

(282) Id. p. 36

(283) La frase sólo puede prolongarse mediante la coordinación copulativa de nuevos elementos:

... como Juan y (como) Pablo y ...

2. CONSECUTIVAS DE MANERA

2.1. GENERALIDADES

2.1.1. En este segundo subgrupo de oraciones consecutivas funciona como antecedente de la correlación algún sustantivo que posee tal rasgo de significación *(guisa, manera, forma, modo,* etc.). El nombre forma parte de un sintagma preposicional.

Las gramáticas del español no suelen plantearse la necesidad de establecer diferencias en el análisis de las oraciones denominadas *consecutivas,* y con este término se hace referencia por igual a aquellas en que la principal comporta intensidad y a aquellas otras en que tal noción está ausente (1). A lo sumo se llega a establecer una clasificación de todos los elementos que actúan como antecedentes con un criterio estrictamente morfológico. Así, C. Hernández Alonso afirma que las consecutivas «van introducidas por la conjunción *que,* heredera de su valor relativo originario, y suelen llevar en la principal una hipérbole o nota de referencia, bien de tipo pronominal *(tal, ...),* adverbial *(tanto, tan, así, ...)* o nominal *(de manera, de modo)»* (2). Algunos piensan que, en este último caso, como antecedente funciona el sintagma preposicional completo (3).

2.1.2. Sin embargo, tratadistas de otras lenguas romances no vacilan en separar radicalmente las consecutivas de intensidad (4) de estas otras que, a falta de otro término más apropiado, hemos preferido llamar «de manera», aun a sabiendas de que la significación modal originaria se encuentre frecuentemente diluida hasta el punto de que señalan simplemente deducción o consecuencia (5).

Nuestra denominación, que intenta evitar posibles confusiones con otros subgrupos establecidos por los tratados gramaticales, no carece, con todo, de precedentes. W. Meyer-Lübke (6), bajo el título de «proposiciones de manera», estudiaba las oraciones tradicionalmente calificadas de *modales* (para él en estrechísima relación con las comparativas), pero no duda en incluir —por estar en conexión con ellas— las de 'consecuencia' y 'resultado'. Opinión que parece haber seguido fielmente algún tratadista español; Narciso Alonso Cortés, al encararse con las llamadas oraciones adverbiales modales, dice textualmente: «A esta clase de oraciones pueden referirse las comparativas y las consecutivas. Las primeras expresan el resultado de la comparación (...), las segundas expresan la consecuencia de lo expuesto en la oración principal» (7). Por su parte, F. de B. Moll (8) las trata como una variante de las modales.

2.1.3. El castellano medieval nos presenta los sustantivos *guisa* y *manera,* y algún uso esporádico de otros términos. Nuestro análisis vendrá ordenado de acuerdo con la correlación modal que se establezca entre principal y subordinada. Simultáneamente se estudiará el empleo y la lucha de las diversas preposiciones que preceden a los sustantivos.

Antecedente y *que* pueden estar separados (correlación *discontinua)* o en correlación *continua;* en este segundo caso pueden constituir o no un nexo soldado (9). Estas posibilidades implican diferencias estructurales esenciales por lo que respecta a la naturaleza de la oración, y de ahí que haya necesidad de separarlas.

2.2. PREPOSICION + {GUISA (10), MANERA (11)}... QUE + INDICATIVO

2.2.1. La locución preposicional forma parte de la oración principal, de la que es elemento sintáctico; pero al mismo tiempo sirve de antecedente y desencadena la correlación consecutiva con *que.* Normalmente funciona como modificador adverbial del verbo

> *de guisa* irán por ellas *que* a grand ondra verrán (Cid 1280); *en guisa* dixo *que* non menguo ende una palabra (Bonium 78) (12); *de guisa* auras sabor dend *que* reyras (Gen. Est. Seg. Part. I 24a-36).

2.2.2. Y aunque de ordinario el verbo se intercala entre los elementos de la correlación, abundan los casos en que esto no ocurre

> E tomo por fuerça cient e cinquaenta castiellos, e apodero *de guisa* la tierra, *que* la torno toda al sennorio de Roma, y estudo assi muy grand tiempo (Cron. Gen. 27b-17).

2.2.3. Con las formas compuestas, pasiva y perífrasis, es frecuente que *de guisa* separe auxiliar y participio

> *fueron* de guisa bueltos et toruados que non sabien de si parte nin mandado (Cron. Gen. 323b-13).

pero no siempre

> assi que de guisa *fueron pagados* daquella companna e de la reyna, quel uinieron rogar que fincasse en aquella tierra (Cron. Gen. 35a-6).

2.2.4. Es raro que se refiera a un elemento distinto del verbo

> fazen al omne dormir mucho, e yazer oluidado de si mismo, e *de guisa sin memoria* que non cueda ninguna cosa de si (Gen. Est. Seg. Part. II 339b-46).

En casos como

> de guisa estudo fuerte que non lo pudo derribar della (HTroy 99);

modificaría a todo el predicado nominal, no sólo al atributo. Y *ser* mantiene su valor predicativo en

> Et tantas pueden ser las cosas desaguisadas que contra ellos sean fechas, que en guisa será que toda la sanna et la braveza que muchas de vezes reçiben ende danno los culpados et los que son sin culpa (Lib. Cab. XLVII 66-32).

2.2.5. En esta modalidad de la construcción, el sustantivo *manera* sólo ha sido registrado por nosotros en

Ultramar

> é volvíanse *de manera* los ganados unos con otros, *que* les mataban los caballos é las yeguas, é heríanlos á coces (Ultram. II, VII 139a); los homes buenos de Constantinopla, cuando sopieron que el Emperador era casado con aquella doncella, hobieron ende muy grand pesar; ca *de manera* estaba embebido é enamorado de la duenna, que por ningun fecho de la tierra non le podian sacar de la cámara (Id. IV, CCLXXXVIII 611a).

2.2.6. La pausa obligada delante del correlativo *que* hace que subordinada y principal se encuentren separadas, e implica la presencia en ésta del rasgo /relieve/

> E assi acaecio que de guisa la fallaron desbastecida de uiandas, que desdel dia que la cercaron a ocho meses la ouieron tomada (Cron. Gen. 17a-51); de guisa sopieron los de Tiro soffrillos e deffender se dellos, que por fuerça los ouieron a uemcer e los echaron de toda su tierra, y ellos fincaron uencedores e onrados (íd. 31b-25).

2.2.7. No puede extrañar, pues, que se establezca con frecuencia el mismo contraste en cuanto a la modalidad (afirmación/negación) ya considerado en las consecutivas de intensidad, y que refuerza el carácter elativo de lo enunciado en la principal

> Los que escaparon dalli fueron de guisa bueltos et toruados que *non* sabien de si parte *nin* mandado (Cron. Gen. 323b-13); de guisa fue partido que *ninguno* de quantos se y açertaton, non ouo

> y que un lenguage todo entero retouiesse *nin* que sopiesse (Gen. Est. Prim. Part. 43a-43).

2.2.8. A partir del siglo XIV, la correlación discontinua de manera inicia su decadencia, y los ejemplos son más raros

> E de guisa los ayunto Dios e los bendixo, que entrellos non auia mester medianero en ninguna cosa que por qualquier dellos se ouiese de fazer (Zifar 514); dize que buen esfuerço vençe mala ventura, et aunque de las cosas que acaesçen haya miedo, en guisa lo guarda que todos cuydan que lo faze por seso más que por miedo (Lib. Cab. XXXV, 33-59); ca de guisa fiso por su mansadunbre e por su grandesa que de los rricos e de los pobres ouo sus coraçones á su voluntad (Guill. 203).

En la época de la *Celestina* es ya desusada (13). Ello puede explicarse en parte por el hecho de que la presencia de un intensificador de carácter absoluto impide —como veremos seguidamente— la correlación discontinua

> enbraço el escudo e abaxo la lança e aguiio el cauallo e fuelo ferir *muy* de rrezio, de guisa quel falso el escudo e falsol la loriga (HTroy 161);

pero sobre todo por la competencia de los antecedentes en que está explícito el valor ponderativo (*de tal guisa, de tal manera,* etc.) (14). Su análisis no podrá realizarse, pues, sin tener presente las correlaciones de intensidad-manera, que se estudiarán en el capítulo siguiente.

Las consideraciones valdrán asimismo para las locuciones de creación posterior que funcionan como antecedentes. Consideremos estas tres frases:

> (I) Hasta tal punto se encontraba desfallecida, que decidió coger un taxi. (II) Se encontraba desfallecida, hasta tal punto que decidió coger un taxi. (III) Se encontraba desfallecida, hasta el punto (de) que decidió coger un taxi.

En (I) es exigida la presencia de *tal,* dado que los términos correlativos se encuentran separados. En (II) y (III) es posible elegir entre *el* y *tal;* si se opta por el primero es potestativa la aparición de la preposición *de.*

2.3. PREPOSICION + {GUISA, MANERA} + QUE + INDICATIVO

2.3.1. Cuando sus elementos están soldados, la correlación suele quedar sintácticamente fuera de la estructura de la principal, y funcionar simplemente como nexo introductor de la segunda proposición; la pausa precede a toda la correlación.

Se nos ofrecen casos desde la época alfonsí

> moiaron se daquella lluuia las astas et las correas, *de guisa que* se dannaron las correas et pararon se las astas lenes (Cron. Gen. 54a-50). Asy que era redrado Roboan de la tierra del rey su padre (bien çient) jornadas, eran entrados en otra tierra de otro lenguaje que non semejaua a la suya, *de guisa que* se non podian entender sy non en pocas palabras (Zifar 386); oý dezir que él mis-

> mo guisara que los moros tomasen la recua de la vienda que traen a la hueste, *en guisa que* fueron todos en tan grant cuyta, que ovieran a seer perdidos de fanbre (Lib. armas 84-161).

Con *manera*

> E desque uino y, a los unos dio grandes aueres, a los otros metio en grandes desacuerdos, *de manera que* todos los boluio (Cron. Gen. 53b-19); diole vna dolencia a la reyna que la aquexaua mucho, *de manera que* sintio en si que era de muerte (Zifar 243).

2.3.2.1. Así como *guisa* es de abundante uso, como hemos comprobado anteriormente, desde los orígenes del idioma, *manera* aparece tímidamente en la época alfonsí (15), y sólo se presenta en textos en prosa. No parece existir una tendencia uniforme en la convivencia o pugna de estos dos sustantivos, que acabará con el triunfo del segundo sobre el primero.

La prosa de Alfonso el Sabio nos ofrece una abrumadora mayoría de *guisa* (157 casos en los fragmentos que hemos utilizado de la *Crónica General* y de la *General Estoria,* por tan sólo 18 con *manera*). En *HTroy* se registra exclusivamente *guisa* (61 casos, un 17 por 100 del total de oraciones consecutivas recogidas).

Manera parece ir triunfando en obras posteriores: *Casts. a docs.* (6 *manera*/3 *guisa*), *Ultram.* (43/10), etc.; pero la proporción varía de unos textos a otros, e incluso puede volver a invertirse (en *Zifar,* 10 *manera*/14 *guisa*).

El siglo XIV parece representar una regresión del sustantivo *manera,* pues *guisa* se da como exclusivo en las obras de Don Juan Manuel, *Libro de Buen Amor, Sumas de Historia Troyana, Amadís, Visión de Filiberto* y otras. En *Cron. D. Pedro* reaparece, aunque en minoría (5 casos, por 30 con *guisa*).

No es tarea fácil descubrir las razones que presiden esta competencia vacilante que se entabla entre ambos términos para la formación del nexo de carácter consecutivo; los sucesivos rechazos de *manera* pueden responder, en parte, al estilo arcaizante, poco amigo de cambios e innovaciones, de determinados autores u obras, pero para una caracterización sintáctica necesitaríamos el apoyo de otros muchos hechos de esta naturaleza.

2.3.2.2. No es posible tampoco establecer una relación clara con la utilización de las preposiciones; aunque *de* es dominante en todas las épocas —y en muchos casos exclusiva— no faltan hechos discordantes, como la obra de Don Juan Manuel (en donde la más frecuente es *en*) o la *Cron. D. Pedro* (27 casos de *en* por sólo 3 con *de*) (16). En ocasiones se aprecia una cierta afinidad con determinados sustantivos; en *Zifar,* por ejemplo, mientras *guisa* siempre va precedido por la preposición *de,* con *manera* se prefiere *en* (8 casos, por sólo dos con *de*). En la época de la *Celestina,* como ya hemos dicho, sólo pervive *manera,* siempre con *de.*

2.3.2.3. En *Ultramar* encontramos, además, el sustantivo *forma* (17) varias veces usado, con Indicativo y con Subjuntivo

> así que, toda la villa fue cercada en derredor, *de forma que* no podia ninguno salir ni entrar sino de parte del lago, que era á la parte de occidente (Ultram. I, CCXXIII 129a). E cuando la hobie-

> ron muy bien trabado de madera, *de forma que* no pudiese caer á los que la sosacaban, metieron mucha leña é... (íd. I, CCXXVII, 132a);

y en alternancia con las demás correlaciones:

> á tanto pugnó en lidiar con ellos, hasta que le retrajeron cabe una peña, é de allí adelante non habia ninguno dellos que á él se osase acostar, pero tirábanle de léjos dardos é saetas, *de manera que* le mataron el caballo, de que hobo muy gran pesar; é entonce subió un poco arriba por la peña, é paróse allí, é trabajó de se defender, é ellos tiráronle saetas é dardos muy fieramente; *así que,* le horadaron el escudo en muchos lugares, é hiriéronle con un dardo por el costado, é llagáronle muy mal, *de forma que,* si non fuese por el lorigon, hobiéranle muerto (íd. II, CCLVI, 315b).

No es ésta la única peculiaridad de *Ultramar,* obra que para R. Menéndez Pidal es de h. 1293 (18) y que P. Groussac (19) y G. Paris (20) sitúan, sin precisar más, en el siglo XIV. Como vimos, en ella se encuentran los dos únicos casos de correlación discontinua con *manera* (2.2.5.); y en ella se hallan los pocos casos en que *de manera,* pese a ir seguido de *que,* forma parte sintácticamente de la principal (2.2.3.1.) (21).

2.3.2.4. Los recuentos anteriores confirman, una vez más, la afirmación de A. Meillet (22) acerca del desgaste expresivo de las unidades gramaticales y su constante renovación. Las lenguas siguen un tipo de desarrollo en espiral: para obtener una expresión intensa acuden a nuevas palabras o grupos de palabras; éstas se debilitan, se degradan y terminan convirtiéndose en meros útiles gramaticales; vuelve a acudirse a nuevos términos, que terminan debilitándose, etc.

2.3.3.1. El hecho de que los miembros de la correlación se sucedan en la frase no significa, por sí solo, que pueda hablarse de su gramaticalización como nexo; la locución preposicional puede formar parte sintácticamente de la principal

> et aquexaron lo *de guisa quel* fizieron foyr e tornar contra su tierra (Gen. Est. Seg. Part. I 116a-18); é apremiáronle *de guisa, que* se hobo de avenir con ellos en tal manera que se fuese de la tierra (Ultram. IV, CCCIII 617a); fincaron sus tiendas en derredor de Damiata, é cercáronla *de guisa, que* ninguno non pudo salir nin entrar en la cibdad (íd. IV, CCCXIV 621) (23); encantola *de guisa que* la enveleño (LBA, S 918); sopieron obrar *en guisa que* salvaron las almas et aun fueron sanctos (Lucan. 5.ª parte, 303).

Con *manera:*

> El Conde, cuando esto vió, fué á él, é aquejóle *de manera, que* gelo fizo dejar (Ultram. II, CCLV 314b); hirió al primero *de manera, que* lo mató (íd. II, CCLVI 315a).

2.3.3.2. Estos casos no se diferencian de lo que hemos estudiado como correlación discontinua más que en la sucesión inmediata de los términos correlativos. No cabe duda, sin embargo, de que la fijación del orden favorece el proceso de gramaticalización. Por otro lado, al desconocer nosotros las marcas suprasegmentales correspondientes (entonación, pausas), la correlación no siempre se nos revela con claridad en un sentido

> alli le affinco el mal *de guisa que* quedaron que luego a la ora se morrie (Cron. Gen. 661b-37); e boluies ell agua e enturuiaua se *de guisa que* se fazie lodosa (Gen. Est. Prim. Part. 373a-28).

2.3.3.3. Conviene tener presente que no siempre la proposición calificada de principal admite la posibilidad de que el sintagma preposicional que sirve de antecedente en la correlación se integre en ella.

2.3.3.3.1. Sólo hemos registrado un caso en que *de guisa* siga inmediatamente a *ser* atributivo

> e son de guisa que non han saber (Bonium 354).

ya que en

> ovo desabenencia entre aquellos dos señores con quien bivían el padre et el fijo, et fue en guisa que obieron de lidiar en uno (Lucan. 5.ª parte 294).

ser 'suceder' (24).

Con verbos como *haber* ocurre lo mismo

> E andando anbos a pie, ouieron su batalla muy fuerte e muy grande, de guisa que les non escapaua lança que non fuese toda pieças (HTroy 70); ovo grand calma en la mar, en guisa que non ventaba... (Cron. D. Pedro, XVI 497a).

Cuando la principal es de carácter atributivo, *de guisa que* es un nexo gramatical de valor cercano al ilativo

> el niño era de buen engeño e de buen entendymiento, de guisa que antes que llegase el plaso aprendio todas las sciençias (Sendebar 12); a los mas de toda la hueste andauan todos sangrientos, que de su sangre, que de la de los otros, de guisa que les era muy graue de sofrir (HTroy 82).

Con frecuencia el atributo se halla intensificado mediante *muy (mucho),* y en ese caso *de guisa* (o *de manera*) confluye con el sentido de *tanto* desplazado (25)

> y este fue Gerion, y era gigante *muy* fuerte e *muy* liger, de guisa que por fuerça derecha auie conquista la tierra e auien le por fuerça a dar los omnes la meatad de quanto auien (Cron. Gen. 9b-22); fue un dia la lit entrellos *muy* fuert, de guisa que en cabo los romanos no lo pudieron soffrir (Cron. Gen. 30a-53).

También en estos casos la correlación normal de intensidad «tan fuerte que» revelaría una mayor elaboración sintáctica. Por el contrario, la solución tomada refleja la marcha más lenta del pensamiento: el relieve se consigue mediante *muy,* y la consecuencia se presenta como añadida a la primera proposición.

> esto fue por una sabiduria que yo fallo en furtar, e esto era cosa *mucho* encobierta e *muy* sotyl, de guisa que non sospechava alguno de mi, nin me tenian por malfechor (Calila B 26-472); e esto, señora, non sera syn guisa nin syn rrazon, ca uos

sodes muy fermosa, de guisa que non fallaredes par (HTroy 151).

Las palabras brotan muchas veces obedeciendo a impulsos afectivos espontáneos

> E por la respuesta que ellos le fizieron, *entendio que era la mezcla muy grand quel auien fecho,* de guisa que se temio de muerte (Cron. Gen. 52a-13).

La ordenación lógica

entendio	*que*	*la*	*mezcla*	*que-*	*l*	*auien*	*fecho*	*era*	*muy*	*grand*
1	2	3	4	5	6	7	8	9	10	11

está muy lejos de la aquí realizada, en que sólo permanecen juntos los grupos inseparables: 1 + 2 + 9 + 3 + 4 + 10 + 11 + 5 + 6 + 7 + 8.

2.3.3.3.2. La propia estructura sintáctica de la principal puede bloquear tal posibilidad. Así, con un verbo como *hacer* /+ tr/, el objeto directo puede constituir un obstáculo para la integración del antecedente en la principal.

> et fazien les grand danno de manera que ant ellos no osauan enuiar so poder a Espanna (Cron. Gen. 19a-26) (26); fazia en ellos muy grand mortandat, de guisa que mato desa vegada, que de espada, que de lança, diez y seys caualleros (HTroy 163).

Sin embargo, si es una forma pronominal átona, o un neutro, la que funciona como tal, lo normal es lo contrario e façer lo he guisa que ninguno non te podra contrallar en todos los dias de tu uida (Gen. Est. Seg. Part. I 7a-13); é ellos hiciéronlo de manera, que todo hombre que lo viese entenderia que lo trabajaban bien de corazon (Ultram. I, CCXXV 131a) (27).

Igualmente en construcción pasiva

Et era fecho de manera que de poco quel tanxiesse, podria sallir de la vayna e ferir (Gen. Est. Seg. Part. II 383a-15) (28).

Hacer puede funcionar como /– tr/, si bien con evidente alteración semántica ('actuar, obrar')

Mas cada que vos confersardes, si el confessor fuer bueno et entendudo, él fará en guisa que en qualquier manera que ayades caýdo en qualquier destos pecados, que él vos dará consejo (Lib. Cab. XXXVIII 45-170).

2.3.3.3.3. Con cualquier subclase de verbos, la presencia de algún término o locución adverbial de carácter modal suele impedir que *de guisa* se integre en la principal

estudo *assi* un gran tiempo de guisa que el padre iua enuegeciendo (Cron. Gen. 11b-21) (29); et aun esso que daua fazie lo *de mala uoluntad,* de guisa que se non pagaua Dios con ello (Gen. Est. Prim. Part. 8b-14); e daua de lo suyo *granadamente,* de guisa que non auia ninguno en la çibdat onde el era mas aconpañado que el (Zifar 18).

2.3.3.3.4. El mismo bloqueo se deriva de la existencia de algún intensificador absoluto

> E Galieno desque fue moço hovo gran sabor de aprender el saber demostrativo, e pugno *muy mucho* de lo haver de guisa que cuando venia de casa de su maestro, el venia por la carrera estudiando en lo que havia aprendido (Bonium 351). E cresçieron por eso mas ayna e esforçaronse *mucho,* de guisa que lo entendio el rrey, e amo mas por ende a Catra (Calila B 264-4371); et de que la culebra entendió que ła muger mentiera de una parte, et yva consintiendo en su mal consejo, afincóla mas en guisa quel fizo conplir el pecado (Lib. Est. XXXIX 56-15) (30).

Algunas locuciones adverbiales con *muy* se convierten en auténticos clichés

> començo a ferir en los griegos *muy de rrezio* con toda su conpaña, de guisa que los echo del campo por fuerça e yua faziendo muy grand dapño en ellos (HTroy 24); comenzólo á abrir *muy de récio,* de manera que si otro hobiera que le ayudara, fuera aquel lugar abierto (Ultram. I, CCXXVI 131b).

2.3.3.3.5. Tampoco es posible su integración en la primera proposición si ésta es una estructura comparativa

> fueron los godos mas sabios que todas las otras yentes estrannas; de guisa que, segund cuenta un sabio que dixieron Dio, querien semeiar a los griegos en saber (Cron. Gen. 217b-51) (31). E

> por eso se trabajaban en hacer mal é daño á los de la villa cuanto ellos mas podian; de guisa que de dia ni de noche no les daban vagar (Ultram. I, CCXXIII 130a).

o consecutiva de intensidad

> aquel bollir fizo se con grand fuerça de fuego et con muy grand ardor, tanto que firuio la mar de cerca della, et crecio ell agua, firuiendo con tan fiero calor que quemo las pennas que estauan a derredor, de guisa que desfazien depues cuemo se desfaze la piedra quemada quandol echan ell agua et se torna en cal (Cron. Gen. 52b-17).

Esta sucesión de ambos subtipos de consecutivas se nos ofrece con extraordinaria frecuencia, especialmente en textos narrativos e históricos (Cron. Gen. 66b-31, 71a-10, 94a-45, 122b-7, etc.; Gen. Est. Seg. Part. I 15b-1; HTroy 36, 37; 70, 88, 180, etc.), y la correlación de manera sirve en muchos casos de «puente» para volver a la consecutiva de intensidad

> E pero con todo aquesto nunqua Julio Cesar *tantas* batallas ouo ni *tantos* embargos, ni ouo *tanto* de ueer *que* dexasse de leer ni de estudiar noche ni dia, et de aprender muy de coraçon, *de guisa que tanto* apriso en griego et en latin, que fue ffilosopho (Cron. Gen. 94a-45).

En ocasiones llegan a fusionarse ambas modalidades en una estructura anómala en la que el nexo de manera funciona como correlativo de un antecedente de intensidad.

> ¡Commo te has omiziado comigo *tan* mal *de guisa que* nunca avra entre mi e ty amor ni paz ni sosiego! (Calila B, 211-3516) (32).

2.3.3.3.6. En todos los casos que —a título de ejemplos de una casuística más complicada— hemos considerado en los párrafos anteriores, se hace necesario acudir a un elemento coordinante si *de guisa* (o *de manera)* se aplica al verbo principal.

> e començaron le ya mucho a maltraer, *e* de guisa que otrossi el non lo podié ya bien soffrir (Gen. Est. Prim. Part. 107b-21).

2.3.3.3.7. La cuestión, con todo, desborda los límites de la sintaxis; ni siquiera puede afirmarse que la semántica sintáctica pueda y deba llegar tan lejos. Las restricciones que hemos considerado —derivadas de los rasgos de subcategorización del verbo o de la propia estructura sintáctica de la oración— no constituyen, al menos en su mayor parte, reglas gramaticales rigurosas. La función de la correlación depende en muchas ocasiones de la relación significativa existente entre una y otra proposición. Un verbo como *morir* puede aceptar perfectamente una modificación modal; pero la significación global del período impide que *de guisa* pueda referirse a él en

> A poco rato perdió el lombardo la fabla, et murió, en guisa que non fizo nada de lo que avía mester para su alma (Lucan. ex. 14, 106).

Y lo mismo sucede en los siguientes ejemplos:

> E pesava la su vianda de guisa que non era un

> tienpo sano, nin en otro enfermo, nin en un tienpo gordo... (Bonium 132). E este establesçimiento fue sienpre guardado en aquel regno, de guisa que cada vno fue señor de lo que auia e fueron anparados e defendidos cada vno en su derecho (Zifar 378).

2.3.3.3.8. La existencia de algún signo de puntuación en las ediciones de los textos utilizadas puede orientar en un sentido o en otro

> esta olor nos confonde, de guisa que los mejores e los mays fuertes de nos son ya mas fracos por ello e valen todavia menos en la batalla (HTroy 119); començaron a maltraer a los troyanos, de guisa que falsaron muchas armas e mataron e derribaron muchos dellos e arredraronles malo su grado de las tiendas (HTroy 175);

aunque no siempre sea un dato fiable. Por otra parte, con un mismo verbo, en contextos sintácticos paralelos, se presentan todas las posibilidades: el signo de puntuación separa los elementos de la posible correlación, está colocado delante de la misma o no existe. Veamos unos ejemplos:

> una gran piedra que le tiró el trabuquete *heriólo de guisa, que* le hizo dos pedazos (Ultram. I, CCXXIII 130a); *hirió* al primero *de manera, que* lo mato (íd. II, CCLVI 315a); mas entrando el, *ferio* el puerco a(l) cauallo en la mano diestra, *de guisa quel* fizo caer con el enperador (Zifar 465); e un dia amaneciente, fueron todos *ferir* en la flota *de guisa* que los mataron e los prisieron

todos e ouieron tod el nauio (Cron. Gen. 21b-9); e *ferio*lo *de guisa quel* fizo perder la silla (HTroy 44).

2.3.3.3.9. La coincidencia con inicio de verso es, en este sentido, más relevante

> Dissieron los matines, ficieron complimiento,/ de guisa que podrié Dios aver pagamiento (Mil. 299c); fízolo encender el locco peccador,/ de guisa que echava sovejo grand calor (íd. 362c).

2.3.4.1. Un hecho se desprende como seguro: la posibilidad de que una locución de manera aparezca como verdadero antecedente de *que* va haciéndose cada vez más rara, hasta terminar por desaparecer. La autonomía de los miembros de la correlación es cada vez menor, y ésta se constituye en mero nexo gramatical. En este proceso la fijación del orden continuo es un paso importante, aunque no signifique siempre por sí solo su gramaticalización.

Sintácticamente, su funcionamiento como nexo implica un debilitamiento de la trabazón de subordinación entre las dos proposiciones que une. En contrapartida, su carácter cercano al valor ilativo (33) lo hace útil para la expresión de un sentido simultáneamente causal y consecutivo

> su propiedat es que faze pro a los males que se fazen de grant calentura, de guysa que el que la tiene en la mano siente grant friura, et tiene en el toda uia oio et non puede partir oio del (Porid 74). E allego la ley que el puso a los orientes de la tierra e a sus oce-dientes e al

> setentrion e al meredion de guisa que non finco omne en la tierra que se non guiase por ella (Bonium 164); maltroxol Juppiter, cal firio e cortol unos miembros de su cuerpo, de guisa que non finco Saturno de seer pora fazer fijos nin auer casamiento (Gen. Est. Prim. Part. 72a-44).

2.3.4.2. Muchos tratadistas prefieren hablar en estos casos de coordinación, aunque con evidentes vacilaciones. No creemos que la cuestión deba limitarse a la oposición fijada tradicionalmente entre parataxis e hipotaxis, ni pensamos que tal punto sea de importancia capital; nos ocuparemos del problema en el capítulo 5. En todo caso, la independencia de ambas proposiciones en gran parte de los ejemplos hace que no pueda hablarse de subordinación gramatical en el sentido clásico. Los términos *ilativo* y *continuativo* (34) reflejan con acierto esta clase de relación sintáctica, ya que muchas veces se limitan a ser vagas indicaciones de continuidad e incluso simples «muletillas» o elementos de relleno (35).

2.3.4.2.1. En las ediciones de los textos manejadas, tal independencia se refleja por medio de los signos de puntuación; y aunque el más usado es la coma —según hemos podido comprobar—, se encuentran con frecuencia otros que revelan una pausa más marcada:

> Dize el cuento que ouo y vn rey codiçioso que arrendo el ofiçio de la justicia por vna quantia de auer quel dieron; *de manera que* quando dauan al ofiçial aquellos que eran judgados para morir, que los maṭasen segunt eran judgados (Zifar 376); e demas fizoles muchas onrras a sus bodas.

> *De guisa que* por este fecha que fizo, todos los parientes del nouio e de la nouia guisaron que todos los mas e los meiores omnes dEspanna se uinieron pora el (Cron. Gen. 22a-44).

2.3.4.2.2. No puede extrañar, pues, que las versiones de sintaxis menos elaborada se decidan muchas veces por la simple coordinación

> e apoco el agua *de guisa que* se secaron las fuentes e ovieron los elefantes gran sed (Calila B, 205-3426); e menguo el agua en aquella tierra, *e* secaronse las fuentes (íd. ms. A 3137). E en aquella tierra avia muchas liebres, e estraganan-las los elefantes con sus partes dentro en sus cuevas *de guisa que* morieron las mas dellas (Calila B 206-3433). E avia en aquella tierra muchas liebres, e estragaronlas los elefantes con sus pies dentro en sus cuevas, *e* murieron las mas dellas (íd. ms. A 3144).

2.3.4.2.3. En cuanto nexos de carácter ilativo, estas locuciones alternan con *así que* —que será estudiado en el capítulo 4— y la distribución no parece obedecer en muchos casos más que a razones estilísticas:

> Cuando esto vieron los moros, fueron mucho espantados; mas cuanto á ellos pesaba, tanto placia á los de la hueste, é se esforzaban mas en estorbar la torre; *así que,* mucho ahína hobieron sacado los grandes cantos que en ella había, *de manera que* la pusieron en piés de madera. E cuando la hobieron muy bien trabado de madera, *de forma que* no pudiese caer á los que la

> sosacaban metieron mucha leña seca [...], é cayó la torre, é con el golpe hizo tan grande ruido, que parecia que toda la tierra se fendia; *de manera que* no hobo hombre, fuera ni de dentro, que no hobiese gran miedo... (Ultram. I, CCXXVII 132a); *assy que ...de guisa que* (Cron. Gen. 565b-26); *en manera que...de guisa que...así que* (Ultram. I, CCXXIII, 130a); *de manera que... así que...de forma que* (Ultram. II, CCLVI 315b); etc.

2.3.4.2.4. Este valor ilativo de los nexos que consideramos sólo puede ofrecerse con Indicativo, y prácticamente no hay restricciones por lo que se refiere a la correlación temporal. Sin embargo, el Subjuntivo dispone de usos independientes —de diferente carácter— que es posible encontrar también

> Si esso es verdad, ¿de quien mejor se puede tomar vengança? De manera que quien lo comio aquel lo escote (Celest. XV, 252).

2.3.4.2.5. La lengua clásica y moderna hará uso extenso de estas y otras fórmulas de carácter ilativo; a veces llegan a utilizarse para iniciar parlamento, como un mero fósil gramatical de función fática:

> De manera (de modo, así...) que no vienes ¿no?

De la subordinación a la mera ilación se pasa por grados insensibles. El grado de independencia entre las proposiciones es, a la vez, una cuestión gramatical y semántica, según hemos podido comprobar en las páginas precedentes y volveremos a ver en los próximos capítulos.

2.4. LOS NEXOS DE MANERA CON SUBJUNTIVO

Con Subjuntivo, la situación de ambos sustantivos es semejante a la ya considerada con Indicativo. Mientras *guisa* es frecuente desde los orígenes del idioma —aunque en alguna obra no aparezca, como *Ultramar*—, *manera* aparece, y tímidamente, en la época alfonsí, y sólo es utilizado por los textos en prosa (36). He aquí algunas cifras comparativas que nos proporciona nuestro material: *Calila* 8 *guisa*/2 *manera; Cron. Gen.* 17/7; *Gen. Est.* 29/2; *Sendebar* 3/1.

No se presenta *manera* en *HTroy* ni en *Fl. Derecho.* Parece triunfar, en cambio, en otras obras: *Casts. e docs.* (2 *guisa*/4 *manera), Zifar* (1/2), *Ultramar* (0/7). Pero las obras de *Don Juan Manuel* (28 guisa/8 manera) y *Cron. D. Pedro* (10/3) representan una nueva regresión, si bien no un desuso total, como ocurría con Indicativo.

Por lo que se refiere a las preposiciones utilizadas, sólo razones de tipo estilístico parecen presidir la pugna entre *en* y *de* (37). *En* es preferida con el sustantivo *manera,* y sigue siendo exclusiva en los autores y obras en que ya lo eran con Indicativo (D. Juan Manuel, Cron. D. Pedro, etc.).

2.4.1. PREPOSICION + {GUISA, MANERA} ...QUE + SUBJUNTIVO

2.4.1.1. Como correlación discontinua su uso es escaso, y casi siempre el Subjuntivo viene obligado por la modalidad de la principal. Es lo que ocurre, por ejemplo, si ésta es de carácter exhortativo o negativa

> *de guisa sea* uuestro temor en sos coraçones *que* cuyden o quier que sean que auedes oios que

> uean todos los sus fechos (Porid. 40); *faz en guisa* tu fazienda *que* ellos ayan menester a ti e tu non a ellos (Casts. e docs. XXXV, 165). Maguer uos conuiene, sen(n)or, que seades sofrido e mesurado contra los auogados, *enguisa* lo *deuedes fazer que* gardedes todauia uestra ondra e uestra honestidat (Flor. Derecho, II, II).

2.4.1.2. El Subjuntivo en la principal puede deberse a que ésta es, a su vez, dependiente de un verbo que así lo exige. En estos casos, el Subjuntivo en la consecutiva es modo de la subordinación, sin que implique valor subjetivo de intención o deseo por parte del hablante de influir en la acción del sujeto del verbo dependiente (38)

> mandó que (...); e el parient que fazer lo pudiesse, que de guisa lo fiziesse que non quisiesse ueer asu parient lazrar en poder de agena ley, nil dexasse y (Gen. Est. Prim. Part. 584b-48).

2.4.1.3. Sólo si la principal utiliza el Indicativo, la consecutiva en Subjuntivo implica la intervención afectiva del hablante y está presente el rasgo /finalidad/

> sy yo el vuestro amor ganare, de guisa lo guardare, que nunca ayades de mi que rretraer que uos fago tuerto nin cosa que vos en pesar caya (HTroy 151); é cabalgó en un caballo muy bueno é muy ligero, que no lo habia mejor en toda Turquía, é tal, que por correr doce leguas nunca cansaba, é amenazaba á los cristianos que si los alcanzase, *de manera* haria en ellos *que* le conociesen (Ultram. II, CCLX 318a) (39).

2.4.2. PREPOSICION + {GUISA, MANERA} + QUE + SUBJUNTIVO

2.4.2.1. El Subjuntivo, ya lo hemos dicho, como modo de la subordinación puede venir exigido desde la principal. Tal ocurre, insistimos, cuando la principal es de carácter performativo.

2.4.2.1.1. Con las formas verbales de imperativo:

> ordena tu facienda en guisa, que el sueldo sea bien pagado á las tus compañas (Tr. Nobl. XXXV, 202); echad todos las manos en el et prendetle et recabdable en guisa que non uos salga de mano (Cron. Gen. 350b-30) (40).

2.4.2.1.2. Con *que* + Subjuntivo presente:

> e si Johan de Gragera quisiere alçar obra alguna en sos cosas, que alçe sobre lo suyo e de guisa que non faga danno ninguno en la pareth (R. M. Pidal, Docs. 178, p. 229). Et que se uista mui bien et de buenos pannos de guisa que sea estremado de todas las yentes otras (Porid. 37).

2.4.2.1.3. Otras fórmulas exhortativas:

> *conviene* al sesudo [...] *que* le denuncie enxenplos e estorias que acaescieron en tal fecho commo aquel por tal que le desvie de aquel fecho, enpero de guisa que non entienda que lo dise por el (Bonium 324) (41). Otrosí *debe guardar* que non pongan mucho su voluntad en otra mujer ninguna, en manera que se pueda, ende, seguir pecado (Lib. Est. LXVI, 103-10). Amigos, *ha mester*

> *de* consejo tomar,/ de guisa que podamos tal fuerça (rencurar) (F. Glez. 297c); *cumple ordenar* bien tus fechos en manera que seas onrado, é tu fecho, é sennoría vaya adelante (Tr. Nobl. XXVII, 200).

2.4.2.1.4. El futuro romance no es más que la gramaticalización de una perífrasis obligativa con *haber*, y es fácilmente explicable su carácter exhortativo:

> *Cortarás* todos tus pecados con la penitencia en manera que non quede ninguno (Casts. e docs. BAE, 151b-3); dizen que el que alguna cosa quiere mostrar, que lo á dezir en manera que plega con ella a los que la an de aprender (Lib. Cab. XXXVII, 38-12).

2.4.2.2. Lo mismo sucede si la principal es negativa:

> pero no estaua bastecido de guisa que mucho le pudiese tener (Cron. Gen. 569a-4); avnque fue derribado, non fue ferido de guisa que le feziesen laga ninguna (HTroy 40).

Performativa y negativa a la vez es en:

> e non deue el rey con su palabra asacar mal a ninguno en manera que pierda por ello aquel a que lo asaca e que asaque falso testimonio (Casts. e docs. XI, 86).

2.4.2.3. Si la principal es, a su vez, una frase dependiente en Subjuntivo, pueden presentarse dos correlaciones temporales:

a) *Presente Subjuntivo-Presente Subjuntivo*

> mas yo nunca folgare fasta quel *de* a beuer de la vuestra tanta quanta ella *quiera,* de guisa que non *finque* en vos ninguna (HTroy 167); conséiovos yo que *çerredes* el oio en (e)llo, pero en guisa que lo non *faga* tantas vezes, dende se vos siga daño nin vergüença (Lucan. ex. 13, 104).

b) *Imperfecto -SE – Imperfecto -SE*

> empero non quiso que *fincasse* la tierra sin omnes de so linage, en manera que por los que el y dexasse, *fuesee sabudo* que el la ganara (Cron. Gen. 10b-52). E yo entre e rrogue a Dios que las *feziese* fablar, de guisa que me podiese rrazonar con ellas (Calila B, 346-5787).

Puede depender de una proposición final:

> e encerro alli al fijo apartado con pocas amas e su ayo que pensasen del, *por que* las yentes nonlo *oyessen* fablar de guisa que pudiessen entender que era sin sentido (Gen. Est. Prim. Part. 102a-16).

2.4.2.4. El rasgo /+ finalidad/ aportado por el Subjuntivo se encuentra, más o menos patente, en la mayor parte de estos casos.

> Yo soy muy viejo e non oyo bien, e allegadvos a mi de guisa que vos oya (Calila B, 210-3498) (42).

Pero el hecho de que en la lengua se produzcan

sincretismos sintácticos (*de guisa que-para que,* ambos con Subjuntivo) importa menos que los rasgos específicos y diferenciales de cada nexo. La libre alternancia no es posible en muchos contextos sin que el valor de la relación se altere en mayor o menor grado

> mezclemos gele de guisa que, mager que se oyan, que se non entiendan aun que esten muy cerca unos dotros (Gen. Est. Prim. Part. 43a-24). E cuando dixere cada uno de nos tal rrazon escuselo otro por guisa que le fagamos conplymiento de buena voluntad (Calila B, 101-1788) (43). Et si fuere de grant guysa, sea su escarmiento en alongarlo de si fasta que se escarmiente de guisa que non lo faga mas (Porid. 39).

2.4.2.5. Valor final y modal-consecutivo suelen acumularse, pues, en este nexo con Subjuntivo

> querian que la vuestra ordenanza fuese muy buena en guisa que los vuestros vasallos non oviesen de aver temor de vos (Cron. D. Pedro XXXII, 455b); les rogaba que quisiesen facer é dar recabdo por él al dicho Principe en guisa que fuese contento de las pagas que le prometiera (Cron. D. Pedro XVIII, 562a).

La transformación infinitiva es frecuente

> la primera destas ssiete, que es dicha enz, quiere tanto dezir commo sser la cosa en manera que puedan della e en ella e con ella ffazer lo que quisieren (Seten. ley XI, 38); la mejor vengança que el ome del puede auer es esta, comerlo

> todo, de guisa que non finque del rastro ninguno (Zifar, 21);

aunque no era obligada en casos en los que sí lo es para la lengua moderna

> Et porque non se pudieron avenir en otra manera, acordaron todos tres que se armassen muy bien, et que llegassen fasta la puerta de Sevilla, en guisa que diessen con las lanças a la puerta (Lucan. ex. 15, 109).

2.4.2.6. Dependiendo inmediatamente del verbo *hacer,* el nexo con Subjuntivo tiene el mismo valor que el *ut* latino, el cual de ser en un principio una partícula indeterminada tuvo en estos casos la misión de introducir la completiva:

> Fas en guisa que la aya, e yo te dare quanto tu quisieres (Sendebar, 38); fazet en guisa que el peligro et la lazaria nueba vos faga olvidar lo passado (Lucan. ex. 37, 197); haz de manera que en sólo verte ella a tí juzgue la pena que a mí queda (Celest. II, 63) (44).

Este uso, según hemos podido rastrear, llega por lo menos hasta la obra cervantina

> asi que yendo dias y viniendo dias, el diablo que no duerme, y que todo lo añasca, hizo de manera que el amor que el pastor tenia a la pastora se volviese en homecillo y mala voluntad (Quijote, I, 20).

Al mismo tiempo *hacer* puede aparecer con su valor transitivo normal:

pero facello de guisa que non sean mucho allegados auos nen mucho familiares, ca de grande allegancia e familiaridat nace despreciamiento de la dignidat (Fl. Derecho. I, I); non lo pueden fazer de guisa nin encobrir que non fagan de sy fablar e non sean ende posfaçadas (HTroy 153).

2.4.2.7. Cuando la oración principal emplea el Indicativo, el nexo de manera con Subjuntivo adquiere un valor final-modal.

2.4.2.7.1. En este caso los pasados de Indicativo suelen pedir la forma -SE en la subordinada

et ataron los [los odres] en uno, e guisaron gelos de guisa que pudiesse ell yr alli entrellos, de manera que se ayudasse bien de los pies et de las manos cuemo era mester pora nadar (Cron. Gen. 59a-17). Zuleman [...], desque supo la venida de los cristianos trabajó en ayuntar parientes é vasallos é amigos, é basteciòse de manera que pudiese defender á sí é á su tierra (Ultram. I, CCXVIII, 126b).

2.4.2.7.2. Las formas no pretéritas reclaman el Subjuntivo presente en la subordinada

en medio de Casty(e)lla dar te (he) vna çibdar,/ de guisa que la ayas syenpre por eredat (F. Glez. 642c); á uos guardaruos hemos de guisa que non ayades ninguna laseria (Guillelme 188). Yo le enseñare de manera que ninguno non sea mas sabidor quel (Sendebar 8); damos auos donna Berenguella Lopez (...) e con todos quantos de-

> rechos nos y auemos e deuemos auer, tan bien pan e dineros e monedas como otros pechos quales quier que nos echemos en la uuestra tierra, en guisa que nos no podamos y demandar nenguna cosa por razon de pecho (R. M. Pidal, Docs. 140, 181).

2.4.2.7.3. La alteración de estas correlaciones es más bien rara, e implica una mayor independencia entre las proposiciones así como el cambio de perspectiva temporal del hablante

> ca yo cerque la su sabencia de fuertes muros de guisa que non se entremetan della los nescios (Bonium 248).

2.4.2.7.4. El nexo de manera puede alternar con otros de sentido claramente final

> é esto facian por destruirlos, de manera que no quedase ninguno en la tierra é que la hobiesen todos de desamparar por fuerza (Ultram. I, XII, 7a). La setena, ssabiéndola endereçar, quando sse dannaua, en manera que non rreçibiessen dando della, e guardarla que sse non dannase (Seten. XX, 51);

y constituye una de las posibilidades de traducir el UT latino de valor final; así

> los fechos de Espanna faze manifiestos en este libro, en guisa que cada cual pueda saber por el muchas cosas venideras (Cron. Gen. 2-24);

traduce los versos latinos

> Hesperie gesta dar in hoc libro manifesta,/ Ut ualeat plura quis scire peripsa futura.

2.4.2.7.5. Aunque también puede ocurrir que prevalezca el sentido modal; en este caso *de manera que no* puede terminar por ser fórmula equivalente a *sin que* (45)

> entrose en su casa en guisa que non lo viese la muger (Sendebar 18); puso con él de yr un día de grand mañana con él a los catar en manera que non lo sopiesse ninguno (Lucan. ex. 21, 128).

Lo mismo ocurre, como veremos con *así que no + Indicativo* (46).

2.5. RECAPITULACION

2.5.1. Las proposiciones tradicionalmente denominadas *adverbiales* —grupo en el que suelen ser incluidas las consecutivas— se explican por la función de este carácter que desempeñan. El moderno enfoque generativo-transformacional piensa que muchos adverbios son resultado de una transformación (47). Y aunque la categoría Adverbio está constituida por términos bastante heterogéneos y la historia transformacional sería diferente en cada caso (48), parece claro que por debajo de los adverbios llamados «de modo» subyace un sintagma preposicional en el que se integra una proforma nominal con ese rasgo semántico (49): *DE + Det + ProfN + SAdj*

> actuó de una manera [la manera era ridícula]
> ——→ actuó ridículamente (50).

La transformación adverbial consiste, pues, en que dicho sintagma preposicional se coloca, en la forma sufija *-mente,* tras el adjetivo; si éste posee variación formal de género, se presentará siempre como /-masc/.

Esta transformación afijal no es obligatoria ni es la única; por un lado, la lengua dispone de otras posibilidades (*habla bien, habla bajo, me sentó fatal,* etc.), y, diacrónicamente, *guisa* aparece en el siglo XIII convertido en un verdadero sufijo adverbial, con el mismo valor que *-mente (fieraguisa).*

2.5.2. El sintagma adjetivo puede tener una realización oracional (proposición relativa); si la proforma nominal lleva un actualizador /+ def/, como en *lo hizo de la manera que te gusta* es opcional la transformación en superficie del adverbio comparativo de modo: *lo hizo como te gusta* (51). En la lengua medieval, al lado de

> otrossí la ffantasía ffaz entender muchas maneras de opiniones desaguisadas al omne e que non sson *de la guisa que* él cuyda (Setenar. Ley XV, 48);

era posible *de guisa* (sin artículo)

> et enbiaual reptar que fiziera muy mala cosa en echar la cabeça de su sennor en la laguna, et el cuerpo en el muradal, et soterrarle *de guisa quel* soterraron (Cron. Gen. 568a-16) (52);

e incluso en correlación con *como:*

> De guisa va mio Cid commo si escapasse de arrancada (Cid 583) (53).

2.5.3. La comparación necesita, en principio, establecerse entre objetos o hechos actualizados. De ahí que, por una parte, *como* sea transformación opcional del grupo *de la manera que* (con presentador */a/+ def/*) (54), y, por otro lado, el que no sean posibles los futuros

> *lo hizo (hace, hará) de la manera que te gustará.

Se hace necesario acudir al modo de lo no realizado (el Subjuntivo): *lo hará de la manera que te guste.* El carácter /-concreto/ del Subjuntivo (vid. más abajo) neutraliza y anula el valor /+ def/ del presentador.

La estructura consecutiva, al contrario, necesita de la secuencia temporal de dos acciones, y no serían posibles

> *sucedió de manera que pensamos, *lo hizo de forma que dijiste, *lo hará de manera que tú prefieras (55).

2.5.4.1. El empleo del modo Subjuntivo plantea, como hemos visto, problemas que no son exclusivos de las oraciones que nos ocupan, sino que afectan a la subordinación en general. Es bien conocido que este modo es el más difícil de someter a análisis, el más «misterioso» —como ha sido calificado por algunos—, y por eso mismo el más rico en finos y delicados matices. Considerarlo esencialmente como modo de la subordinación, es decir, en dependencia respecto a otro verbo, no es exacto. No es fácil —quizá no sea posible— dar con la nota semántica decisiva que explique el empleo del mismo, por más esfuerzos que se hayan hecho en tal sentido; decir que el Subjuntivo es el modo de la duda, del deseo, de lo hipotético, etc., en suma, de la subjetividad, no es falso, pero tampoco es explicativo (56). No falta quien piensa que es vana tal labor, o engloban —así lo hacen los Bidois— los infinitos matices del Subjuntivo bajo una interpretación vaga e imprecisa, como «mode de l'énergie psychique» (57), lo cual les lleva a afirmar que el Subjuntivo, lejos de ser el modo de la subordinación, es, por el contrario, el modo independiente, plenamente autónomo, totalmente espontáneo y libre, del sentimiento y de la voluntad.

2.5.4.2. Esto no quita que en determinados contextos pueda manifestarse el rasgo decisivo que supone la utilización de uno u otro modo; es lo que ocurre, por ejemplo, en las frases relativas, en las que parece depender de la presencia o no del rasgo /concreto/ en el antecedente (58):

quieres /+ concreto/
lo que → / (en la mente del hablante)
quieras /-concreto/

una persona que lo sabe-sepa
algo que te gusta-guste
etc.

Por desgracia, quedan muchas cuestiones por estudiar en relación con los condicionamientos gramaticales o semánticos que expliquen los usos y valores del Subjuntivo en la oración compleja.

2.5.4.3. En el caso de los nexos que consideramos, la noción de finalidad que, en muchos casos, añade el Subjuntivo, tiene que ver con la interpretación del mismo como modo de la voluntad; implicación de un resultado que la voluntad quiere alcanzar. Y decimos «en muchos casos» porque —como hemos ido viendo— el Subjuntivo puede venir exigido en muchas ocasiones por la modalidad dominante en la principal (negativa, performativa, interrogativa, etc.), sin que se exprese finalidad.

2.5.4.4. Esto no es, ciertamente, decir demasiado, pero no estamos en condiciones de ir mucho más lejos; dijimos antes que el uso del Subjuntivo en lenguas como la nuestra, altamente desarrollada, está cargado aún de secretos, y muchos de ellos no pueden desvelarse teniendo en cuenta sólo un tipo de esquema oracional. Parece, pues, que el modo de la consecutiva deriva de la actitud mental del hablante: el Subjuntivo, si el resultado es querido, intencional; el Indicativo, cuando no se añade ninguna idea de finalidad o intención subjetiva.

2.5.5. Desde muy pronto —hacia la época alfonsí— la correlación camina hacia usos gramaticalizados. El proceso culminará en el valor meramente ilativo, del que nos ocuparemos con algún detenimiento en el quinto capítulo.

NOTAS

(1) Real Academia Española, *Gramática* § 432. En el reciente *Esbozo* se deja ya de calificar a *que* de relativo neutro, pero no se introduce ninguna otra novedad importante respecto a las ediciones anteriores.
S. Gili Gaya, *Sintaxis,* § 245.
R. Seco, *Gramática* p. 225.
F. Marcos, *Aproximación a la gramática española* § 19.4.2., que sigue hablando de *que* como «relativo neutro» gramaticalizado en su uso consecutivo.
Etc.

(2) *Sintaxis* p. 125.

(3) Cfr., para el francés, J.–Cl. Chevalier, Cl.-B. Benveniste, M. Arrivé, J. Peytard, *Grammaire du français contemporain,* Larouse, París, 4ᵉ. éd. 1968.

(4) Con esa u otra denominación. G. le Bidois et R. le Bidois, *Syntaxe du français moderne* §§ 1515 y 1522 hablan de *intensidad* o *grado* frente a *manera;* Wagner-Pinchon, *Grammaire du français classique et moderne,* 2ᵉ. éd. 1962, oponen *intensidad/no intensidad* (pero dentro de este segundo grupo estudian *de telle sorte, de telle manière,* etc., que nosotros preferimos estudiar aparte); Kr. Sandfeld, *Syntaxe du français contemporain. Les propositions subordonnées,* 1965, las divide según expresen *grado, manera* o ambas cosas simultáneamente; etc.

(5) Una vez más hay que recordar que no utilizamos aquí el término *consecuencia* como concepto lógico; en este plano las distinciones serían más complejas, pero sin que exista una correspondiente diferenciación de estructuras oracionales.

(6) *Grammaire des langues romanes. III Syntaxe,* París 1900, pp. 679 y sigs.

(7) *Gramática de la lengua castellana,* 11ª ed. Valladolid 1940.

(8) *Gramática histórica catalana,* Madrid 1952, pp. 398-399.

(9) La distinción no constituye ninguna novedad; ya E. Lerch, *Synt.,* separaba las correlaciones discontinuas de las que él

califica «conjunciones compuestas»; estas últimas sólo funcionan como enlace entre las dos proposiciones.

También la *Syntaxe* francesa de W. von Wartburg-P. Zumthor parte de la distinción esencial entre aquellos casos en que los dos elementos correlativos se hallan soldados *(soudés)* y aquellos otros en que dichos términos conservan una relativa independencia (vid. pp. 100 y sigs.).

Pero generalmente no se ha tenido en cuenta esta distinción.

(10) *Guisa* 'modo, manera', probablemente tomado por el lat. vg. del germánico occid. *wîsa.* Documentado desde los orígenes del idioma. En el siglo XIII aparece convertido en un verdadero sufijo adverbial, con el mismo valor que *-mente: fieraguisa* (J. Corominas, *DCELC,* II, p. 841).

(11) *Manera* < lat. vg. *manuaria,* fem. de *manuarius* 'manejable', de donde 'hábil, mañoso'. El femenino tomaría el sentido de 'maña, procedimiento hábil', y posteriormente 'modo adecuado de hacer algo' (Corominas, DCELC III, pp. 225-226).

(12) La preposición *en* no vuelve a aparecer hasta la prosa de D. Juan Manuel. En los demás casos siempre *de.*

(13) De ahí que en las versiones modernizadas de textos medievales haya que acudir a *de tal manera* («De tal manera airado y revuelto fue el mar», versión modernizada de Apol. 455a, col. Odres Nuevos, edit. Castalia) u otros antecedentes que implique relieve.

(14) De su alternancia y distribución con *así*

> E *de guisa* se reboluio la fazienda e *asy* lidiaron los troyanos tan fuerte, que todos los griegos dexaron el campo e fuxeron fasta las naues (Gen. Est. Seg. Part. II 137a-1);

nos ocuparemos más adelante (cap. 4).

(15) El caso

> ca yo uos digo que cras fasta hora de nona auredes acorro, en manera que uos uençredes el campo yl auredes (F. Glez. 519c-523);

corresponde a una de las lagunas que R. M. Pidal rellena valiéndose de crónicas posteriores.

(16) Esporádicamente se presentan otras, que serán señaladas en sus lugares respectivos; así, por ejemplo, *por* Calila B 164-2745 (v. nota 23).

(17) *Forma* <*forma* 'forma, figura, imagen, configuración; hermosura'. Semicultismo, 1.ª doc. Berceo. Aunque figura ya en las Gl. Sil. y en un doc. de 1206, Corominas piensa que no se puede estar seguro de que figurara en calidad de palabra castellana.

(18) R. M. Pidal, *Poesía árabe y poesía europea,* 1941, p. 77.

(19) P. Groussac, *Le livre des 'Castigos e Documentos' attribué au roi D. Sanche IV,* Revue Hispanique XV, 1906, 212-339.

(20) Gaston Paris, «La Chanson d'Antioche provençale et 'La Gran Conquista de Ultramar'», Romania XVII, 1888, 513-541; XIX, 1890, 562-591; XXII, 1893, 345-363.

(21) En época posterior, al lado de *forma* y *modo* (< *modus,* vid. J. Corominas, *DCELC* III, 397), se encuentran utilizados con mayor o menor frecuencia otros sustantivos.

(22) A. Meillet, «Le renouvellement des conjonctions» y «L'evolution des formes grammaticales», en *Linguistique historique et linguistique française.* París, 1965, pp. 159-174 y 130-148, respectivamente.

(23) Con la preposición *por,* casi insólita aquí:

> Si este dexas a vida, aviendote fecho tan gran pecado, atreverse an a ty tus mesnadas, e non averan miedo de tu justiçia, por gran pecado que te fagan, e ensancharse a tu fazienda *por guisa que* non lo podras emendar nin mejorar quando querras (Calila B 164-2745).

(24) Con artículo, *de la guisa que* 'como':

> ...non sson *de la guisa que* él cuyda (Seten. ley XV, p. 48).

(25) Vid. 1.4.2.

(26) En cambio, con *tal manera* y OD antepuesto

> Esta imagen hobieran fecho los sábios antiguos *por tal manera,* que cuando alguno de los veinte é cuatro hombres que estaban en las sillas juzgaban derecho tendia la imágen el brazo en señal de conceder (Ultram. I, LXXVI 43a).

(27) Id. con *tal manera*

> en lograr de facer á Dios fruto bueno é claro, fácenlo *en tal*

manera, que la mayor parte de las ánimas se levaba el diablo (Casts. e docs. BAE 151a).

(28) Con *tal manera*

es fecho *en tal manera* que viento nin agua non puede matar la lumbre (Lib. Est. LXX, 116-155).

(29) En cambio, cfr.

e beuio del agua e fisose muger, e estuuo *en guisa que* non sabia faser ni que desir nin do yr (Sendebar 29).

(30) Aquí *mas* equivale a 'cada vez más'.

(31) Sólo mediante un nexo de coordinación puede sumarse a la principal

E Promne, encenduda de la sanna et del dolor, yua yrada como loca *e de guisa que* miedo la aurie omne (Gen. Est. Seg. Part. I 255b-14).

(32) Vid. 4.6.5.

(33) Vid. cap. 5.

(34) S. Gili Gaya, *Sintaxis* § 251.

(35) La independencia es total si constituye una frase parentética, como en

Estando los franceses en grand cueta et en grand periglo, *en guisa que se querien ya uencer,* desperto del dormir ell inffant don Maynet (Cron. Gen. 340b-47).

(36) Tampoco *guisa* es frecuente en textos poéticos, salvo en las obras del mester de clerecía.

(37) Esporádicamente se presenta *por*

yo lo guisare *por* manera que seamos libres del (Calila B 78-1401).

(38) Cfr. W. E. Bull, *Spanish for Teachers. Applied Linguistics,* New York, 1965, p. 189.

(39) En ocasiones, la forma *-se* puede equivaler al condicional (vid. Apéndice); en

> de guisa se trasmudaron, quelos quilos uiessen que *creyessen* que aquel carnero de Juppiter que uerdadero carnero era (Gen. Est. Prim. Part. 91a-48).

su uso puede verse favorecido por la analogía con *uiessen* en la relativa hipotética.

(40) Es insólito el uso de la preposición *a;* en

> Sigue los omes non mucho, mas *á guisa que* sean todos pagados (Fl. Filos.).

quizás deba pensarse en el imperativo *aguisa* 'dispón las cosas'.

(41) En alternancia con *por tal que* final.

(42) El ms. A, de sintaxis menos elaborada, ha optado por la simple coordinación y el modo Indicativo:

> Yo so muy viejo e non oyo bien. Llegadvos a mi *e oyre* lo que dezides, que non oyo nin veo bien (Calila A 211-3212).

La razón o causa se añade después, introducida por *que* («*que* non oyo nin veo bien»).

(43) El ms. A se decide por *tal...que.*

(44) Con *como* de correlativo

> haz *de manera como* luego le pueda ver, si mi vida quieres (Celest. X, 191).

(45) Vid. Bassols, *Sint. lat. II,* § 312, quien aconseja acudir a *sin* para traducir el *ut* de los casos como

> potest enim esse bellum *ut* tumultus non sit (= «sin haber tumulto»).

Cfr. más adelante 3.4.2.3.

(46) Vid. más adelante 4.3.8.

(47) Roderick A. Jacobs-Pater S. Rosenbaum, *English Transformational Grammar,* 1968, pp. 209-210.
Bruce L. Liles, *An Introductory Transformational Grammar,* 1971, pp. 60 y ss.

J. Dubois-F. Dubois-Cherlier, *Eléments de linguistique française: syntaxe,* 1970, pp. 122 y ss.

(48) N. Ruwet, *Introduction à la grammaire générative,* 1967, pp. 188-189, 195-197 y 352-355.

(49) Por *proforma nominal* entendemos aquel término que comporta en su definición una serie de rasgos léxicos fundamentales del sustantivo, pero no rasgos semánticos definidores de un significado. Algo parecido a las «palabras genéricas» de la gramática tradicional. Por ejemplo, una proforma nominal que posea el rasgo /+hum/ tendrá diferentes realizaciones morfonológicas, de acuerdo con el resto de los rasgos: *yo, tú, fulano,* etc. Una proforma nominal /+com/ podrá aparecer como *cosa, manera,* etc. Para los Dubois *(Elements de ling. fr.: syntaxe),* el Det. es siempre /+def/, posteriormente suprimido por una trasformación desencadenada por la proforma nominal.

(50) No puede afirmarse que cualquier adjetivo admita tal posibilidad; está por hacer un estudio acerca de esta cuestión.

(51) W. w. Cressey, Language 44, 1968, pp. 487-500.

(52) En F *soterraran.*

(53) Vid. R. M. Pidal, *Cid,* pp. 371-372.

(54) Del caso que da origen a la forma especial *así*

habló de una manera [la manera fue de esta manera]
→ habló de la manera que fue de esta manera
→ habló así

nos ocuparemos en el cap. 4.

(55) *Preferir* implica selección entre varias posibilidades dadas; el subcomponente semántico de la gramática, o, mejor, el «lexicon» previo del que debe disponer toda descripción gramatical, se encargaría de impedir que tales frases fuesen generadas.

(56) La caracterización del Subjuntivo como «le mode de la subjectivité» suele atribuirse a W. Van der Molen *(Le subjonctif. Sa valeur psychologique et son emploi dans la langue parlée,* p. 36). El Subjuntivo ha dado lugar a las más diversas interpretaciones, e incluso a discusiones enardecidas: modo de lo *irreal* (J. Haas, *Syntax,* 1912), de la *inseguridad* y de la *voluntad* (H. Soltmann, *Syntax der Modi im modernen Französisch,* 1914), de lo *eventual* (K. Sneyders de Vogel, *Synt. Hist. du français,* 1919), del *deseo* y la *incertidumbre* (E. Lerch, *Die Bedeutung der Modi...,* 1919, aunque en trabajos posteriores se inclina hacia la interpretación

como «modo del sujeto psicológico»), de la *subordinación psicológica* (C. de Boer, *Essais de syntaxe franç. moderne,* 1922, pp. 61-131), etc. Interpretaciones que siguen teniendo su utilidad en la enseñanza; con una finalidad predominantemente práctica, R. Fente, J. Fernández y L. G. Feijoo *(El Subjuntivo,* Madrid, 1972) acogen como punto de partida las ideas de W. E. Bull *(Spanish for Teachers. Applied Linguistics.* New York, 1965), que pretende resumir la cuestión con estas palabras: «cualquier intento, intención o deseo, por parte del hablante, de influir en la acción del sujeto del verbo dependiente presupone el uso del Subjuntivo».

La bibliografía es muy extensa por lo que se refiere al Subjuntivo español, y remitimos al trabajo de R. Navas Ruiz, *Bibliografía crítica sobre el subjuntivo español,* en Actas del XII Congreso Intern. de Ling. y Filol. Románicas (1968), Madrid, 1970, IV, 1823-1840. Posteriores a esta fecha hay, sin embargo, trabajos de gran importancia, como el de S. Mariner Bigorra, «Triple noción básica en la categoría modal castellana» en RFE, LIV, 1971, 209-252.

(57) G. et R. le Bidois, *Syntaxe,* I, pp. 501 y ss.

(58) Vid. Roger L. Hadlich, *A Transformational Grammar of Spanish,* 1971 (hay trad. española). R. Fente..., *op. cit.* aluden a la oposición experiencia/no experiencia. Y W. w. Cressey, «The Subjuntive in Spanish: A Transformational Grammatical», en Hispania 54, 1971, pp. 895-896, prefiere hablar de específico/no específico.

3. CONSECUTIVAS DE INTENSIDAD-MANERA (1)

3.1. No pueden separarse, en rigor, estas correlaciones de las estudiadas en el capítulo precedente; si así lo hacemos, se debe fundamentalmente a razones de claridad expositiva.

3.1.1. Los sustantivos de manera pueden ir precedidos de los intensificadores estudiados en el capítulo primero, sin más restricciones que las derivadas de los rasgos de subcategorización de dichos nombres. Se registran, sin diferencia respecto a otros sustantivos, con los plurales *tales* y *tantas* (2), a veces en coordinación

> mas él non lo quiso fazer, sinon con razón, et pues quiso que este pecado se desfiziese, con razón convino, que en *tantas et tales maneras* et tales personas viniera el pecado, que por *tantas et tales maneras,* et tales personas viniese el desfacimiento del pecado et la emmienda (Lib. Est. XXXIX, 56-31),

y, lógicamente, con la forma acopocada *tan* si precede un adjetivo

> Fue de *tan alta guisa* del rey bien reçebido/ Que para vn rico conde seria amor conplido (Apol. 632c). Enfermó a sos oras de *tan fiera manera,*/ Que se fizo tan dura commo una madera (Sto. Dom. 291c);

con lo que el carácter cualitativo genérico que aportaría *tal* se concreta aquí gracias a los rasgos de significación del adjetivo.

3.1.2. Pero la correlación con el sing. *tal* merece especial atención, por tener un desarrollo paralelo a las correlaciones de manera estudiadas anteriormente, hasta el punto de convertirse en nexo gramatical con parecidos usos y valores. La presencia de *tal,* sin embargo, hace que —al contrario de lo que ocurre sin él— estos sintagmas preposicionales no siempre cumplan una función de mero útil sintáctico

> E(n) dezir verdat non ay linsoja ninguna; mas la verdat puede omne dezir en tal guisa e en tal tienpo e en tal logar que semejara mas lisonja que verdat (Casts. e docs. XXXIV, 160); que quando á de castigar o de consejar a alguno en tal manera et en tal lugar ge lo dirá que sienpre finque ende con danno o con desonrra o con vergüença (Lib. Cab. XXXIX, 47-31).

Seguiremos en el tratamiento idéntico orden al utilizado en el capítulo anterior.

3.2. PREPOSICION + TAL + {GUISA, MANERA} ... QUE + INDICATIVO

3.2.1. La identidad de funcionamiento en este caso de las correlaciones de manera y las de manera-intensidad, así como la implicación casi constante en las primeras del rasgo /relieve/, ayudaría a explicar el poco uso de *de guisa... que* (discontinuo) (3) y su decadencia especialmente a partir del siglo XIV (4). La competencia se resuelve aquí en favor de aquellos casos en que dicho rasgo está explícito mediante *tal*. Y no existen las restricciones funcionales existentes en las primeras; así, por ejemplo, no es raro su uso como atributo (5)

> «Non lo tengades a marauilla», dixo el cauallero, «ca la yerua mala ayna cresçe. De tal manera es que en syete dias echo este estado que tu vees (Zifar 241); bien cred que de tal manera son los omnes todos, que más deven de fazer enojo et mal al que saben que si ge lo fizieren que se vengará, ... (Lib. Cab. XLVI, 63-18).

Como correlación continua:

> [los puertos] ...son de tal manera, que se non podrian pasar contra voluntad de los que estoviesen desta otra parte en Navarra (Cron. D. Pedro I, 550a).

3.2.2. Los primeros casos, casi todos en textos poéticos, se encuentran en contextos sintácticos idénticos: *de tal guisa* separa el verbo auxiliar del participio o infinitivo

> mas era de tal guisa demudado el uiento/ que fascas non auien ningun sostenimiento (Sto. Dom. 188c); ouo las huestes de tal guisa poner/ que los unos a los otros bien se podien ueer (Alex. 436). Eran de tal guisa mezcladas las feridas/ que eran de los golpes las trompas enmogi-

> das/ volauan por el ayre las saetas texidas/ al sol togien el lumbre tan uenien decosidas (Alex. O 956). En P: Fueron en tal manera mescladas las feridas/ que eran con los colpes las tronpas ensordidas/ bolauan las saetas por el ayre texidas/ al sol tolien la lunbre asy yuan cosidas (e. 984) (6).

Refiriéndose a la muerte, dice el Arcipreste de Hita:

> Eres en tal manera del mundo aborrida,/ que por bien que lo amen al omne en la vida,/ en punto que tu vienes con tu mala venida,/ todos fuyen del luego como de rred podrida (LBA 1525) (7).

Pero desde muy pronto su empleo es igualmente abundante en prosa, y en cualquier contexto sintáctico:

> E de tal guisa sembro por toda Affrica la heregia de los arrianos, que daua todas las eglesias por moradas a los suyos, e mataua todos los santos que no querien creer lo que el creye (Cron. Gen. 214b-19).

3.2.3. Al igual que en las consecutivas de intensidad, este rasgo se ve frecuentemente reforzado mediante el contraste de principal y subordinada por lo que respecta a la modalidad; el carácter negativo de la consecutiva (negación absoluta en muchos casos) da relieve a lo afirmado en la primera proposición

> E tornose muy lazrado para su lugar, e en tal manera estava que *non* podia venar (Calila B 96-1724); de tal guisa andaua perdido por amor

de Briseyda que *apenas* se podia partir dende *nin* espedirse della (HTroy 156); de tal guisa se ordenaron los ingleses que los de caballo *non* los podian desbaratar *en ninguna manera* (Cron. D. Pedro VII, 554a).

3.2.4. Pero el refuerzo puede alcanzarse por medios léxicos

de tal guisa fueron abiuados los troyanos por el grand esfuerço de don Hector, que rrompieron *todas* las azes de los griegos e pasaron a los suyos... (HTroy 33); e de tal guisa los yuan quexando, que los buenos caualleros e ardites sofrieron y *muy grand coyta* e los otros cayan muertos por los prados e feridos (HTroy 38);

o deriva de la significación global de todo el período

e de tal guisa se ayudauan don Hector e aquestos, que mouien por fuerça las tres azes de los griegos (HTroy 29).

3.3. PREPOSICION + TAL + {GUISA, MANERA} (8) + QUE + INDICATIVO

3.3.1. La prosa alfonsí nos proporciona los primeros casos en que los elementos de la correlación se suceden inmediatamente. En el *Cantar del Cid* hay un verso de difícil interpretación

Passan las montanas, que son fieras e grandes,/ Passaron Mata de Toranz de tal guisa que ningun miedo non han (Cid 1491-92) (edic. paleogr.).

Evidentemente el verso resulta excesivamente largo; R. M. Pidal opta por desdoblarlo para su edición crítica, con una ligera adición *(desí),* siguiendo a Bello,

> Passan las montañas, que son fieras e grandes,/ passaron desí Mata de Taranz/ de tal guisa que ningún miedo non han/ por el val de Arbuxuelo pienssan a deprunar.

J. Cornu, en su reseña de los Cantares de Mio Cid de D. Eduardo Lidforss (9) publicada en *Literaturblatt für germ. und roman. Philologie,* herausg. V. O. Behagel u. F. Neumann, 1897, suprime *de tal guisa* como prosaico. Si bien Cornu publicó esta reseña con la finalidad de imponer en el texto el octosilabismo, al cual se sacrifican demasiado las lecciones del códice, uno se siente tentado a concederle en este punto la razón, sobre todo si se tiene en cuenta que tal correlación no aparece en el *Cid* ni con Indicativo ni con Subjuntivo, y que en tal disposición continua se nos ofrece mucho más tarde.

3.3.2. Pese a la sucesión inmediata de sus términos, la locución preposicional continúa preferentemente formando parte —sintácticamente— de la principal

> ferio a vno de tal guisa que derribo a el e a su cauallo en tierra (HTroy 28); et era en tal guisa, que mayor dolor et mayor pesar avía de los yerros que fiziera contra nuestro Señor, que del regno que avía perdido (Lucan. ex. 51, 258) (10). Et otrosí veo que el rey [...] es ya demudado en tal manera, que sus cabellos et sus barvas que eran entonçe prietas, que son mudadas agorā blancas (Lib. Est. X, 21-20) (11); e ya tus nenbrios

son quebrantados et desbueltos en tal manera que non podrás jamás dellos aprouechar te (Vis. Filib. 52).

3.3.3. El ms. A de *Calila* se muestra partidario de soluciones más simples, menos elaboradas

Dizen que una culebra enfermo en tal manera que non podia caçar (Calila B 232-3867). En A: Dizen que una culebra envegeçio e enflaqueçio, e non podia caçar, 232-3542. E despues que vino el ynvierno e las humidades, el trigo torno a rrelentar en tal manera que creçio, e fynchose el nido commo de primero (Calila B 290-4788). En A: E despues que veno el tienpo del invierno e las aguas, e rrelenteşçio el trigo e la çevada, e finchose el nido asy commo estava de antes.

Y lo mismo revelan aquellos casos en que la correlación funciona como nexo soldado que introduce la segunda proposición. En el caso

E fue fecho asy' commo el cuervo dixo, en tal manera que fueron muertos todos los buos; e tornaronse todos los cuervos salvos e seguros a su lugar (Calila B 230-3833);

el ms. A se decide por la simple coordinación:

E fizieronlo asy, e mataron a todos los que y estavan; desy torrnaronse los cuervos a sus lugares salvos e seguros.

y en

> E el mandadero estovo con el çerval e vino al leon e dixo otras palabras que non las que le dixera el çerval en tal manera que el leon se ensaño muy mal e mando matar al çerval (Calila B 315-5248).

opta por una construcción causal:

> E tornose el mandadero, e mudo el mandado, por que se ovo de ensañar el leon e mando matar al lobo çerval.

3.3.4. El proceso por el que la correlación se gramaticaliza y funciona como mero nexo introductor de la segunda proposición, con valor vacilante muchas veces entre el causal y consecutivo —y con tendencia a convertirse en simple útil ilativo—, es idéndico al ya analizado a propósito de las consecutivas de manera (12). Sólo merece la pena reseñar que el proceso es más lento, y su uso menor.

> E por este enseñamiento que fizo tan grande tornó los corazones de toda aquella gente á sí é aun el del príncipe, en tal manera que le dieron toda la tierra (Casts. e docs. BAE 140a); e vos dizen que non connosçen las personas que gelo fazen algunas vezes de denoche o en lugar yermo, en tal manera que non pueden saber quien son (R. M. Pidal, Docs. 231, p. 304).

3.3.5. Esta función es obligada en determinados contextos sintácticos ya analizados en el capítulo precedente. Sirva de ejemplo la presencia de un intensificador previo de carácter absoluto:

> Pero este rey Saturno salyo *muy mas alto* en ello, de tal guisa que avn los grandes sabydores que despues del venieron del su nonbre llamaron a la planeta del mas alto firmamento (Leom. VII, 71).

3.3.6. El valor de simple ilativo, de carácter causal-consecutivo —en ocasiones muy debilitado—, se ofrece con claridad sólo a fines del período que consideramos

> é puso su Real aquende la villa, en tal guisa que el rio Najarilla estaba entre su Real é el camino por dó el Rey Don Pedro é el Príncipe avian de venir á pasar á Rioja, é tomar su camino para Burgos (Cron. D. Pedro X, 555a).

3.4. PREPOSICION + TAL + {GUISA, MANERA} ...QUE + SUBJUNTIVO

3.4.1. Es innecesario insistir en que el Subjuntivo puede venir exigido desde la principal; es lo que ocurre, por ejemplo, cuando ésta es de carácter exhortativo

> deuemos nostra cosa de tal manera guisar/ que nostros successores non nos podan reptar (Alex. O 1688) (13). En tal manera tema el que bien quiere beuir/ que non pierda el esfuerço por miedo de morir (LBA, S 1449).

3.4.2. Hemos considerado en el capítulo primero (14) el proceso por el que, a medida que *tal* meramente deíctico se cargaba del rasgo ponderativo, lo que constituía una mera aposición pasaba a convertirse —por grados insensibles— en una correlación de subordinación. Es un hecho admitido que el dominio de la subordinación constituye un fenómeno de progresiva madurez sintáctica, a partir de estadios paratácticos de mayor independencia entre los componentes oracionales.

3.4.2.1. En latín, los incipientes correlativos *ita, sic* indicaban simplemente la manera como se efectúa la acción del verbo principal

> Quem discedentem *sic* uniuersa civitas Atheniensium prosecuta est ut lacrimis desiderii futuri dolorem indicaret (C. Nepote, 25, 4, 5) (15).

El valor primitivo de *ut* era el de simplemente explicativo: «la ciudad acompañó al personaje en las condiciones siguientes *(sic)*, a saber que...».

J. Baptist Hofman ha insistido en que el rasgo más destacado de la lengua familiar frente a la construcción literaria es su repugnancia por la subordinación de cualquier género y su predilección por la yuxtaposición suelta, sin partículas. En concreto, oraciones consecutivas son evitadas por la lengua coloquial —al menos ciertos tipos— y sustituidas por parataxis asindética

> Ita haec morata est ianua: extemplo...clamat (Plaut. Asin. 390) (16) («así tiene por costumbre esta puerta: que en seguida llama»).

La determinación demostrativa más frecuente en estos casos en que la parataxis ocupa el lugar de la subordinación consecutiva es *ita*

> Possideri debere ita: neque uendant neque donent (CIL, VI 33981);

pero también *sic, hic, is, iste*

> Morem habent hunc: clientes sibi omnes volunt (Plt. Men. 573).

3.4.2.2. En castellano *tal* alterna con el demostrativo *este* en dicho empleo catafórico, junto a los sustantivos de manera (17)

> Estonce tendió Sant Eustacio sus manos contra el cielo e fiso su oracion *en tal guisa:* «Jhesu Christo que as tal poder e tal virtud que omne nin al non poderia auer, e que nos asy commo tú deuisaste vimos...» (Plac. 154). E de buena uoluntat damos e establecemos hospital pora saccar catiuos de tierra de moros, e establecemos *en tal manera* nuestra helemosina: que tot pastor que curiare de .c. oueias a suso, de una cordera en el mes de mayo... (R. M. Pidal, Docs. 314, p. 422); arbitrando sentenciamos eamigable mientre conponemos *en esta manera* o *en esta forma:* que labbat e el conuento de Fittero ayan doy adenante las dichas casas... (íd. 127, p. 166). *En tal,* empero, *manera* fago a uos esta entrega, que uos que la tengades e la posseescades e reçibades todos los fructos... (íd. 371, p. 491).

3.4.2.3. Ya en latín oraciones de estructura consecutiva incipiente expresaban con frecuencia no una consecuencia o resultado, sino una condición, acuerdo, convenio o limitación a los que se subordina la realización de la frase principal (18)

> Ita admissos esse, ne tamen iis senatus daretur («a condición de que, siempre y cuando...»).

A. Ernout y F. Thomas hablan de *ut restrictivo:*

> Ita probanda est... clementia ut adhibeatur, rei publicae causa, seueritas («la clemencia debe ser aprobada, a condición de que, en interés del estado, se añada la severidad») [= de este modo, a saber, que...] (19).

3.4.2.4. Nuestros documentos medievales utilizan, como fórmula, esta locución con *manera,* frecuentemente en coordinación con el sustantivo *condición*

> *En atal manera* uos lo damos e otorgamos, que uos non aiades poder de dar ni de uender ni de empenar ni de malmeter nenguna cosa del heredamiento ni de quanto a aquesta casa partenesce (R. M. Pidal, Docs. 213, p. 277). La qual dicha vençion fasemos al dicho prior...por dos mill morauedis desta moneda...; *en tal manera e con tal condeçion* que nos el dicho conçeio... que podamos corrtar lenna enel dicho monte cada que fuere ordenado e mandado por nos... en tal manera que non sea grandperjuysio njn grand danno njn destruymjento del sobre dicho monte... (R. M. Pidal, Docs. 232, p. 307).

El español moderno, al lado de la aposición *con {esta, tal, la siguiente,...} condición: que + Subjuntivo,* ha habilitado como claros nexos condicionales: *con la condición de que + Subj, con tal (de) que,* etc. (20).

3.4.2.5. Sentido condicional y consecutivo (o, mejor, modal-consecutivo) revelan estos nexos, una vez pasada la primera fase de yuxtaposición; no resulta fácil discernir los pasos de este proceso por el que se va alcanzando una auténtica trabazón subordinativa

> E regno empos el su hermano Ysca por mandado del ueynte annos; pero en tal manera que un fijo de Izid que auie nombre Alulit que regnasse despues del (Cron. Gen. 328a-13) («con la condición de que»). Asimismo manda que puedan comer toda carne sinon de puerco, é sangre, é carne mortecina, et que puedan haber cuatro mujeres legítimas en uno, é repudiarlas tres vegadas, é tres vegadas rescebirlas, é de tal manera, que de cinco non pasen (Casts. e docs. BAE 136a).

3.4.2.6. Su valor en ocasiones deja de ser condicional propiamente dicho, para indicar simplemente acuerdo, convenio o limitación

> Yo te dó treguas en tal manera, que yo nunca coma mientra tú estovieres vivo (Ultram. II, CCLVI 315b). La [primera] manera, de amor conplido, es la que desuso dixe que yo nunca vi; ca amor conplido es entre dos personas en tal manera, que lo que fuere pro de la una persona o lo quisiere, que lo quiera la otra tanto commo él, et que non cate en ello su pro, nin su danno, así que aunque la cosa su danno sea, quel plega de coraçon de la fazer, pues es pro et plaze a su amigo (Lib. Enfen. XXVI, 128-55).

3.5. PREPOSICION + TAL {GUISA, MANERA} + QUE + SUBJUNTIVO

3.5.1. El Subjuntivo responde al carácter exhortativo

de la principal en casos como

> e yrnos hemos fuyendo en tal manera que estorçamos deste peligro (Calila B, 194-3261); el Emperador debe fablar et departir con sus gentes en tal manera que tomen placer et gualardon con el, et aprendan dél los buenos enjiemplos et buenos consejos (Lib. Est. LVIII, 91-26).

3.5.2. Lo mismo ocurre si es negativa

> por dios, amigo, commo quier que otro sea triste, sodes vos ya muy alegre, e bien se quel prez non sera partido en tal guisa que uos ayades byen vuestra parte (HTroy 15); e esforço mas no en tal manera que no fincase estremeçido del entendimj[o] que avia perdido y (Amadís 211).

3.5.3. Si depende de una proposición que es, a su vez, subordinada en Subjuntivo, el modo de la consecutiva será necesariamente el Subjuntivo

> envió allá sus siervos porque labrasen en tal manera que Dios se aprovechase del su fruto (Casts. e docs. 151a).

3.5.4. Al contrario de lo que ocurre con los nexos de manera, su utilización con valor final, o final-consecutivo, tras principal en Indicativo, es poco frecuente. Y la preposición *por,* que se encuentra en alguna obra, como la *Cron. D. Pedro*

> é luego el Rey de Aragon les libraria *por tal manera que* el dicho Conde pudiese entrar con

> ellos en Castilla muy poderosamente; ca la gente era mucha (Cron. D. Pedro III 536a); é mandaba á ellos que fablasen con él *por tal manera que* la batalla non se ficiese (íd. VI 553a);

quizá pueda explicarse como cruce con el nexo claramente final *por tal que* (21).

3.6. Hemos podido comprobar que el proceso diacrónico explicativo de los usos y valores de estas correlaciones es paralelo al considerado en el capítulo anterior; en rigor, sólo razones de claridad expositiva nos han llevado a separarlas.

La presencia de *tal,* sin embargo, implica notables diferencias de índole gramatical, que fueron explicadas en gran parte en el capítulo 1. Su valor deíctico catafórico, por ejemplo, nos ha servido como punto de partida en el análisis del camino que conduce, por grados insensibles de progresiva trabazón sintáctica, desde la mera yuxtaposición a la subordinación elaborada.

En este proceso *de tal guisa (manera)* no necesariamente desemboca en usos de carácter consecutivo; hemos asistido a una lucha de valores (modal, condicional, restrictivo, consecutivo) propia de un período en que las relaciones intentan disponer de nexos propios de expresión.

La cuestión se nos presenta aun con mayor complejidad en los documentos no literarios, donde el peso de la tradición se revela en versiones que son, a veces, calco literal de instrumentos del latín que no han dejado descendencia en nuestra lengua.

El idioma ha clarificado posteriormente el sincretismo que se produce en estos nexos, y para algunos de esos valores ha conseguido fijar instrumentos propios (*con la condición de que, con tal (de) que,* etc. para el sentido condicional, por ejemplo).

Por otro lado, *tal* permite igualmente que la locución aparezca en funciones sintácticas bloqueadas con los nexos de manera (la de atributo, por ejemplo).

En cambio, sirve de freno a la tendencia hacia la gramaticalización que culmina en el valor de mero ilativo, cosa que se produce más frecuentemente en los nexos del capítulo anterior. Este mismo hecho contribuiría a explicar su menor —o casi nula— utilización para sentidos derivados de la intervención subjetiva del hablante (final, por ejemplo).

NOTAS

(1) Ya expusimos, en el capítulo primero, las razones por las que utilizamos denominaciones que hacen referencia a la sustancia semántica. Por otra parte, no hace falta insistir en que la nota intensiva puede hallarse presente igualmente en las correlaciones estudiadas en el capítulo precedente.

(2) Vid. 1.3.3.6.

(3) Con *manera* apenas se documenta. Vid. 2.2.

(4) Vid. 2.2.8.

(5) Al contrario de lo que ocurría con *de guisa.* Vid. 2.3.3.3.1.

(6) Varias veces nos hemos referido a la imposibilidad práctica de llevar a cabo una edición crítica del *Alexandre* con los mss. conservados; las abundantes diferencias lingüísticas requieren una caracterización por separado de ambos. La sintaxis, en este sentido, es más decisiva que el léxico. En nuestro ejemplo, además de la diferencia *de guisa/en manera,* hay otras no menos reveladoras: a) *eran... mezcladas* (O)/ *fueron mescladas* (P); b) *de los golpes* (O)/ *con los colpes* (P); c) *el lumbre* (O)/ *la lunbre* (P); d) *tan uenien decosidas* (O)/ *asy yuan cosidas* (P); e) *volauan por el ayre las saetas* (O)/ *bolauan las saetas por el ayre* (P). Sin embargo, el intento ha sido llevado a cabo, para parte de la obra, por E. Alarcos, *Investigaciones sobre el Libro de Alexandre,* Madrid, 1948.

(7) En T y G *de tal manera.*

(8) También aquí aparece a veces el sustantivo *forma* en *Ultramar*

> ...de manera que ante que el Conde saliera de aquella carrera, fué su vestido todo despedazado é rompido, é el alcafar del caballo é las piernas *de tal forma,* que todo corria sangre (Ultram. II, CCLVI 315a);

pero su generalización y triunfo es posterior a nuestro período.

(9) *Los Cantares de Myo Cid, con una introducción y notas,* Lund, 1895.

(10) *Ser* 'estar, hallarse, encontrarse'.

(11) Sobre la repetición de *que* vid. la nota (56) del cap. primero. Son constantes las repeticiones de *que* en la prosa de Don Juan Manuel

> pero si vierdes que aquel vuestro enemigo es tal o de tal manera, que desque lo oviéssedes ayudado en guisa que saliese por vós de aquel peliglo, *que* después que lo suyo fuesse en salvo, *que* sería contra vós, et non pod(rí)ades dél ser seguro (Lucan. ex. 9, 90).

(12) Vid. cap. 2.

(13) El ms. O usa *manera,* con lo que se evita el encuentro de *guisa* y *guisar;* el ms. P, que utiliza el verbo *ligar,* se decide por *guisa:*

> deuemos nuestra cosa *de tal guisa ligar.*

(14) Vid. 1.2.2.

(15) Ejemplo citado por A. Ernout-F. Thomas, *Syntaxe latine,* Paris, 2e. éd. 1964. Cfr. Bassols, *Sint. lat.;* A. Tovar, *Sint.,* etc.

(16) J. B. Hofmann, *Lateinische Syntax und Stilistik* § 289 I c, p. 529. Vid. del mismo *El latín familiar,* traducido y anotado por J. Corominas, Madrid, 1958. El ejemplo es recogido igualmente por A. Tovar, *Gramática histórica latina. Sintaxis,* Madrid, 1946, y otros.

(17) El español moderno, además, prefiere sintagmas más explícitos: *de la siguiente forma, con la siguiente condición,* etc.

(18) Vid. Bassols, *Sintaxis latina II* § 312, pp. 319-320. Cfr. más arriba, 2.4.2.7.5.

(19) A. Ernout-F. Thomas, *Syntaxe latine* § 344.

(20) Aunque alguno los estudie entre las concesivas. Vid. J. Bouzet, *Grammaire espagnole,* Paris, 1945.

(21) Vid. nota (60) del cap. 1.

4. ASI QUE

4.1. INTRODUCCION

4.1.1. El adverbio *así* (1) es una forma especial de superficie, resultado de la transformación de un sintagma preposicional del tipo analizado en el capítulo precedente:

> habló de una manera [la manera fue de esta manera]
> → habló de la manera que fue de esta manera
> → habló así (2)

Generalmente así se ha entendido, aunque suela tomarse como base, no símbolos terminales, sino concretas inserciones léxicas. Para R. J. Cuervo, por ejemplo, la primera acepción es «de este modo o manera, de ese modo o manera; según que se refiera a lo que se está tratando actualmente, a lo que sigue o a lo que precede, a lo que hace o dice la persona que habla, o a lo que hace o dice su interlocutor u otra persona» (3).

Pero es evidente que el demostrativo no tiene por qué ser obligatoriamente alguno de la serie puramente deíctica *este-ese-aquel.* Para que pueda desencadenarse la correlación consecutiva con *que* hay que pensar en *tal* cualitativo, y así lo revela su libre alternancia con las locuciones estudiadas anteriormente

> *en tal manera* penetraron mis entrañas, *en tal manera* traspassaron mi coraçon, *assi* abiuaron mis turbados sentidos, *que* el ya recebido pesar alcance de mi (Celest. XXI, 294).

Ello parece demostrar, además, que la transformación que conduce a *así* es simplemente opcional.

4.1.2. Como adverbio deíctico de carácter catafórico, *así* alterna igualmente con locuciones preposicionales en que se integran un demostrativo y un sustantivo de manera (4).

> *Assy* dezid a myo ermano sennor Esau, quel dyze so siervo Jacob: con Laban moré troa agora e é vacas e oveias e siervos e siervas (Faz. 49); mas mandóles que entrasen por el estanque en la villa é que les dijiesen *así:* que él los tenia por muy leales hombres é por muy esforzados, é que se fiaba mucho en ellos (Ultram. CCXXI, 128a).

4.1.3. Puede integrarse en correlaciones comparativas-modales

> Quando los espannoles oyeron que la cibdat de Çamora era destroyda, *assi cuemo* ya oystes, ouieron todos muy grand miedo, assi que nos oso ninguno leuantar contra los romanos (Cron. Gen.

30b-33);

o modal-condicionales

> Assí posó mio Çid commo si fosse en montaña (Cid 61) (5). Et assi yua quebrantando en so cosso los aruoles con los pechos, e de guisa los boluie que *asi* sonaua la selua *commo si* muy grant uiento boluiesse los aruoles e firiessen unos en otros (Gen. Est. Seg. Part. I 441a-8).

4.1.4. *Así como* puede tener valor temporal

> El Campeador adeliño a su posada;/ así commo llegó a la puorta, fallóla bien çerrada (Cid 31-32).

4.1.5. El sentido temporal de *así que* ('luego que, en cuanto, etc.') es considerado por A. Bello de introducción reciente (6). Pero nuestro material nos proporciona claros ejemplos

> *Asy que* era redrado Roboan de la tierra del rey su padre [bien çient] jornadas, eran entrados en otra tierra de otro lenguaje, de guisa que se non podian entender sy non en pocas palabras (Zifar 386).

4.1.6.1. Y su uso se encuentra cercano al expletivo en casos como

> Judgo David por fuero e establio *assi* que tan grant part aviessen los canssados cuemo los que fueron a la batalla . E fue assi. (Faz. 138).

4.1.6.2. Esto ocurre especialmente con verbos que significan 'suceder, acontecer', y no siempre los límites entre la yuxtaposición y la trabazón subordinativa son nítidos

> Andados de quando Roma fue poblada sietecientos et onze annos, auino assi, en el segundo anno dest emperador, que cerca de Roma en un logar que dizen Taberna Meritoria, allende del rio de Tibre, que nascio una fuente de olio (Cron. Gen. 98a-50). E Plácidas que lo vió e lo cobdició partióse de su conpanna e fuése en pos aquel cieruo lo más que pudo, e *asy veno que* andido todo aquel dia en pos su caça asy commo Dios quería (Plac. 125).

La construcción, que se convierte en fórmula estereotipada introductoria para la narración histórica, es la versión del *ut* latino que sirve para unir oraciones completivas a verbos de acontecer y significado parecido (7).

4.1.6.3. La función vacilante entre la yuxtaposición y la subordinación se nos ofrece igualmente con los demostrativos simplemente deícticos

> E *desta manera* deffendio Cipion assi e a los romanos, *que* yuan ya uençudos si por el non fuesse (Cron. Gen. 47b-8); et otrossi mataron ellas muchos de sos enemigos, e partiosse *desta guisa* daquella uez la batalla *que* non fincaron uençudos ningunos (Gen. Est. Seg. Part. I 122b-32).

Algunos llegan a afirmar que existe una auténtica

correlación, del mismo tipo que la que se establece cuando el antecedente es *tal* (8). Hay que pensar, no obstante, en la ausencia de norma estable de la lengua medieval; y la ruptura de las estructuras sintácticas es un hecho más que frecuente.

4.1.7.1. En la sintaxis medieval, como es bien sabido, domina la frase quebrada, llena de repeticiones y cambios de construcción. Había la costumbre de anunciar la frase subordinada por medio de un pronombre neutro, con lo que se forman perífrasis conjuntivas del tipo

> *por esso* vos la do *que* la bien curiedes vos (Cid 3196) (9); *por eso* lo enviaba el Emperador á los de la hueste *que* trabajase con todo su poder en destorbarlos, de manera que no pudiesen hacer ningun hecho que su honra ni provecho fuese (Ultram. I, CCXVII 126a).

No otra es la misión de *así* en los ejemplos siguientes, esto es, anunciar la subordinada

> *Assi* lo tenien las yentes que mal ferido es de muort (Cid 3641). Mas sy en tu secresto *asy* es ordenado/ que yo e mj natura perdamos el rregnado/ Señor merçed te pido commo desuentura-do/ otorgalo a esti que es rrey acabado (Alex. P 1238).

4.1.7.2. El adverbio *assí* forma una incipiente perífrasis conjuntiva con *que* de carácter modal-consecutivo o final-consecutivo

> Et quando tu fallares la Cabeça en quadradura

> de las quemantes *assi* en esta manera *que* la Cabeça sea ayuntada con el Sol, et esta coniunction fuere en quadradura [...] significa que apareceran en el suelo... (Lib. Cruzes XII, 69). Et esta heredad *assi* la damos *que* det della el decimo cada anno alos fraires, e por atal pleito que depues de suos dias... (R. M. Pidal, Docs. 263, p. 356).

4.1.7.3. El carácter modal, cuando la proposición introducida por *que* es negativa, se halla cercano al que se consigue mediante *sin* + *que* + *Subjuntivo* (o *sin* + Infinitivo) (10).

> Después mandol quel diesse de comer; et ella fízolo. Et cada quel dizía alguna cosa, tan bravamente gelo dizía et en tal son, que ella ya cuydava que la cabeça era yda del polvo. *Assí* passó el fecho entrellos aquella noche, *que nunca* ella fabló, mas fazía lo quel mandavan (Lucan. ex. 35, 191) (11).

4.2. ASI... QUE + Indicativo

4.2.1. En correlación discontinua con *que, así* se encuentra en libre distribución con las locuciones preposicionales del capítulo anterior, aunque su uso es mucho menos frecuente, y no parecen ser gramaticales sino sólo estilísticas —en ocasiones métricas— las razones que rigen la elección

> assy los sopo referir e redrar/ que todos de su mano ouieron de finar (Alex. O 625); asy estaua Ydus que andaua esmarrido (íd. P. 506) (12); assi se detenien en el beuer, que non respirauan por tal de fartarse (Cron. Gen. 76b-37).

Como ya hemos visto, pueden alternar como simples variantes sintácticas en una serie enumerativa

> agora, oyendo tus gemidos (y) tus bozes tan altas, tus quexas no acostumbradas, tu llanto y congoxa de tanto sentimiento, *en tal manera* penetraron mis entrañas, *en tal manera* traspassaron mi coraçon, *assi* abiuaron mis turbados sentidos, que el ya recebido pesar alcance de mi (Celest. XXI 294) (13).

4.2.2. Que en la correlación con *así* (como en *de tal guisa, de tal manera,* etc.) está presente la nota elativa lo demuestra su constante coordinación con los antecedentes de intensidad considerados por nosotros en el primer capítulo.

> *tan* brauamiente los fueron ferir et *asi* los quiso Dios ayudar, *que* les fezieron boluer espaldas et foyr (Cron. Gen. 755b-8); estas ymagenes auian los menbros *tan* bien puestos e *tan* sotilmente fecho e la color *asy* mesclada que semejauan biuas a todos aquellos que las catauan (íd. 184) (14); *tales* son los vasallos et amigos et criados que yo he, et *así* los he probado, *que* muy pocos ha en el mundo porque canbease ninguno dellos (Lib. Enfen. IX, 113-27).

4.2.3. No puede extrañar, pues, su frecuente aparición en contextos sintácticos repetidamente estudiados en este trabajo. Sirva de ejemplo el contraste en cuanto a la modalidad (afirmación/negación) del principal y subordinada; el carácter negativo de la consecutiva realza lo afirmado en la primera proposición.

> é así las quiso Dios oir é librar dellos, que de mas de ciento que eran cuando se comenzó la pelea entre ellos, *no* fincaron mas de cuatro (Ultram. I, LXXXII 52a); asy lo sopieron ellas aguisar que *jamas non* las pudo aver (Leom. CCL, 352).

4.2.4. Pero una vez más hemos de decir que el sentido elativo deriva en la mayor parte de los casos del significado global de todo el período.

> é assí crescieron los panes é los peces entre las manos de Jesucristo, que fartaron á cinco mill personas (Casts. e docs. BAE 181a); así los quiso Dios guiar, que todas las haces pasaron é hicieron volver (Ultram. II, VI, 137a). E asy los quiso Dios guardar e endresçar, que lo que ouieron a andar en çinco dias andidieron en dos (Zifar 170).

4.2.5. La ausencia del rasgo intensivo suele ir acompañada de un debilitamiento de la trabazón correlativa, encontrándonos a veces en el límite entre la parataxis y la subordinación (15).

> los fechos et las razones et los tiempos mandan así las cosas, que lo que en un tienpo se deve fazer o dezir, que enpesçía mucho de se fazer o se dezir en otro tienpo (Lib. Enfen. XXV, 126-24); e quanto en el mundo auian anbos, asy lo partien, que lo que era del vno, era de anbos, e lo que era de anbos, era todo del vno (HTroy 20).

4.3. ASI QUE + Indicativo

4.3.1. La fijación del orden continuo de la correlación con *así* implica prácticamente su gramaticalización como nexo introductor de la segunda proposición, siendo insólita la integración de *así* dentro de la estructura sintáctica de la principal (16).

Esto constituye, desde el punto de vista funcional, una clara diferencia respecto a las correlaciones estudiadas en el capítulo precedente *(de tal guisa,...)* (17) y una coincidencia con los nexos de manera.

4.3.2. Como en el caso de estos últimos, la presencia de un intensificador de carácter absoluto en la primera proposición desplaza a *así que* al papel de mero introductor de la consecutiva, con un valor equivalente al de las posteriores locuciones *hasta tal punto que, en tal grado que,* etc.

> e fizo *muchos* monesterios et *muchas* buenas otras obras, assí que todos se marauillauan de como lo podie complir (Cron. Gen. 260a-42); fallo y cosas *muy* nobles e de grant preçio, e *mucho* oro, e *mucha* plata, e mucho aljofar e *muchas* piedras preçiosas, e paños preçiados e *muchas* otras mercadurias de *muchas* maneras, asy que vn rey non muy pequeño se ternia por abondado de aquella riqueza (Zifar 97).

Algunas locuciones adverbiales terminan, como hemos visto en otras ocasiones, en tópicos:

> é fueron á herir á los moros *muy de récio;* así que, en poca de hora cayeron muchos dellos muertos

> é derribados en tierra (Ultram. I, CCXXII, 128a) (18).

En todos estos casos la andadura sintáctica se desarrolla como suma de brotes impulsivos; no existe la elaboración y trabazón de las correlaciones de intensidad *(tanto, tan,... que),* pero la lengua mantiene, en cambio, la espontaneidad y el vigor expresivo de la estructura más quebrada.

4.3.3. También puede nacer el realce enfático del contraste de modalidad (afirmación/negación) en que se encuentran ambas proposiciones

> A vn poco despues desto cayó mortandat en sus cauallos e en todas sus bestias e en todo su ganado, asy que le *non* fincó *nada* (Plácidas, 133) [= 'tan gran, tanta, mortandad... que']–

Negación sometida a menudo a excepciones atenuantes

> E matolos Saul con pesar de lo que dezien por la mal querençia que auie a David, asi que dellos non finco y ninguno *sinon* aquella muger de Endor (Gen. Est. Seg. Part. II 343a-32).

4.3.4. El período puede ofrecernos simultáneamente la presencia de un intensificador absoluto y el carácter negativo de la segunda proposición

> uinieron a el dos demoniados que salien de los sepulcros *muy* crueles, assí que *non* podie *ombre* passar por aquella carrera (Evang. S. Mateo VIII,

> v. 28); é morian *muchas* dellas; así que, no hay corazon que *no* hobiese gran piedad (Ultram. II, VII, 139a).

La sucesión *todo-ninguno* supone, en rigor, una insistencia en el mismo contenido; ambas frases vienen a coincidir semánticamente

> e mataron los *todos* en un dia, assi que *no* fico *uaron* ni pequenno ni grand que todos no fuessen muertos (Cron. Gen. 32a-17). Et desque ellos fueron alunbrados por el Spiritu Sancto, commo es dicho, partieronse por *todo* el mundo, así que *non* fincó tierra *ninguna* poblada en que alguno dellos non fuesse (Lib. Est. III, 13-44).

4.3.5. Del mismo modo, *así que* no puede funcionar más que como elemento ilativo de conexión cuando la primera proposición constituye una estructura comparativa

> moro y con los romanos unos pocos de dias *tan* assessegado et *tan* a plazer de todos *como* padre con fijos, assi que non demostraua en si crueldad ninguna daquella que ante auie (Cron. Gen. 256b-9).

Y no es necesario que se encuentren explícitos los dos términos de la correlación comparativa

> e fazel luego por ello *quantas* penas puede, assi que leones ay quelas matan alas uezes (Gen. Est. Prim. Part. 555a-41):

por lo que pensamos igualmente en el llamado superlativo relativo, que no es más que una variante del comparativo (19)

> començó a seer *la más brava* et *la más fuerte* et *la más rebessada* cosa del mundo. Assí que, si el emperador quería comer, ella dizía que quería ayunar (Lucan. ex. 27, 157).

4.3.6. Y lo mismo ocurre si se trata de una consecutiva de intensidad

> fue el uençudo e desbaratado *tan* de mala guisa *que* todos los suyos fueron presos e muertos, assi que con muy pocos escapo de la batalla (Cron. Gen. 27b-45). E en *tal* lugar deleytoso e ganançioso la sopo asentar *que* todos los de las comarcas dexauan sus propias moradas e venian ally a poblar, asy que en aquel tienpo non se fallaua en las partes dEvropa nin de Africa ygual della (Leom. CCIII, 304) (20).

La primera proposición es consecutiva de intensidad-manera en

> E *de tal guisa* se vengaron syn falla, *que* fezieron muy esquiua mortandad de la otra parte, asy que, de aquellas çinco azes que alli eran de los griegos, fincaron los mejores dellos muertos e muy mal feridos por los plados (HTroy 33).

Y las estructuras comparativa y consecutiva se dan en coordinación en

> E dizen [...] que *tan* dulce era aquel comer *como*

> la miel, e *tan* sabroso otra guisa, *que* era marauilla assi que semeiaua especias las meiores que podiren seer (Gen. Est. Prim. Part. 376a-51).

4.3.7.1. En definitiva, el proceso de gramaticalización de la correlación con el adverbio *así* coincide con el de las locuciones de manera (*de guisa, de manera,* etc.) (21), e incluso camina con mayor rapidez hacia su uso como simple nexo ilativo. Este proceso implica, lógicamente, un vaciamiento semántico progresivo, lo cual favorece su utilización como instrumento de conexión entre frases que se encuentran relacionadas semánticamente de forma muy débil

> aun aviendo todo esto, veemos que el tienpo va atras en todo lugar; asy que semeja que las cosas verdaderas son espendidas, e semeja que el bien amaneçio perdido e el mal fresco (Calila B, 38-705).

4.3.7.2. La naturaleza de esta función nexiva de *así que,* de carácter simplemente continuativo en muchas ocasiones, será considerada en el próximo capítulo; conviene recalcar aquí, con todo, por un lado su uso constante y frecuente, especialmente en la prosa; y por otra parte, su confluencia con los nexos de manera, de los que sólo parece distinguirse en ocasiones por razones de preferencia estilística. El ms. A de *Calila,* que —como hemos comprobado en diversas ocasiones— escoge soluciones menos complejas, parece preferir un nexo de manera en muchos casos en que el ms. B emplea *así que:*

> e agora soy atrybulada de tal trybulaçion que me son defendidas asy que aunque las tomase non

> las osaria comer (Calila B 233-3871). En A: e agora vinome grand ocasion, *de guisa que* non puedo comer nin tomar synon las que me dan en limosna.

E incluso se decide por otras partículas de carácter continuativo, cuando no por la simple coordinación (22)

> que las cosas que se fazen con lyt son agran peligro del cuerpo e de los averes. *Asy que* lidiar... (Calila B 201-3360). En A: *Onde* lidiar... (23); e faziendole entender que con todo esto non estorçeria del leon, *asy que* non podria estar que su mezcla e su menteria non fuese descobierta (Calila B 130-2217). En A: e faciendol' entender que non estorçeria del leon, *e* que non podia ser que su mezcla...

4.3.7.3. En general, *así* alterna con el resto de los antecedentes de manera, como puede observarse en los siguientes ejemplos (24)

> moiaron se daquella lluuia las astas et las correas, *de guisa que* se dannaron las correas et pararon se las astas lenes; *assi que* los de Numidia non se pudieron ayudar dellas (Cron. Gen. 54a-50); y esto fue por el grand nauio que ella y fizo fazer con que los apremiaua a todos; *en manera que* los unos le pechauan, e los otros la ayudauan; *assi que* muy pocos eran aquellos que contra ella senfestauan (Cron. Gen. 36b-6); *así que,* toda la villa fue cercada en derredor, *de forma que* no podía ninguno salir ni entrar sino de parte del lago (íd. I, CCXXIII 129a).

4.3.7.4. Sin duda es *así que* la locución de manera que más frecuentemente se usa con valor de simple ilativo; esto lleva consigo a veces una neutralización de los sentidos causal y consecutivo

> El marinero onde uos deximos quiso auer aquella noche conpanna con la duenna, mas el nuestro sennor guardóla, asy que non pudo el marinero cosa faser de quanto deseaua (Plác. 140). Mas el cobertero non podia bien divisarle nin lo que yazia so el; ca era cobierto de un panno blanco asi que non podia veer fuera por delante (Josep Abarim. 37);

cosa que reflejan a veces las notas interpretativas; así, a propósito de

> Ca toda via dando/ Non fincará que dar:/ Ansy que franquehando/ Pierdese el franquear (Sem Tob 119);

se dan como equivalencias de *ansy que* «ca» o «por lo que» (25).

Y el desgaste semántico conduce a usos puramente conclusivos, como veremos en el próximo capítulo. Particularmente si se limita a introducir el resultado recopilador de enunciados anteriores

> encabo fueron uençudos los gallegos, e murieron y cinquaenta mil omnes dellos, e fueron presos seys mil, assi que no escaparon ende mas de quatro mil que fuxieron (Cron. Gen. 29b-9); é luego como al Rey llegó, mandóle prender: é fué esto martes diez dias de noviembre deste

> año; asi que non estovo Don Diego Gutierrez en su estado como Maestre mas de cincuenta é ocho dias (Cron. D. Pedro XVI, 467b).

Su valor es equivalente al de las locuciones posteriores *así pues, o sea, a saber,* etc.

4.3.7.5. La independencia sintáctica de la proposición introducida por este nexo con valor ilativo se refleja en el hecho de que sólo es posible el Indicativo. Aunque no puede olvidarse que el Subjuntivo puede tener usos independientes

> et reçibo de uos en precio çient morauedis al-. ffonssis buenos e derechos, e so de todos muy bien pagado a toda mj uoluntad, que non finco nin remanecjo ende ninguna cosa por pagar; assi que en ningun tiempo del mundo non *pueda* deçir yo nin otri por mi que non fue bien pagado (R. M. Pidal, Docs. 62, p. 93).

4.3.8.1. Lo anterior no quita que *así que* siga manteniendo su valor modal originario (26); y puede equivaler a *sin que + Subjuntivo* (o *sin + Infin.*)

> La primera noch, echose la mayor con el, *assi que* el padre *no* lo sopo al echar ni al levantar, e emprennola de un fijo que ovo nombre Moab (Faz. p. 46); sseys annos bibieron *asy que nunca* podieron auer fijo sin fija (Guillelme 173) (27).

4.3.8.2. El mismo sentido se nos ofrece en casos de correlación discontinua

> apareçio enel çielo vna estrella cuentada et duro

> *assi* por treynta dias *que no* se tollo (Anal. Tol., Crestom. 105). «Sennor», dixo ella, «cértas non val'rren vuestra encobierta, cértas non vos partiredes *asy* de my, *que* me ante *non* digades lo que queredes faser (Guillelm. 177).

4.4. EL USO DEL SUBJUNTIVO

4.4.1. Anteriormente hemos aludido al hecho de que en muchas ocasiones *así* tiene un valor cercano al expletivo, como mero anunciador de la subordinada

> E pues agora asy guisemos que mañana non escape, e de guisa lo çerquemos que finque connusco muerto o preso (HTroy 79) (28).

Este mismo carácter es el que se encuentra en otros usos comentados por R. J. Cuervo: «la combinación *así... que* se emplea también para hacer un voto en fe de lo que se asevera. *Así* encabeza el voto, y la aseveración se expresa con *que* e Indicativo»; y cita un ejemplo de Cervantes:

> Así me cumpla Dios mis buenos deseos y nos libre á todos de poder de justicia, que no he tocado la canasta (29).

Algo más adelante añade: «Se usa en otras frases optativas que guardan analogía con las ya explicadas», y cita una frase de la *Celestina:*

> Así goce de mí, no te conociera sino por esa señaleja de la cara (30).

Ambos usos, muy lejanos del tipo de subordinación que nos ocupa, están abundantemente documentados en el castellano medieval

> Assi biva el rey que en esto saber é si sodes barruntes (Faz. 55). Sit salve Dios quet salvaré de la lazeria e del travaio (íd. 126). Asi lo mande Christus que sea aso pro (Cid 2074) (31); [si] Dios te salve, que me digas la verdat (Los siete inf. Salas 44).

4.4.2.1. Fuera de estos usos especiales, *así que,* como elemento de conexión, funciona con Subjuntivo de una forma semejante a como lo hacen el resto de los nexos de manera. Por un lado, el modo puede venir exigido por el carácter exhortativo, negativo, etc. de la principal.

> Vuestro oro e vuestra plata e vuestras donas, todo sea enpleado en pobres e en las cosas de Dios asy que valía de una castanna non finque convusco fuera lo que vestides (Guillelme 175).

4.4.2.2. Lo mismo sucede si la primera proposición es, a su vez, una subordinada en Subjuntivo

> E jo fraj Migael, [...] meto aquesta mejtad de estas deuantditas casas [...] en comjenda de dona Felicia, que ela la guar(d)e e la milore e la esfrujte esta pornomjnada heredad [...], assi que labad [nj] el conuent que hoj es, ni los otros que uerran eñ Fitero, no ajan poder de toler esta... (R. M. Pidal, Docs. 116, p. 157).

4.4.3. Fuera de estos condicionamientos sintácticos, *así que* tiene valor final-consecutivo

> E cuemo por conceio, mando fazer sacos de cuero no muy grandes, y enchir los de arena, e fizo los guarnecer much apuestament desuso, assi que los que lo uiessen cuydassen que auie y muy grand auer (Cron. Gen. 34a-7). Otrosí, maldixo a la muger et aún maldixo Adam et tiróles quanto bien abían, ca Nuestro Señor Dios criara Adam et Eva, et conplidos de todos bien, así que ellos et todos los que dellos viniessen, nunca oviesen pesar, nin dolor, nin sintiesen ninguna mengua... (Lib. Est. XXXVIII, 54-65).

4.5. ASI JUNTO A ADJETIVOS Y PARTICIPIOS

4.5.1. Se ha afirmado repetidas veces que el español rara vez admite *así* como modificador directo de un adjetivo o adverbio (32). En castellano medieval, sin embargo, con relativa frecuencia se nos ofrecen ejemplos en que se refiere a un adjetivo o participio

> et si tal cosa les acaesciere, deben estar *así firmes* que non dubden de se poner á la muerte (Cast. e docs. BAE, 184a); las montañas eran muy grandes é espesas, é los pasos *así embargados* que el conde Harpin non pudo salir de entr'ellos (Ultram. II, CCLVI 315a). Enpero son algunos *asy endurecidos,*/ Que nunca ellos mesmos se teman ser feridos (Rim. Pal. N 1144).

En estos casos el rasgo modal se encuentra dominado por la nota intensiva, y *así* alcanza un valor equiparable al de *tan*. De hecho, los dos pueden alternar en una serie enumerativa

> estas ymagenes auian los menbros *tan* bien puestos e *tan* sotilmente fechos e la color *asy* mesclada que semejauan biuas (HTroy 184).

4.5.2. En cambio no he hallado ningún caso en que *así* se encuentre directamente ligado a un adverbio; el ms. P del *Alexandre* acude a *tan* en la siguiente estrofa

> Calço las brafoneras que eran bien obradas/ con sortijas dazero sabet bien enlaçadas/ *assy eran presas e bien trauadas*/ que semeiauan calças de la tienda taiadas (Alex. O 431). [En P: *asi eran bien presas e tan bien asentadas* que semejauan calças de la tienda sacadas.] (Cfr. el ej. anteriormente citado HTroy 184).

Y también es muy rara su aparición como modificador de una locución adverbial; es dudosa su función en

> Así lo apreto al ome sin ventura/ Que lo fiso partir por medio de la çintura (Vida S. Ildef. 256bc) (33).

4.5.3.1. Del mismo modo, cuando el verbo atributivo o auxiliar se intercala entre *así* y el adjetivo o participio, entra en competencia —siempre en desventaja, y ello explica su posterior decadencia y desaparición— con *tanto* (34)

> daquella part la tierra toda es arena, e las arenas

> *assi son manneras* que se non crian y uerduras daquella guisa (Cron. Gen. 52b-53) (35); *assi era affecho* a matar los omnes por que quier, que nunqua quedaua de uuscar maneras de estrumentos estrannos en que los matasse (Gen. Est. Seg. Part. I 24a-7). Pero *asi* les *era* a todos *mesurado* / Que non parte de él ninguno despagado (Vida S. Ildef. 131a-b). Que queredes que vos diga,/ *asy estauan quexados*/ que amigo con amiga/ nunca vistes tan cuytados (HTroy 138); *asy eran* anbos dos *amigos* que non auia cosa que el uno feziese que el otro non lo otorgase muy de grado (HTroy 19) (36).

Puede servir de prueba la libre distribución en que uno y otro antecedente se suceden en ocasiones

> mas estos *tanto estaban metidos* en vileza é mal, e *ansí estaban envueltos* en ellos, que aunque veian todos estas señales que nuestro Señor diera, no habian miedo, ni oian ni entendian ninguna cosa de bien (Ultram. I, XVI, 8b) (37).

4.5.3.2. La pugna alcanza incluso a aquellos casos en que el verbo introduce un complemento de doble referencia (atributivo-adverbial); y así, al lado de

> *así vienen esforçados* que a manos se le cuydan tomar (Cid 972) (38);

vimos algunos casos con *tanto*

> *tanto yua bien andant* e con gran poder (Cron. Gen. 84b-3) (39).

aunque en estos casos es dominante *así*

> ca el *asy* traya su conpaña *castigada* que a ome del mundo non fazia enojo (Zifar 387).

4.5.4. En *así* puede producirse, pues, un sincretismo de los valores adjudicados a los antecedentes considerados en los dos capítulos precedentes. Su alternancia con los nexos de intensidad-manera ha quedado comprobada en diversas ocasiones (40); y el proceso de gramaticalización que conduce a su utilización como nexo ilativo es paralelo —e incluso más rápido— al ya examinado en el capítulo segundo para los antecedentes de manera (41).

Y aunque esto no quiere decir que podamos hablar de todos ellos como meras variantes en libre distribución (42), es cierto que en ocasiones sólo puede acudirse a razones de preferencia estilística. Como simple botón de muestra podemos tomar la *Historia troyana,* que hemos examinado íntegramente en nuestro material; diversas consideraciones saltan a la vista (nos limitamos a los casos con Indicativo):

a) como nexo de manera es exclusivo el sustantivo *guisa,* y su utilización se reduce a la correlación continua (60 casos); hay una excepción:

> e diol tan grand ferida que, avnque peso a don Hector, bañose la su siella en sangre; mas *de guisa estudo fuerte,* que non lo pudo derribar della (HTroy 99);

único caso, además, en que *de guisa* se integra en una estructura atributiva.

b) Lo contrario sucede cuando se trata de *de tal guisa.* La excepción es ahora el orden continuo, del que sólo hemos recogido un ejemplo (por lo demás, referido e integrado sintácticamente en la principal)

> E Dorasbal otrosy ferio a vno *de tal guisa que* derribo a el e a su cauallo en tierra (íd. 28) (43).

Aquí no es desconocido el sustantivo *manera,* pero es más bien raro

> e *de tal manera* acorrieron todos a la az de los griegos, *que* fezieron muy grand menoscabo en los troyanos (íd. 24).

c) *Así,* por último, constituye el término neutro del microsistema, y se usa por igual en una y otra disposición (tengo recogidos seis ejemplos de *así... que* y siete de *así que*).

d) La nota intensiva, que puede o no aparecer en *así*, puede convertirse en dominante a veces y oscurecerse el rasgo modal. Esto ayudaría a comprender su utilización como variante de *tanto (tan)* al lado de un adjetivo o participio (en *HTroy* tres casos).

4.6. CONSTRUCCIONES HIBRIDAS

La utilización de los nexos de manera *(de guisa que, de manera que...),* de manera-intensidad *(de tal guisa que, de tal manera que...)* y *así* que hemos analizado responde a modelos que podríamos calificar de «ideales». Pero la lengua medieval está muy lejos aún de haber fijado una norma estable. Con frecuencia, y a consecuencia de un cruce o combinación de varias relaciones en el mecanismo mental del hablante (escritor), los textos nos proporcionan oraciones mixtas, en las que se ve forzada una norma todavía incipiente. Sirvan de ejemplo y comprobación algunos de los tipos más frecuentes.

4.6.1. La correlación puede verse distorsionada por la intercalación de una preposición, que añade un nuevo valor a la relación que se establece entre ambas proposiciones; sentido causal, por ejemplo, si se trata de la preposición *por*

> Desque esto ouo fecho, tornos pora Roma e partio los catiuos e las ganancias que fiziera, *de guisa por que* fueron todos sos pagados, e ouieron grand sabor de yr con el e daguardalle (Cron. Gen. 21b-18),

en donde se han cruzado dos construcciones

de guisa ↘
que (44)
por ↗

4.6.2. Con otra preposición, el valor relativo de *que* es patente; por ello, si en el antecedente figura *tal,* la construcción refleja la comparación subyacente (45)

> era muy ardid, é non cataba á home, por dignidad que hobiese, nin á eglesia, é tormentó por diversas maneras mancebos é viejos *de tal guisa de que* nuncua se oyó fablar (Ultram. IV, CDX 653b).

4.6.3.1. Hemos aludido en diversas ocasiones al hecho de que no siempre el Subjuntivo implica intención de finalidad o cualquier otro sentido derivado de la intervención psíquica del hablante, sino que a veces viene exigido por la modalidad de la principal. Con frecuencia el sentido final se hace explícito haciendo preceder a *que* la preposición *por*

> é al primero que errare en lo tal, que tu mercet lo mande penar *de tal guisa, porque* sea escarmiento para los que oyeren (Tr. Nobl. XXVIII, 200); et a nos dexe *de tal guisa* perseuerar por la derecha carrera, *porque* merezcamos auer parte con el en aquella su sancta folgança de claridat (Cron. Gen. 774a-27). E *de tal manera* redremos e uos la fagamo sana *por que* uos el comprador o quien lo uuestro heredare finquedes con esta conpra sobredicha por siempre, sin contralla ninguna (R. M. Pidal. Docs. 341, p. 457).

Esta construcción consecutivo-final, que no ha sobrevivido en nuestra lengua (46), gozó de especial predilección en la época medieval

> pedieronle por merçed que tomase muger, *en manera por que* fincase de su linage despues de sus dias quien mantouiese el inperio (Zifar 227, p. 509). Por ende el que de buena ventura es, seyendo con salud, deve endereçar su fasienda, e Dios endereçara la suya *en tal guisa, porque* quando Dios lo llamare para si, pueda ir desenbargadamente a le dar cuenta de lo que fiso en este mundo, commo deve (Casts. e docs. BRAE 82); e si alguna cosa [auedes] tomado, quelo entreguedes e [fagade]s luego dar e entregar todo, bien e complidament, al dicho prior o al

> quelo ouier de recabdar por el, *enguysa por que* la dicha englesia aya todo lo suyo e lo el pueda desenbargadamente recabdar (R. M. Pidal, Docs. 221, 289).

Esporádicamente puede presentarse con este valor otra preposición

> nunca essa coyta uos la mas aydades/ yo lo porne *de guisa de que* pagados seades (Alex. O 2283c). [En P: yo la pasara *de guisa que* pagados seades.]

4.6.4. *Así* puede acumularse a antecedentes de intensidad, estableciendo ambos una sola y misma correlación con *que*

> *El prin*çipe, por çierto, deue ser enojado/ Que de *tantos* ojos *asy* es atormentado,/ Que non puede a la boca leuar solo vn bocado,/ Que de trezientos omes non le sea contado (Rim. Pal. N 482) (47).

La acumulación es, sin embargo, anómala, cuando *así* y *tan+adverbio* funcionan ambos como modificadores de carácter modal del verbo

> E de guisa se reboluio la fazienda e *asy* lidiaron los troyanos *tan* fuerte, que todos los griegos dexaron el canpo e fuxeron fasta las naues (Gen. Est. Seg. Part. II 137a-1); et que *assi* esparçie aquel rey la sangre *tan* layda mientre e a tan grant tuerto, assi que ombre ninguno que estranno fuesse non osaua entrar a aquel reyno de Mephis (Gen. Est. Seg. Part. I 23b-23).

4.6.5. El carácter quebrado de la sintaxis medieval hace que muchas veces la correlación de intensidad quede en suspenso y se acuda a un nexo ilativo para cerrar la oración (48).

> E *tanto* quiso honrrar a la sapiencia *de guisa que* destorbo a los filosofos (Bonium 157); é cuando cayó levantóse un roido *tan* grand, *así que* todos los cristianos tremieron, é toviéronse á descomponer, pero quiso Dios que se tovieron muy bien (Ultram. IV, CCXCV 614b); et fuel dar *tal* colpe con ella, *de guisa que* todo lo atrauesso (Cron. Gen. 342a-10).

NOTAS

(1) Del ant. *sí* 'así', y éste del lat. *sic.* La *a*–es simple ampliación del cuerpo del adverbio, como en *abés* o *atanto,* analógica de muchos adverbios y frases adverbiales como *apenas, adur, afuera, a menudo,* etc.; aunque también se piensa en un origen latino *ac sic* o *ad sic* (Hanssen, *Gram. hist.* § 631; R. M. Pidal, *Cid* p. 483). No sería, por otro lado, el único reflejo de cómo se deja sentir la analogía fonética en los adverbios; la *-n* de *non* (ant., por *no), bien,* y de las preposiciones *en, con, sin* se extiende a *aun* (arag. *adú)* y a los anticuados *allín, assín* (v. R. M. Pidal, *Gram. p. 336).*
Sobre las variantes antiguas y vulgares, *ansín, ansina, asina,* vid. Cuervo, *Diccion.* pp. 700-701.
Para la historia y usos del término, además del *Diccion.* de R. J. Cuervo (I, pp. 693-702), pueden consultarse J. Cejador, *Vocab.,* VIII, § 57; J. Corominas, DCELC I, 301-302.

(2) Vid. 2.5.3.

(3) *Diccionario de construcción y régimen,* p. 694.

(4) Vid. 3.4.3.

(5) R. M. Pidal, *Cid* pp. 371-372; S. Fernández Ramírez «Como si + Subjuntivo» en RFE, 1937, 372-380.
Cfr. De guisa va mio Çid commo si escapasse de arrancada (Cid 583).

(6) A. Bello, *Gram.* § 1214. R. J. Cuervo, en sus Notas piensa que «aunque poco común, no era desconocido en el siglo XVII». Vid. también *Dicc. de construcción y régimen,* pp. 699-700.

(7) Vid. A. Ernout-F. Thomas, *Syntaxe latine.*

(8) Para A. E. de Silva Dias, *Syntaxe Historica Portuguesa,* Lisboa 1933, § 391, p. 284 «a conj. consecutiva *que* emprega-se... no port. arch., em correlação com os demostrativos *este, esse, aquelle,* ligados a substantivos», pero no nos ofrece ningún ejemplo, aunque sí uno latino.

(9) R. Lapesa, *Historia* p. 156.

(10) Vid. 4.3.8.1.

(11) En la versión modernizada hecha por D. Devoto para la colección «Odres nuevos»: «*de este modo* transcurrió la noche entre ellos: ella haciendo lo que le mandaban, *sin hablar*».

(12) Cfr. con aquellos casos sin antecedente:

> E estauan alli las compannas de Julio Cesar cercados daquellas aguas *que* non podien salir dend a ninguna parte (Cron. Gen. 71b-3).

(13) Vid. H. Keniston, *The Syntax of Castilian prose: the sixteenth century,* 1937, pp. 358-359, para el S. XVI.

(14) Cfr. más adelante 4.5.

(15) Vid. más arriba 4.1.7.

(16) Con sentido comparativo en

> los ojos dellos eran muy grandes rreluzian *asy que* paresçian braçines quando estan bermejos rrelusyan con ençendimiento de fuego (Vis. Filib. 57).

(17) Otra discrepancia la constituye la no utilización de los antecedentes de intensidad-manera en la correlación comparativa. Vid. 4.1.3.

(18) Ello no impide usos concertados, como adjetivo

> é dejáronse uno á otro venir *muy récios* cuanto los caballos los pudieran levar; ansí que, todo hombre conoscia bien en la su venida que se desamaban muy de corazon (Ultram. I, LXXIX 46b).

(19) Vid. por ej., J. Roca, *Introducción a la gramática,* pp. 223 y ss.

(20) Especialmente abundantes en *Ultramar:* I, III 3a; I, LXXIX, 46b; I, CCXV 125a; II, VI 137b; II, VIII 140a; II, VIII 140b; etcétera.

(21) Vid. cap. 2.

(22) No faltan ocasiones, sin embargo, en que se decide por *tanto* desplazado con este mismo valor

> Asy que el lobo çerval persevero en su estado, e fue conoçido por rreligioso, *asy que* fezieron entender al leon que era rrey de las bestias en esta tierra (Calila B 308-5127). En A: ...e fue conosçido por rreligioso, *tanto que* fue fecho saber a un leon que era rrey... (308-5122).

(23) Ambas soluciones alternan, sucediéndose, en

> [todos] ...lo toujeron por el mas noble del mundo, *assi que* muchos dexaron ssus tierras donde eran naturales e vinieron a uerla e morar en ella vna grant ssazón, *Onde,* porque en Espanna... (Seten, ley X, p. 19).

(24) Como vimos, su alternancia con los nexos de intensidad-manera es posible si se trata de correlación discontinua (Celest. XXI, 294). En *así* puede producirse de hecho un sincretismo de los valores contenidos en los antecedentes estudiados en los capítulos 2 y 3, como veremos más adelante.

(25) Edic. de F. Janer en BAE, t. LVII.

(26) Aunque calificarlo de «nexo modal», como hacen, por ejemplo, Kasten y Kiddle en la introducción a su edición del *Libro de las Cruzes* de Alfonso X, es evidentemente inapropiado.

(27) Cfr. 2.4.2.7.5. y 4.1.7.3.

(28) Vid. 4.1.6.

(29) R. J. Cuervo, *Dicc. de construcción y régimen,* p. 698.

(30) R. J. Cuervo, íd.

(31) La expresión de deseo con *así* llega a convertirse en fórmula

> Respuso mio Çid: «*assí* lo mande el Criador» (Cid, 2055).

(32) F. Hanssen, *Gram.* § 631, p. 266; R. J. Cuervo, *Diccion.* I, p. 696. J. Corominas, DCELC, I, 302, piensa que los ejemplos del Siglo de Oro, especialmente en J. de Valdés (Romera Navarro, Hisp. R. IV, 291), así como su uso actual en Argentina, pueden deberse a influjo italiano.

(33) Lo mismo puede decirse para *de guisa.* Cfr. Gen. Est. Seg. Part. II, 339b-46, en 2.2.4.

(34) Recuérdese que en esta posición era insólita la aparición de la forma apocopada

> tan so plena de malveztat (Sta. M.ª Egipç. 466).

(35) *Mannera* 'estéril, infecunda'.

(36) Cfr.: tanto era crua la lid e tan descomunal (HTroy. 70).

(37) El alejamiento en la frase del elemento modificado hace que se acumulen, de forma anómala, los dos antecedentes.

> *Asi* eran ya los fechos *tan* dañados, que aunque estaba el Cardenal con el Rey, la guerra non cesaba en aquellos dias, antes era más crua (Cron. D. Pedro XIX, 468b).

(38) R. M. Pidal altera en este caso el texto de la edic. paleográfica:

> Asi viene es forçado que el conde amanos sele cuydo tomar [El ms. *9de,* Sánchez *de,* Janer *cide*]

porque piensa que los plurales de los tres versos anteriores hacen preferible el plural que da la *Prim. Cron. Gen. 533a-16:* «*assi uinien esfor*çados que a menos se le cuedaron tomar».

(39) Vid. 1.5.2.1.

(40) Vid. 4.2.1.

(41) También alternan, como en Gen. Est. Seg. Part. II 137a-1.

(42) Vid. 4.3.1. y 4.3.2.

(43) Y lo mismo ocurre con Subjuntivo, en que también se encuentra como caso excepcional

> e bien se quel prez non sera partido en tal guisa que uos non ayades byen vuestra parte (HTroy 15).

(44) A propósito de *por (lo) que,* vid. más adelante 5.3.6.

(45) Cfr. 2.5.2.

(46) De ahí el que en las versiones modernizadas de textos medievales deban ser resueltas en un sentido o en otro, es decir, como consecutiva:

> estrañadlo *en tal manera porque* vuestra fazienda et vuestra onra siempre finque guardada (Lucan. ex. 13, 104); [de otra manera, debéis protestar con *tal* energía *que* vuestra hacienda y vuestra honra queden a salvo (versión de E. Moreno Báez, col. «Odres nuevos»).

o final:

> un conde ovo en Provençia que fue muy buen omne et deseava mucho fazer *en guisa porquel* oviesse Dios merçed al alma (Lucan. ex. 25, 144) [hubo en Provenza un conde que era muy bueno y que deseaba ardientemente hacer algo *por salvar* su alma (íd.)].

o bien se altera radicalmente la estructura de la frase:

> Todo el vuestro cuydado sea en aqueste fecho, trabajat *en tal manera por que* ayades prouecho (LBA, S 720a). [Que todo vuestro cuidado se ponga en aqueste hecho;/ trabajad bien: es el modo de que tengáis más provecho (versión modernizada de M.ª Brey Mariño, col. «Odres nuevos»).]

(47) No puede olvidarse, sin embargo, que *así* es muchas veces un mero anunciador, sin que se establezca correlación con *que*

> é así les buscaban tantos achaques, que no lo podria hombre contar (Ultram. I, VIII 5b).

(48) Vid 2.3.3.3.5.

5. PARTICULAS Y LOCUCIONES ILATIVAS

5.1. INTRODUCCION

5.1.1. El término *ilativo* es, sin duda, el más generalizado para referirse a aquellos elementos de enlace que expresan transiciones o conexiones mentales que van más allá de la oración. Su consideración desborda, en rigor, el propósito inicial de nuestro trabajo, por quedar fuera de la subordinación gramatical tal como suele entenderse. Existen, sin embargo, razones que justifican su tratamiento aquí, siquiera sea brevemente. Y no nos referimos sólo a la afinidad significativa de estas partículas y locuciones (muchas de ellas expresan primordialmente una relación de consecuencia o deducción) con las oraciones que constituyen el objeto del presente estudio. Repetidamente hemos insistido en que la consideración semántica de los hechos haría imposible una sistematización de determinada parcela sintáctica; cualquier lengua puede disponer de múltiples medios —léxicos y gramaticales— para la expresión de una relación entre dos hechos o conceptos. El simple descriptivismo apoyado sobre estos presupuestos se rechaza hoy como carente de rigor científico, y la casuística —siempre ampliable— a la que conduce suele provocar la repulsa, y hasta la ira, de los modernos métodos con que se encara el terreno de la Sintaxis.

5.1.2. Pero Sintaxis y Semántica no están reñidas, antes, al contrario, son inseparables, y lo que —desde el punto de vista teórico— está en discusión hoy es su orden jerárquico en el proceso generativo (1). La consideración diacrónica de los hechos sintácticos puede ayudar a comprender cómo, a medida que una lengua va alcanzando un mayor grado de madurez y elaboración, un mismo sentido relacionante va haciéndose más explícito en virtud de la utilización de determinados elementos o combinaciones de elementos como nexos; con ello se aminora el papel que en la comunicación tienen que desempeñar los datos situacionales o contextuales. Por consiguiente, en la base hay que contar con el contenido significativo, para expresar el cual el hablante acude al mecanismo gramatical; éste dependerá del grado de madurez alcanzado por el hablante y, en general, por la comunidad en que está inserto.

5.1.3. Casi todos los tratadistas aluden al hecho de que por debajo de una mera coordinación copulativa pueden existir los más variados tipos de relación lógica o semántica; entre ellos, el de carácter consecutivo, si se dan ciertas condiciones sintácticas, especialmente que el verbo de la primera oración sea anterior al de la segunda; la secuencia temporal y expresiva se convierte así en consecuencia lógica (2). Si aún hoy, fuera del ámbito de la lengua más o menos cultivada, se acude normalmente a la coordinación para la expresión de relaciones que disponen de nexos subordinantes específicos, no puede sorprender que la lengua medieval se sirva constantemente del polisíndeton, cuando no de la mera yuxtaposición.

Algunas sucesiones de formas temporales parecen reflejar sistemáticamente una consecuencia o condición, como la estructura *frase performativa* + y + *futuro:*

> Dixo Nuestro Sennor a Moysen: «Tient tu mano a los cielos e sera oscuridat» (Faz. 68) E dixo: (despreciad la) muerte, e veviran vuestras animas; e (seguid) a la justicia, e seredes salvos (Bonium 179); quitadvos de los malos omnes, e salvarse han vuestros coraçones (Bonium 340).

5.1.4. La sintaxis, que constituye sin duda el instrumento de mayor garantía con el que cuenta la crítica textual, puede ser decisiva a la hora de caracterizar las diversas versiones de un mismo texto. En diversas ocasiones hemos comprobado cómo el ms. A de *Calila* se decide siempre por las soluciones más sencillas, las de menor elaboración y trabazón sintácticas; muchas de las meras coordinaciones del ms. A son resueltas en B con cualquiera de los tipos de consecutivas estudiados, preferentemente correlaciones de manera

> E avian una ave por amygo que le dezian çarapico, e era *tamaño* el amor que avian en uno *que* syn el non avian plazer nin solaz, e fazianle parte de quanto les Dios dava. En A: E avia ella un çarapico mucho su amigo, que ella mucho amava, *e* syn el non veya plazer, e a quien fazia parte en todas sus cosas (349-5829); e apoco el agua *de guisa que* se secaron las fuentes e ovieron los elefantes gran sed (Calila B 205-3426). En A: e menguo el agua en aquella tierra, *e* secaronse las

fuentes (205-3137). Dizen que una culebra enfermo *en tal manera que* non podia caçar, e fuese commo mejor pudo a una fuente adonde avia muchas rranas (Calila B 232-3867). En A: Dizen que una culebra envegeçio, e enflaqueçio *e* non podia caçar (232-3542).

5.1.5. La carga lógica y psicológica que —en mayor o menor medida— envuelve los tratados de Sintaxis hace dudar y cavilar a los autores a la hora de calificar estas partículas y locuciones ilativas que vamos a analizar en el presente capítulo, sin atreverse a integrarlas con claridad ni en la coordinación ni en la subordinación. Para algunos se trata de elementos que pueden ser lo mismo coordinantes que subordinantes (3). La mayoría prefiere no encajarlos decididamente en uno u otro grupo; así Gili Gaya afirma: «es evidente que éstas [las consecutivas] se acercan más que aquéllas [las causales] a la coordinación, en primer lugar porque la pausa obligada entre las dos oraciones del período tiende a aislarlas; en segundo lugar, porque es frecuente que algunas conjunciones consecutivas vayan precedidas de la copulativa coordinante *y*, por ejemplo, *y por consiguiente, y por lo tanto*» (4).

5.1.6. Prácticamente todas las partículas conclusivas latinas desaparecieron sin dejar rastro *(ergo, igitur, itaque, ita, denique)*; en cambio, permanecieron durante mucho tiempo algunos adverbios pronominales ya usados en latín con este valor, como *inde, proinde, unde* (5).

5.2. ONDE (6)

5.2.1. Del latín *ŭnde*, cuya traducción puede ser —según los casos— 'de donde, desde donde; de quien, del que; de lo cual, con que, por lo cual'. De ahí que sistemáticamente se aluda a su valor locativo y a su función de relativo (7), con o sin antecedente expreso

> Fartaronlos, e fueronse *allá ond* vinieron (Sto. Dom. 383a). Quando tornó al *çielo ont* era venido (Sacrif. 29a). Con qual abito pudo pensose de mover,/ Non vos lo se deçir *ont* lo podio aver (S. Mill. 77a). El *marinero onde* uos deximos (Placid. 140). Essora les conpieçan a dar ifantes de Carrión;/ con las çinchas corredizas májanlas tan sin sabor;/ con las espuelas agudas, *don* ellas an mal sabor (Cid 2735-37). Otrosi, mio fiio, para mientes por que Cain fue mal castigado en no temer a Dios ni a Adan, su padre, que mato a Abel, su ermano, *por donde* fue maldito e descomulgado e desterrado, e a cabo de grant tienpo lo mato en su nieto (Casts. e docs. BRAE 78).

En aquellos casos en que —como en el último ejemplo— funciona como antecedente toda una proposición, el valor relativo debilitado llega a exigir un refuerzo proponimal reproductor

> El conde de Triple fizo su consejo, *onde* fizo grand locura *en ello* (Ultram. CXXVI 557a).

Pero alguna vez se ha aludido a su integración en un nexo de subordinación; así, M. Alvar, al comentar el v. 220 de *Tres Reys*

> e fazian mal atanto/ *fasta on* los priso Pilato;

afirma que el valor de *on* es simplemente 'que', segundo elemento de la locución temporal (8).

Entre los estudios y ediciones de obras que hemos consultado, sólo hemos hallado dos alusiones a su valor ilativo-consecutivo (9). A. Castro, a propósito del siguiente fragmento de la *Disputa entre un cristiano y un judío*

> Pues luego entendemos que la primera es contraria de tu ley; *ond* tu ley non comia seuo ni sangre, e uos dexades de comer las otras sangres e comedes las de uuestros fiios;

dice: «*ond* tiene valor de una conjunción consecutiva, hecho raro» (10). Y en su edición del *Libro de las Cruzes* de Alfonso el Sabio, Ll. A. Kasten y L. B. Kiddle sitúan a *onde* entre las «conjunciones ilativas» (11), para ellos un grupo de las subordinadas

> Assi como dixo Tholomeu en el Almageste, non morro el qui abiuo la sciencia et el saber, ny fue pobre el qui fue dado a entendimiento. *Onde* en quanto el angel es mas alto et mas noble que el homme, por su grand entendimiento et por su grand saber que Dyos li dyo, assi el ombre, en qui Dyos quiso posar seso et entendemiento, es mas alto et mas noble entre todos los homnes. *Onde* nostro sennor, el muy noble rey [...], leyendo por diuersos libros de sabios [...] siempre se esforço de alumbrar... (Lib. Cruzes, prólogo 1a).

Onde no figura ya entre las conjunciones ilativas documentadas por Keniston en el siglo XVI (12).

5.2.2.1. El término es abundantemente empleado en la lengua medieval como elemento de ilación. Y aunque suele asignársele un valor semántico ya causal ('por esto, por ello, por lo cual...') ya consecutivo ('por tanto, por consiguiente, así...'), sólo el contexto puede inclinar en uno u otro sentido, y lo más frecuente es que se produzca una neutralización de ambos

> Priegot mucho que te mienbre del amor e de la conpannia que yo e ti ovyemos en nuestra mançebia, que mas y acrescamos, que yo loar me pueda de ti en my veiez assy cuemo me loé en my iuventud. *Ont* te ruego que tu me enbies escripto en una carta *La Fazienda de Ultra Mar* e los nombres de las cibdades... (Faz. 43).

La respuesta del arçidiano dice así:

> Tu eres myo sennor segunt la alteza e la dignidat que es en ti, e myo ermano por la conpannia de las letras que aprisiemos en uno. *Ont* me yo loo mucho de la tu amor. *Ont* iot fago saber que yo me metré a saberlo quanto yo meior podyere (íd. 43).

5.2.2.2. Su alternancia, en contextos idénticos, con locuciones anafóricas causales, confirma este valor. Así, al lado de

> Vinieron a Mara(z) e non podian bever de las aguas de Mara(z) que amargas eran; *por eso* lo clamaron Mara(z) (Faz. 72);

encontramos repetidamente usado con verbos 'dicendi'

onde, en una fórmula que termina por convertirse en tópica (13).

> De Jerico fue Zacheus propheta que era poco de cuerpo. *Onde dyz:* quia statura pusillus erat (Faz. 103). E priso Helyseus en .i. baso nuevo del agua, echo y sal, e bendixola, echola en la fuent e tornos sana e buena por bever. *Onde diz* el bendezir el agua: ut sanaretur sterilitas aque (Faz. 103) (14).

A veces en alternancia con la fórmula latina

> En Capharnaum fizo muchas maravillas en el Sabado, sanava los omnes en Capharnaum, sano al syervo de Centurio. *Onde diz:* Non inveny tantam fidem in Israel. Alli sano el demoniatico. *Unde dicitur:* [obmitesce et] exi ab eo (Faz. 124);

especialmente en textos jurídicos y documentos notariales

> E yo, recebido iuramiento de calunnia de anbas las partes, mande y que el demandador prouasse sua demanda, e el aduxo sos testigos e cartas pora prouar sua demanda, e prouola e conpriola: *unde* yo, uistos elos dichos delas prouas [...] acorde entre mi e oue conseyo... (Fl. Derecho, III, I, ley VIII).

Se emplea asimismo, no con carácter impersonal, sino con sujeto determinado

> Et que non aya temor de regir, así al fuerte

como al flaco: que si temor en esto tiene, nunca buen fecho fará. *Onde dixo el filósofo:* fortaleza es de sí mesma queja de atender la virtud del su nombre (Tr. Nobl. IV, 140). *Onde dize* grand verdad *el rey sabio Salamon* (Lib. de miseria de omne, 121a). *Onde dice Tullio* (Casts. e docs. BAE 120a). *Onde cuentan las estorias* (Cron. Gen. 57a-3); etc.

5.2.2.3. En cambio, la proyección de la forma verbal que introduce hacia un sentido de posterioridad, inclina a pensar en un valor ilativo-consecutivo, y especialmente cuando se trata de un mandato derivado de asertos precedentes

> Otrosy la terçera nobleza de los reys es el amor de la bondat de Dios, de la qual nasçen todas las otras bondades, ca fuente es de todos los bienes. *Onde,* mios fijos, sy queredes ser nobles, non partades los vuestros coraçones de la bondat de Dios (Zifar 301).

Nada tiene de extraño, pues, que, cuando se encuentran con este elemento, los autores de versiones modernizadas de textos medievales opten —según los casos— por locuciones anafóricas de valor causal o partículas ilativo-consecutivas (*por lo que, por ello, por lo tanto, así,* etc.) (15).

5.2.2.4. Por otro lado, las diferentes soluciones de los distintos manuscritos de un texto confirman este valor bisémico de *onde*

> Muchas fuertes serpientes guardauan la fontay

> na/ e *por tanto* non era la entrada muy sana/ non serie entrada a la meridiana/ quien se quisier la beua yo non he della gana (Alex. O 1994). En P: Muchas fieras sirpientas curiauan la fontana/ *onde dis* que non era muy sana la entrada (P 2136) (16); que las cosas que se fazen con lyt son a gran peligro del cuerpo e de los averes. *Asy que* lidiar con los buos non lo tengo a seso, que el que lidia con el elefante e non es semejante a el en fuerça, trae la muerte consigo (Calila B 201-3360). En A: *Onde* lidiar con los buhos non querades fazerlo (A 201-3052). E quando viste que acaesçio de nos e de ty fasta que llegaste a la rrayz deste arbol, (non) fue synon por la aventura que nos fue prometida; *pues* (la mas) bien aventurada criatura es aquella a quien Dios promete en su juyzio bien, e la mas mala venturada es aquella a quien Dios promete lo contrario (Calila A 346-5790). En B: *onde* la mas bien aventurada criatura es aquella... (346-5792).

En este último caso, la frase encabezada por *onde* en B se presenta como deducción de la anterior; en cambio, la introducida por *pues* en A se nos presenta como razón de la afirmación primera.

5.2.3. Aunque hemos visto casos en textos poéticos, los nexos ilativos son característicos de la prosa. A. Badía ha señalado en diversas ocasiones (17) que uno de los rasgos gramaticales característicos de la prosa alfonsí es justamente la necesidad sentida de ilación, es decir, ligazón de una frase con la anterior. Hay intención estilística de que la sintaxis resulte «trabada» (en contra de la sintaxis «suelta», más primitiva).

No puede extrañar, pues, el uso —y hasta abuso— que la prosa alfonsí y posterior hace de estos útiles gramaticales que van encadenando pesadamente, a modo de lentos razonamientos silogísticos, unos períodos con otros (18)

> El poder ueietatiuo del alma es de fazer crescer los cuerpos, *onde* poder ueietatiuo tanto quier dezir como acrescentadizo o acrescentador (19) (Gen. Est. Prim. Part. 572b-45); uisco Noe despues del diluuio trezientos e cinquanta annos, e dantes del diluuio auie ueuibo seyscientos. *Onde* son estos annos por todos en suma quantos Noe uisco, nueue cientos e cinquanta annos (íd. 36b-47).

En las obras alfonsíes *onde* se registra a cada paso; hay páginas enteras en que la mayor parte de los períodos comienzan por tal elemento. En muchos casos, *onde* funciona como término de cierre, introductor de la deducción final.

> [...]. *Onde,* porque en todas estas cosas sopo tan bien abenir, ffizol Dios por ello ssiete merçedes sennaladas quales non ffizo a otro rrey de ssu linage de grandes tienpos acá (Stenar. VIII, p. 14).

5.2.4. Su constante uso lo convierte en nexo meramente continuativo, de valor semántico muy debilitado o nulo; muchas veces soporta la conmutación por un nexo de coordinación copulativa, e incluso por ϕ:

> Gran uerguenna ouieron los romanos del pleyto que Mancino fiziera con los de Çamora, assi cuemo desuso ayestes. Lo uno por que tenien que fuera el pleyto mucho a su desonra, lo al por que ge lo facirien las gentes; e por end numqua en al punnauan, sino cuemo se podrien uengar dellos. *Onde* fue assi, que quando se cumplieron seyscientos e ueynt annos que Roma fuera poblada, fizieron consul a uno que auie nombre Cipion (Cron. Gen. 29b-26).

5.3. POR ENDE

5.3.1. A la combinación *por ende* (20), procedente del latín *proinde* (21) se le ha concedido habitualmente un valor exclusivamente causal ('por eso, por esto'), aun reconociendo otros usos derivados del simple *ĭnde;* así, por ejemplo, valor locativo en

> E acaeçio que pasaron *por ende* un dia tres pescadores... (Calila B 81-1454).

El propio R. M. Pidal, al comentar la Glosa Silense 85, de difícil interpretación (*Eo* [*in tantum*/*por eu ende*] *quod* [*por ke*]), afirma: «Parece que *in tantum* significa 'por tanto, por eso', como el latín *eo,* y no 'interim' como en Goetz, *Corpus Gloss. lat.,* ni 'todavía, sin embargo', como el port. *entanto.* En cuanto a *por eu* es difícil de creer sea un derivado del lat. *eo,* y, sin embargo, su lectura es indudable; acaso el copista quiso escribir *por ende* y se equivocó escribiendo *eu* en lugar de *en-,* después de lo cual puso completa la palabra *ende.* Esta suposición es la más aceptable, y tenemos entonces aquí una doble glosa, como a menudo ocurre: la primera más latina, *intantum;* la segunda más vulgar, *por ende;* ambas significan *por eso*». (22).

5.3.2. Su uso es abundante desde los orígenes del idioma

> por tierra andidiste treynta e dos años, Señor spiritual,/ mostrando los miraclos, *por en* avemos qué fablar (Cid 343-344) (23). Avié el omne bueno nomne Nepocîano,/ avié doble demonio, por ent no era sano (S. Mill. 172a) (24). Non puede ninguno seruir dos sennores, ca o querra mal el uno o amara el otro, o al uno suffrira e al otro despreciara. Non podedes seruir a Dios e a mammona. *Por ende* uos digo que non seades en cueydado de uuestra alma, que combredes... (Evang. S. Mateo, 31). Y avnque lo que dizes concediesse, Calisto es cauallero, Melibea hijadalgo, assi que, los nacidos por linaje, escogidos, buscanse vnos a otros. *Por ende,* no es de marauillar que ame antes a esta que a otra (Celest. IX, 169).

5.3.3. Por otro lado, el simple *ende* (al, igual que *y* < *ibi)* puede perder su valor locativo y pasar a significar 'de ello, en ello' (25)

> muchos se juntaron de buenos ricos omnes/ por veer esta lid, ca avien *ende* sabor (Cid 3546-47);

e incluso 'por eso'

> essos que a Dios amarán,/ grant gualardón *end'*

> reçibirán (M.ª Egipç. 14-15). De ssi mismo los aruoles dan tan buena olor/ que non aurie ant ellos forçia nulla dolor/ *ende* son los ombres de muy buena color/ bien a una iornada sienten el buen odor (Alex. O 1302). En P: *por eso* son los onbre sanos e de buena color (1444);

o como en el frecuente «fallose ende bien» de *El conde Lucanor*

> El conde se falló por bien aconsejado del consejo de Patronio, su consejero, et fízolo commo él le consejera, et *fallóse ende bien* (Lucan. ex. 1,61) (26).

La preposición *de* se une a *ende* con idénticos significados

> sere *dent* marauillado (Cid 1038) (27); vos dé *dent* buen galardon (íd. 2855; 3416) (28).

5.3.4. La locución *por ende* sobrevivió al simple *ende,* que tiende a desaparecer del uso vivo a partir del siglo XV (29). *Por ende* es registrada entre las partículas ilativas por Keniston (30), y su uso llega hasta nuestros días en autores arcaizantes.

5.3.5.1. Al igual que *onde,* la locución ilativa *por ende* aglutina los dos valores semánticos causal y consecutivo, y sólo el contexto puede hacer pensar decididamente en uno u otro sentido, especialmente la relación temporal en que se encuentran las formas verbales de las dos oraciones

> Ca unos toman muy grant pesar quando non se les faze lo que ellos quieren [...]; otros lo toman muy grande quando pierden [...]; otros [...]. *Por ende,* non vos podría respuesta dar quál es mayor pesar de todos, ca los unos toman pesar de lo uno et los otros de lo ál (Lib. Cab. XX, 18-11).

5.3.5.2. El carácter conclusivo se refuerza con frecuencia gracias a la anteposición de la copulativa *y*

> bien podedes entender que non podemos sofrir aquesta coyta tan grande en ninguna guisa; *e por ende* ha mester que tomemos y consejo (HTroy 119).

Onde y *por ende* alternan en el cierre de una exposición o razonamiento

> Temprado dixeron que fuese: que quanto tempranza es una maravillosa vertud, e [...]. *Onde* dixo el primero sabio: [...]. El doceno sabio dixo: [...]. *E por ende* á todo príncipe es necesario la tempranza (Tra. Nobl. VIII, 193).

5.3.5.3. También aquí el carácter de consecuencia parece claro cuando introduce un enunciado de proyección hacia el futuro, o de carácter imperativo:

> vevimos vida natural por haver la vida entelectual, *porende* pues que la vida natural non la queremos sinon por la vida intelectual *non demos* a la virtud natural mas de lo que es necesario para ella (Bonium 228); [...]. *E por ende* Nos don Alfonsso [...] *mandamos ayuntar* quantos libros pudiemos auer... (Con. Gen. 4a-1).

Las obras morales y tratados doctrinales en general se encuentran sobrecargados de partículas ilativas; la lección moral que el lector debe sacar es introducida sistemáticamente mediante *por ende*

> *Por ende* te do por consejo que non mates tu fijo (Sendebar 45); *por ende* toma tu tierra y labrala (íd. 18). *Por ende* para mientes, mio fiio, que todo es vanidat, si non Dios e la su gloria, que es sobre todo (Casts. e docs. BRAE 83). *E porende* guardatvos del dicho e escaparedes del fecho (Zifar 307).

La locución es muy usada en el *Libro de Buen Amor* y *Rimado de Palacio*

> Ssyenpre quis muger chica mas que grande nin mayor,/ non es desaguisado del grand mal ser foydor,/ del mal tomar lo menos, diselo el sabidor,/ *por ende* de las mugeres la mejor es la menor. (LBA S 1617) (31). Ca de tal masa somos nacidos, mal pecado,/ Que todos fallesçemos, qual quier en su estado:/ *Por ende* el poderoso Señor sea de nos rrogado / Que de nos emendar lo tenga en cuydado (Rim. Pal. N 295) ...*Por ende* lo mejos es callar e seruir (Rim. Pal. N 1494) (32);

y en la obra de Don Juan Manuel su uso es tan intenso que cualquier página se halla sobrecargada de ejemplos

> *Por ende,* yo, don Johan, [...] fiz este libro (Lucan., prólogo, 51) (33); *por ende,* vos ruego que me consejedes lo mejor que vós entendiér(d)es en lo que agora vos diré (íd. ex. 3, p. 68).

5.3.6. De acuerdo con lo que antecede, *por ende* se sentía en la lengua medieval como útil gramatical apto para la reproducción anafórica de carácter causal y como locución ilativo-consecutiva. En el primer caso *ende* recibía la competencia de los elementos pronominales neutros *eso, ello, esto* (34), de todos los cuales hacía también uso nuestra lengua:

a) *por esto*

> y este fue Gerion, y era gigante muy fuerte e muy liger, de guisa que por fuerça derecha auie conquista la tierra e auien le por fuerça a dar los omnes la meatad de quanto auien, tan bien de los fijos e de las fijas cuemo de lo al, e a los que no lo querien fazer mataualos. *E por esto* era muy mal quisto de todas las gentes, mas no osauan yr contra el (Cron. Gen. 9b-28).

b) *por eso*

> Vinieron a Mara(z) e non podian bever de las aguas de Mara(z) que amargas eran; *por eso* lo clamaron Mara(z) (Faz. 72). Dixo Peidro: «En vida trasqui grand avaricia,/ óvila por amiga abueltas con cobdicia;/ *por esso* so agora puesto en tal tristicia,/ quittal faze, tal prenda, fuero es e justicia (Mil. 250) (35).

c) *por ello*

> mas quando se aparto con el e ella quando entendio que fablaua el ynfante, entendio que seria descubierta a cabo de los siete dias de lo quel

> ynfante desia e ouo miedo que la mataria, *por ello* curo de lo faser matar ante que fablase (Sendebar 52).

Y aunque el castellano carece de locuciones conjuntivas de carácter deductivo formadas con el relativo, como ocurre en francés *(c'est pourquoi, voilà pour quoi)* (36), puede servirse del relativo neutro para conectar una frase a la anterior

> Don alevoso, probado en mal punto hobiste la traicion conoscida que comenzastes contra la dueña de Bullon, é fecistes la falsa jura que jurastes, pensando llevarle la tierra, *por lo que* a Dios no placerá, no querrá que sea ansí (Ultram. I, LXXIX, 47a);

o bien con el sustantivo *cosa*

> e despues dela muerte del padre o madre, la rrayz torne ala rrayz; *por la qual cosa* mando que, mager el padre o la madre que fincare biuo, aya de eredar esta rrayz en toda su vida, pero porque a de tornar ala rrayz, de fiadores que guarde la rrayz sin danno (Fuero de Cuenca, X, Título I).

El texto del *Fuero de Heznatoraf* opta por *e por ende* (37).

5.4. POR TANTO

5.4.1. En diversas ocasiones hemos aludido a que el castellano medieval solía repetir o anunciar la oración subordinada por medio de un pronombre neutro (38); la preposición más el pronombre iban separados de *que* (39), formándose así unas «perífrasis conjuntivas» discontinuas con valor causal o final (40)

> *por esso* vos la do *que* la bien curiedes (Cid 3196); *por tal* fago aquesto *que* sirvan a so señor (íd. 1366); la barba avie luenga e prísola con el cordón,/ *por tal* lo faze esto *que* recabdar quiere todo lo so (íd. 3097-98).

La anteposición de la proposición dependiente causal hace que en ocasiones se acuda igualmente a una forma neutra que resume el contenido de la misma

> E Nuestro Sennor Dios [...] enbiole ansi a dezir: «*Por tanto* commo has popado tus fijos e non los has corregido vigorosamente asi commo buen padre, *por esto* tus fijos morran delante tus ojos a mala muerte, e tu despues dellos (Casts. e docs. I, 40).

Con las formas neutras alterna *ende*

> Et *porque* yo sé que ninguno otro non me podría conseiar meior que vós, *por ende* vos ruego que me conseiedes lo que faga en estas cosas (Lucan. ex. 33, 183). Et este bien fazer es en la ençion, et *porque* la entencion del senescal non fue buena, ca fue quando non devía seer fecha, *por ende* non ovo della buen galardón (íd. XL, 202) (41);

aunque también es posible lo contrario: *por ende* catafórico, anticipador de la causa

> Et *por ende,* por non alongar el libro mucho, et por non me meter por muy fablador, non quiero más fablar en esta razon (Lib. Enfen. VIII, 26).

5.4.2. Una de las locuciones usuales para expresar la relación causal en la lengua medieval era *por cuanto* (42)

> Mucho vos lo gradesco commo a rey e a señor/ *por quanto* esta cort fiziestes por mi amor (Cid 3146-47); *por quanto* las dexastes menos valedes vos (íd. 3346).

En este caso la forma a la que se acude como resumidora, cuando la frase dependiente se antepone, es su correlativo normal *tanto* (43)

> *Por quanto* es la uilla de tal uuelta poulada/ que los unos a los otros non se entendien nada/ *por tanto* es de nombre de confusion dada/ ca Babilon confusion es en letra llamada (Alex. O 1360). *Por quanto* eran y con el Rey Don Enrique muchas gentes de las Compañas que con él eran venidas, asi Franceses, como Ingleses é Bretones, é otros, é facian grand daño en el Regno, é grand costa, que de cada dia se contaba el sueldo que levaban del Rey, *por tanto* acordó de los enviar los mas dellos, é fizo en Sevilla su cuenta con ellos del tiempo que le avian servido (Cron. D. Pedro XVI, 545b).

Piensa Bello que en casos como «Ve y di a Jeroboam: esto dice el Señor Dios de Israel: por cuanto no fuiste como mi siervo David, que guardó mis mandamientos, por tanto yo acarrearé muchos males sobre la casa de

Jeroboam», la correlación equivale a 'porque no fuiste... por eso' (44); de la relación de igualdad se pasa a la de identidad. Y se omite el correlativo *por tanto* en casos como: «Tenemos por enemigo declarado al sol, por cuanto nos descubre los remiendos, puntadas y trapos» (Quevedo) (45).

De hecho se documenta como correlativo de *porque*

> E *porque* amo mas consentir e satisfacer a la muger que a Dios, *por tanto* quiso Dios que truxiese grand parte de sus cargos. (Casts. e docs., prólogo, 32). *Porque* seruir te cobdiçio/ yo, peccador, *por tanto*/ te ofresco, en seruiçio/ los tus gosos que canto (LBA, S 1636).

5.4.3. Pero el valor demostrativo de *tanto* (46) permite su utilización independiente fuera de correlación (47)

> e el otro pugno en faser lo que fiso su conpannero, mas non hovo poder de apremiar la su conpannia, e hovola de falagar, e *por tanto* dannose ya quanto la su obra, e este es el vicioso (Bonium 223). Leemos de la bienaventurada madre de sant Bernaldo que todos sus fijos crió de su propia leche, non contrastando que era dueña noble é muy generosa, é los amó criar groseramente, por entención que mejor serviesen á Dios; é *por tanto* le dió Dios muy excelentes fijos, todos servidores de nuestro Señor Dios (Casts. e docs. BAE, 90a). E los Infantes de Aragon, que estaban en Salamanca por fronteros de la parte del Rey, non quisieron pelear con ellos, magüer tenian muchas mas compañas: é algunos decian que traian sus fablas para se ave-

> nir, segund se avinieron despues, é que *por tanto* non quisieron pelear (Cron. D. Pedro XVIII, 447) (48);

y en este sentido alterna con el resto de los neutros pronominales considerados anteriormente

> Et porque non son los mas de los entendudos maestros nin sabidores en parar las linnas [...], acaesceles que non son maestros nin sabidores en las sotilezas, et en las primezas de las obras de las manos. *Et por eso* non pueden poner aquella forma que ellos toman et entienden por la sciencia, en materia ninguna, ni saben cuemo se puede auenir la materia con ella, pora rescebir la forma que ellos ymaginaran en sus entendimientos. *Et por esto* fazeseles grieue de lo sacar a fecho. *Et por tanto* quiero mostrar cuemo lo puede fazer quien quier por la mas ligera casrera (Lib. Armellas I, I);

así como con las demás partículas de carácter deductivo

> Et, pues, el plito en esto está segund el mío entendimiento non cunple que fables con él ninguna maestría, entiéndelo et *por ende* caye en dubda et en sospecha de lo quel dizen et otra vez quando le dizen verdat on la creye, et, *por ende,* al omne entendido non le deven sinon dezir verdat. *Et por tanto,* me semeja que non abedes porque fablar con él, sinon verdadera mente... (Lib. Est. XVIII, 30-58).

Al lado de la fórmula casi estereotipada con *onde* y el verbo *decir* anteriormente considerada (49), encontramos

Dice sant Agostin: «Así que el que te ha fecho sin tí, non te salvará si non te ayudas» *Por tanto dijo David:* «Faz tú algunas buenas obras algunos dias (Casts. e docs. BAE 124a); ...en aquella hora fué encarnado nuestro Señor Jesu Christo, é ella preñada, é *por tanto le dicen* año de la Encarnación. (Cron. D. Pedro, I, 411b).

En alguna ocasión cada ms. opta por una solución

Muchas fuertes serpientes guardauan la fontayna/ *e por tanto* non era la entrada muy sana/ non serie entrada a la meridiana/ quien se quisier la beua yo non he della gana (Alex. O 1994). En P: *onde dis* que non era muy sana la entrada (2136).

En

Digo cuanto á lo primero, que pide é conosce lo que es guisado, é esto se entiende en aquello que le llama Señor; é digo que face bien, *ca por tanto* dijo el profeta David: «Grande es el nuestro Señor, é grande es la su virtud» (Casts. e docs. BAE 218a);

su uso tras *ca* hace impensable su valor de partícula deductiva.

5.4.4. Pero las distintas partículas van delimitando sus valores y usos. En este sentido es revelador comprobar cómo la *Primera Crónica General* transforma casi sistemáticamente los usos de *por tanto* en la prosificación del *Poema de Fernán González*

> Estos e otrros muchos que (non) vos he nonbrado(s),/ por lo que ellos fyzieron seran syempre ementados,/ sy tan buenos non fueran oy seryen oluidados,/ seran los buenos fechos fasta la fyn contados./ *Por tanto* ha mester que los dias contemos/ los dias e las noches en que los espendemos,/ quantos en valde pas(s)an nunca los cobrraremos,/ amigos, byen lo vedes que mal seso fazemos (F. Glez. 353-354). En Cron. Gen., p. 398: *Et por ende* a mester de catar en que despendemos nuestro tiempo... (50).

La mayor trabazón sintáctica de la prosa alfonsí prefiere a veces la inversión de las frases, llegándose así a la relación causal

> El grran(d) rrey afrycano oyera lo dezir/ que nul omne al conde non sel'podia guaryr,/ *por tanto* sy podiera quisyera lo foyr,/ nol dio vagar el conde e fue lo a ferir(F. Glez. 537). En Cron. Gen., p. 404: El moro quando uio al conde, quisieral foyr et desuiarse dell si pudiera, *porque* oyera dezir que omne que con el lidiasse quel non podrie escapar a uida.

Es precisamente *por tanto* la locución en que el sentido anafórico se va a ir debilitando paulatinamente; y es ese debilitamiento el que la va a hacer apta para la conexión ilativo-consecutiva:

> Non esta bien seguro el que asi ha de caer,/ Nin deue ser alegre el que tanto ha de temer;/ e *por tanto,* amigos, queramos nos doler;/ Non ayamos grant mal por tan poco plazer (Rim. Pal. N 562).

> Y no hay cosa tan prouechosa, que en llegando aproueche. *Por tanto,* mi hijo, dexa los impetus de la juuentud y tornate con la doctrina de tus mayores a la razon (Celest. I, 53) (51).

5.4.5. Si bien es este sentido el único que va a prevalecer en el español moderno, no ocurría así en la lengua medieval, en la que sigue dominando el valor causal, equivalente al de las locuciones formadas con neutros pronominales anafóricos.

> E non ha menester la ley, si non es guardada, de aver pena en este mundo, é la ira de Dios en el otro; ca escripto es é amonestado sin dubda, *é por tanto* le tienen las gentes por menguado é despreciado al Rey que la su ley desprecia (Cron. D. Pedro XXII, 569b).

Si creemos a A. Bello este valor permanece vivo aún en la lengua clásica, pues a propósito del ejemplo cervantino «Advertid, Sancho amigo, que doña Rodríguez es muy moza y que aquellas tocas más las trae por autoridad que por los años. -Malos sean los que me quedan por vivir, dijo Sancho, si lo dije por tanto», comenta: *«por tanto* es *por eso»* (52).

5.4.6. Dicho proceso de especialización hacia la deducción o «consecuencia», y al mismo tiempo su no desaparecida proyección hacia la proposición que constituye la «causa», han hecho vacilar a los tratadistas, ya que *por tanto* —y el resto de las locuciones ilativas— desbordan los límites de los conceptos tradicionalmente fijados de parataxis e hipotaxis.

Los que de ningún modo pretenden ignorar la función semántica de estos elementos de conexión, prefieren tratarlos, como algo peculiar, al margen de uno y otro tipo de relación sintáctica, si bien inclinándose indecisamente en uno u otro sentido (53). No en vano este tipo de conexión ha servido de bandera a la idea de la indistinción entre los conceptos de yuxtaposición, coordinación y subordinación (54).

Sintácticamente, nadie ha dudado de su integración dentro de la proposición que introducen (55), cosa que explica su movilidad posicional dentro de la misma.

> ¿Tu piensas *por tanto* que as ya librado? (Disp. del cuerpo e del anima, XV, Crest. II, 469); non te deues *por tanto* contra mi denodar (Alex. O 1724); ouieron los en cabo *por tanto* a lexar (Alex. O 2310);

pero no parece aceptable la solución —cómoda en exceso— de R. L. Hadlich, quien califica a *por tanto* —y demás locuciones ilativas— de «absolute adverbial», tipo de construcción que tiene independencia, en cuanto a la forma y en cuanto a la significación, de la proposición de que forma parte (56).

5.5. RECAPITULACION

La historia de las locuciones ilativas y conclusivas está regida, en suma, por la antinomia que domina la evolución lingüística en general. En cada estadio de la evolución se produce una lucha entre las necesidades de la comunicación, que exigen elementos cada vez más precisos para la expresión de las relaciones lógicas y no lógicas, y la inercia que empuja al uso de pocas unidades de valor más general y de más frecuente empleo (57). Al final, sin embargo, las que no logran clarificar su función y significación corren el riesgo del desuso y desaparición.

5.5.1. Es de sobra conocido, por ejemplo, que causa y finalidad tardaron en disponer de elementos propios para su expresión. En este mismo trabajo (58) hemos tenido ocasión de comprobar cómo *por tal que,* que servía igualmente para expresar el fin o la causa, terminará por desaparecer. En cambio, *porque,* que comienza escribiéndose con sus elementos separados

> Plogo a mio Cid, por que creçio en la yantar (Cid 304); pagado es mio Çid, que lo está aguardando,/ por que el comde don Remont tan bien bolvie las manos (íd. 1058-59) (59);

se va limitando a la expresión de la relación causal (60), y de ahí su plena vitalidad (61).

5.5.2. Razones semejantes parecen haber decidido la diversa suerte de los elementos conectivos que nos ocupan; puede decirse que todos ellos sirven para poner en relación causal o deductiva dos frases o períodos. Algunas partículas o locuciones no precisan si lo dominante en el pensamiento del hablante (-escritor) es resaltar que lo primero constituye la causa de lo segundo, o que esto último se presenta como resultado, consecuencia o deducción de lo anterior; y son precisamente las de más frecuente uso: *onde, por ende* (pocas veces el simple *ende* tiene carácter ilativo).

Pero para la reproducción anafórica de toda una frase y su presentación como complemento causal, la lengua dispone de los neutros *esto, eso, ello,* y los relativos *((lo) que* y *lo cual* (62), precedidos de la preposición *por.*

Por otro lado, *por tanto,* que comienza siendo un neutro reproductor en correlación con *por cuanto,* va especializándose en la orientación inversa de la relación: presentar como consecuencia o deducción de la anterior a la frase que introduce. Con ello se debilita, e incluso puede llegar a desaparecer, su capacidad de señalamiento anafórico (63).

Así pues, los derivados de adverbios *onde* y *por ende,* que se mostraban neutros por lo que respecta a la orientación de la relación conectiva (64), no resistieron la competencia de locuciones más precisas en tal sentido. *Onde* lo hizo en una fecha relativamente temprana (65). *Por ende* tuvo una vida más duradera, y aún es usada esporádicamente por escritores arcaizantes, no en la lengua hablada.

No pretendemos afirmar que la desaparición de estos elementos pueda explicarse exclusivamente por motivos de competencia de otros nexos más precisos. No pueden olvidarse otros valores y significados procedentes de *onde,* y tampoco puede ignorarse que el compuesto *donde* se gramaticalizó muy pronto con sentido locativo (66). En cuanto a *por ende,* no se pueden desconocer las causas de la desaparición del simple *ende* (así como de los derivados de *ibi*), ya bien analizadas por A. Badía (67). Debemos recordar, sin embargo, que también Badía acude para explicar la desaparición de *ende* a la competencia que ya desde un principio le hizo el uso de ciertos adverbios y locuciones pronominales (68).

5.6. Un proceso evolutivo diferente (69) ha llevado a los nexos de manera y —aunque en menor medida— a los de manera-intensidad a una función cercana a la ilativa

> e a estas VII estrellas, que son aquellas solas que atiempran aquella pressura del correr e de aquel foyr del cielo, e uan en contra alos exes del, fue dado poder departido delas otras cosas enla primera ley dela criança del mundo; *asi que* destas VII estrellas, cada una a su çerco departido delas otras poro anda (Gen. Est. Prim. Part. 116a-43).

Su uso frecuente ha llegado a convertir a algunos de ellos —especialmente *así que, de manera que*— en útiles fuertemente gramaticalizados, auténticas «muletillas» de carácter continuativo en las que se desvanece su capacidad de conexión con lo anterior, y ello hace posible hoy incluso su utilización en comienzo de parlamento. Quedan, de esta forma, enlazados los distintos tipos de subordinación consecutiva con estos nexos extraoracionales de carácter ilativo.

5.7. La constante capacidad del lenguaje de creación y renovación es algo que está fuera de toda duda (70). Si unos nexos se desgastan y entran en el proceso que conduce a la gramaticalización, la lengua crea o adapta nuevos instrumentos de mayor fuerza expresiva. Y eso ocurre sencillamente por la frecuencia de uso de esas palabras o grupos de palabras, lo cual conduce a una paulatina pérdida de significado, acompañada generalmente de un debilitamiento fonético y formal. Las lenguas siguen un desarrollo en espiral: añaden palabras accesorias para obtener una expresión más intensa; estas palabras se debilitan, se degradan, y terminan por convertirse en meros útiles gramaticales; se vuelve a acudir a nuevas palabras, que igualmente se debilitan, etc.

Merecería la pena estudiar los numerosos términos o locuciones de los que el español moderno ha echado mano en este sentido. Sus usos se sitúan en niveles diastráticos —e incluso diafásicos— distintos. Y, aunque son de origen muy diferente, en la semántica de casi todos ellos se descubre algún rasgo que hace referencia y orienta hacia 'lo que sigue' (71): *pues* (72), *así pues, luego* (73), *por consiguiente* (74), etc. Aunque el inventario tendría que completarse con otras muchas locuciones: *conque* (que al parecer no pasa del dominio popular), *ahora bien, en consecuencia, en suma,* etc., etc.

NOTAS

(1) Una breve, pero excelente, exposición del estado actual de la cuestión lo constituye el trabajo de F. Lázaro Carreter «Sintaxis y Semántica», en RSEL, 4,1, 1974, 61-85.
Una compilación de trabajos en torno al problema ha sido realizada por V. S. de Zavala, *Semántica y sintaxis en la lingüística transformatoria. 1.—Comienzos y centro de la polémica.* Madrid, 1974. 2, 1976.

(2) S. Gili Gaya, *Sintaxis* § 210 (íd. Real Academia Española, *Esbozo,* 3.18.3.a., p. 508); C. Hernández Alonso, *Sintaxis,* p. 92; etc.

(3) F. Brunot, *La pensée et la langue,* Livre I, chapitre X, p. 27.

(4) *Sintaxis* § 226.
C. Hernández Alonso, *Sintaxis* p. 124, no se atreve a calificarlas de coordinadas, aunque reconoce que son «consecutivas con un alto grado de independencia».
Para R. Seco y M. Seco se hace necesario distinguir entre coordinadas consecutivas y subordinadas consecutivas.

(5) En textos arcaicos es posible hallar estas partículas latinas

> Illa uero reuoluens jntra se has ambagnes... ereditabit neptum suum Pelagio filio Uermudo Fredinandiz concubino qui a semen illius erat, et tantam porcionem abebat jn eo quomodo si de legitima usore fuisset. *Et ideo* ego Fronildi Gutterriz deo deuota facio tibi nepto meo Pelagio cartula donacionis (R. M. Pidal, *Orígenes,* 27-28).

Ideo es uno de los adverbios pronominales que el latín usaba para la caracterización de la consecuencia; vid. Leumann-Hoffmann-Szantyr, *Lateinische Grammatik* § 282, p. 515. Cfr. *ideoque,* íd. § 254 suppl α y Ernout-Thomas, *Syntaxe.*
Para *inde,* vid. Hofmann, § 279 suppl α.
Para *proinde,* íd. § 160b (sólo en prosa y para imperativo o formas verbales performativas).

(6) Sobre esta forma y sus variantes *ont, ond, on, o,* pueden consultarse: R. M. Pidal, *Orígenes* § 38_2, p. 188; 110_3, p. 521. Del mismo, *Gram. hist.* § 128, p. 333. Del mismo, *Cid,* p. 195_{28}. R. Lapesa, *Asturiano y provenzal en el Fuero de Avilés,* Salamanca 1948, 25-27. Del mismo, «Sobre la apócope de la vocal en castellano antiguo. Intento de explicación histórica» en EMP, II, 1951, 185-226. J. Corominas, s. v. *donde,* DCELC, II, 189-191.

(7) Para sus usos en el *Cantar* puede verse R. M. Pidal, *Cid,* § 144, pp. 334-335. Cfr. además V. G.ª de Diego, *Gram. hist.* p. 389; M.ª Soledad de Andrés, *Sta. M.ª Egipç.* p. 222; etc.

(8) *Libro de la infancia y muerte de Jesús,* Madrid 1965, p. 186.

(9) A pesar de que R. M. Pidal, *Cid* p. 334 nota, al hacer referencia a que el uso pronominal de *donde* vive hoy en algunas regiones, recoge el siguiente testimonio: «en prov. i en portugués hai un *onde* semejante al nuestro; pero el que es del todo igual al empleado en Chile es el que se ve con mucha frecuencia en los autores italianos de los siglos XIII y XV, v. gr. Purgat. XX: io senti... tremar lo monta: onde mi prese un gelo; en chileno sería, poco más o menos: entonseh ayí temblar el monte como cosa que caye: onde me agarr' un yelo, etc. *Onde* introduce una consecuencia» (*La Raza Chilena, Libro escrito por un chileno,* Valparaíso 1904, 137-138).

(10) A. Castro, «Disputa entre un cristiano y un judío», RFE, 1914, 178.

(11) Ll. A. Kasten y L. B. Kiddle, *Alfonso el Sabio. Libro de las Cruzes,* Madrid-Madison, 1961. Al lado de *pues* (ej. en p. 8a-2), *por esto* (ej. en p. 5b-42). En cambio, las separan de las *locativas,* también subordinadas para ellos, *dou, don, o:*

> el logar *o* son las naturas... tempradas (8b-27).

(12) *Syntax,* pp. 667 y ss.

(13) Vid. más adelante, 5.4.3., lo que decimos a propósito de Alex. O 1994.

(14) También con *por ende,* vid. más adelante.

(15) Generalmente la decisión se toma con buen criterio:

> Assin fo mi façienda, como yo vos predigo, fizo sancta María gran pïadat comigo,/ *onde* todos devemos prender ende castigo,/ pregarla qe nos libre del mortal enemigo

(Mil. 451) [*Así,* todos debemos tomar de aquí castigo (versión mod. de D. Devoto, col. «Odres Nuevos»)] Non esperes qe venga pora ti acorrer,/ *onde* otro consejo te conviene prender (Mil. 645c) [*Por lo que* otro consejo te conviene tener (íd.)] et agora el conde es muy errado contra mi, que me non quiere dar mio padre nin sacarle de la prision. *Onde* uos ruego que uos que seades tan mesurados que uos que roguedes al conde et trauedes con ell que me de mio padre (F. Glez. p. 211 —Laguna del ms. rellenada a base de su prosificación en la Cronica) [*Por ello* os ruego que seáis tan mesurados (versión mod. de E. Alarcos, col. «Odres Nuevos»]

Pero en muchos casos se elude su traducción:

Yo la tengo en punno, podédes la veer,/Esto non iaçe en dubda, devédeslo creer,/*Onde* debemos todos a Dios gracias render,/ E a la Sancta Virgo qe li dennó valer (Mil. 845) [debemos ahora todos a Dios gracias render (versión cit.)]

Ello siempre será preferible a una mala versión, como en el caso

El rey auian viejo, de dias ançiano,/ N(n) in les dexaua fijo nin fincaus ermano;/ *Por onde* era el pueblo en duelo ssobegano/ Que senyor non fincaua a quien besasen la mano (Apol. 622) [*por donde* estaba el pueblo en duelo soberano (versión mod. de P. Cabañas, col. «Odres Nuevos»)]

(16) Sobre *por tanto,* más adelante 5.4.
(17) «La frase de la 'Primera Crónica General' en relación con sus fuentes latinas», RFE, XLII, 1958-59, 179210; «Dos tipos de lengua, cara a cara», Studia Philologica, Hom. a D. Alonso, I, 1960, 115-139; «Los 'Monumenta Germaniae Historica' y la 'Primera Crónica General' de Alfonso el Sabio», Strenae, Hom. a García Blanco, Salamanca, 1962, 69-75.
(18) La sensación se produce no sólo por la utilización de elementos ilativos de conexión; hay que contar también con el polisíndeton, las constantes repeticiones debidas al afán de precisión, etcétera.
(19) Cfr. con

> E en todas las substancias destas animalias a ell alma comunal mientre poder ueietatiuo, *esto es,* de acrentar los cuerpos dellas (Gen. Est. Prim. Part. 573a-10)

(20) Para la historia y usos del adverbio pronominal *ende* (variantes: *ent, end, en*) < *inde* 'de allí, de ello, por ello, de ahí, por esto', pueden verse: F. Hanssen, *Gram. hist.* §§67 y 624; R. M. Pidal, *Orígenes* §66$_7$ p. 345; J. Corominas, DCELC, II, 265; M.ª Soledad de Andrés, *La vida de Santa M.ª Egipciaca,* Madrid, 1964, p. 51; y, sobre todo, el excelente estudio de A. M.ª Badía, *Los complementos pronominalo-adverbiales derivados de ibi e inde en la Península Ibérica,* Madrid, 1947.

(21) Esta partícula conclusiva latina fue empleada originariamente sólo para introducir formas verbales imperativas. Vid. Hofmann, *Syntax,* §§ 160b, 282; A. Ernout-F. Thomas, *Syntaxe latina,* pp. 437 y ss. La forma latina se nos ofrece en documentos no literarios primitivos

> Et toto qua(n)tum abuimos de ereditas medietate tiui concedo, proque accepimus de uouis jn pretjo .c. solidos de ariento que lexauit a tiui Feles Petrizi de fidiatura quementisti de tuo filo Migael Feles, et ouisti me a dare centu solidos de ariento, *projnde* posuisti jstas ereditas in cartula que a tiue et annouis bene conplacuit (*Orígenes,* p. 26).

Con ultracorrección: *Projnte jntrauit jn comitato* (*Orígenes,* 36), traducido por R. M. Pidal «por ello».

(22) *Orígenes,* 377-378.

(23) Cfr.

> quísolis grand miraclo don Christo demostrar,/*por ond* de la su madre oviessen qé fablar (Mil. 441c)

(24) En O *ende,* en R *end.*

(25) R. M. Pidal, *Cid* pp. 325 y ss.

(26) La mayor parte de las veces no es tenido en cuenta en la versión modernizada («... y obró de este modo y con buen resultado»).

> Cfr. «dezir la pura verdad y hallarse *dello* mucho mal» (Corbacho, 1.ª 37.º)

(27) Cfr.

> estaban maravilladas *ende* todas las gentes (Sta. Or. 7a).

(28) Cfr.

> buen galardon *dello* prendrá (Cid 386)

(29) Casi al mismo tiempo que los derivados de *ibi.* Vid. A. Badía, op. cit. J. Corominas, DCELC, II, 265.
(30) H. Keniston, *Syntax,* 667.
(31) En la versión modernizada hecha por M.ª Brey Mariño, col. «Odres Nuevos», «por ello».
(32) Otros casos: e. 11, 13, 16, 17, 18, 21, 25, etc. etc.
(33) En la versión modernizada hecha por E. Moreno Báez, col. «Odres Nuevos», *por eso.*
(34) De hecho, y según hemos podido ir comprobando, las modernizaciones de textos medievales así lo resuelven:

> Et assi entendet que todo el pro et todo el daño nasçe et viene de aquél el omne es en sí, de qualquier estado que sea. *Et por ende,* la primera cosa que se deve catar en el casamiento es quáles maneras et quáles costumbres... (Lucan. ex. 25, 151) [*Por eso,* lo primero a que hay que atender... (versión modern. E. Moreno Báez)].

(35) Cfr.

> Sennora bendicta, en buen punto fuiste nada,/ Que pariste tal cosa que es tan exaltada,/ Disti en hora buena a Mexia posada,/ *Por ende* te diçen todas las gentes bien auzada (Loor. 137).

(36) Vid. G. et R. le Bidois, *Syntaxe,* §§ *20, 1150 bis.*
(37) También se acude al relativo neutro en las versiones modernizadas

> et commo quier que los vuestros ojos son prietos, quanto para oios, mucho son más fremosos que otros oios ningunos, ca la propriedat del oio non es sinon ver, et porque toda cosa prieta conorta el viso, para los oios, los prietos son los mejores, *et por ende* son más loados los oios de la ganzela, que son mas

prietos que de ninguna otra animalia (Lucan. ex. 5, p. 79) [... y como el negro hace ver mejor, los ojos negros son los mejores, *por lo cual* los ojos de la gacela, que son más oscuros que los de los otros animales, son muy alabados (versión mod. citada)].

(38) Vid R. Lapesa, *Historia* p. 156 Cfr. R. M. Pidal, Cid, § 210_2, p. 420.

(39) No así en prov. *(per so que)* o fr. *(parce que).* Cfr. R. M. Pidal, *Cid.* pp. 396 y ss.

(40) Sobre la plurivalencia de las conjunciones en esp. medieval, vid. R. Lapesa, *Historia* p. 154.

(41) La repetición no es obligada:

> Et por(que) este buen saber es tan complido que non puede todo caber en entendimiento de omne del mundo, fazen los omnes lo que pueden por aver del saber lo más que pueden (Lib. Enfen. prólogo, 96-63).

(42) Aún vivo en la lengua moderna, si bien sólo en ciertos niveles cultos y lenguaje de la información.

(43) S. F. Ramírez, *Gram.* § 139, p. 269 nota, piensa que *por lo tanto* acaso sea analógica de *por lo que, por lo cual.*

(44) A. Bello, *Gram.*, § 1060.

(45) Cosa que ocurre asimismo con otras preposiciones, como en el ejemplo cervantino: «De vos al asno, compadre, no hay diferencia *en cuanto* toca al rebuznar».

(46) Vid. cap. 1.

(47) Su alejamiento en el texto hace que la correlación —si en verdad existe— se encuentre muy diluida ya en casos como

> nin podia cercarla, *por quanto* el Conde Don Enrique, é el Maestre de Santiago su hermano, é Don Pero Estebanez Carpentero (...) eran idos á Toro, é fazian dende mucha guerra á toda la tierra; *é por tanto* fizo el Rey su pleytesia con estos Caballeros que estaban en la cibdad ... que non ficiesen guerra della (Cron. D. Pedro XI, 464b).

(48) Conviene no confundir esta construcción con aquella en que *tanto* se integra en el sintagma verbal, aunque aparezca junto a la preposición *por:*

> Dyxom' que mal fazia por tanto que tardava (F. Glez. 427a)

ordenada así en la versión de la *Prim. Crón. General:*

> dixo (...) que fazia mal en tardar tanto (Cron. Gen. 401b-13).

En ocasiones, sin *que:*

> Tornaron se al conde, dixieron le el mandado:/ que dezia el Rey que los daria de grado,/ mas que non era (luego) el su pecho llegado,/ *por tanto* sel' avia su aver (de) tardado. (F. Glez. 731);

cuyo sentido se aclara en la versión de la Crón. Gen.

> Et al conde plogol mucho con ello por que tanto yua tardando el pleyto (417b-40).

(49) Vid. 5.2.2.2.
(50) De paso, puede comprobarse cómo lo que es una simple yuxtaposición en el poema se transforma en una relación causal en la prosa alfonsí: *ca los que se passan...*
(51) Id. Celest. I, 50; I, 55; II, 62; etc.
(52) A. Bello, *Gram.* § 341.
(53) Gili Gaya, *Sintaxis* § 226, considera que hay razones para integrarlas dentro de la subordinación, pero —afirma— «se acercan a la coordinación».
W. von Wartburg-P. Zumthor, *Syntaxe* §§ 87-99, las tratan en el capítulo dedicado a las conjunciones de coordinación, pero forman con ellas un grupo aparte («adverbes de liaison»).
(54) RAE, *Esbozo* 3.22.3.
(55) Así lo admiten la mayor parte de los gramáticos; aunque no olvidan su capacidad de referencia anafórica. Así, C. Hernández Alonso, *Sintaxis* p. 124, afirma: «*por lo tanto, en consecuencia,* etc., son elementos léxicos con una función circunstancial en su grupo, y con valor y misión anafórica respecto a la principal».
(56) R. L. Hadlich, *A transformational grammar of Spanish,* 1971, cap. XII. (Hay traducción esp., Madrid, 1973).
(57) A. Martinet, *Elementos de lingüística general,* Madrid, 1965, 6.5-6.8.

(58) A propósito de *tal,* 1.2.

(59) Con frecuencia es la frase causal la que se antepone

> mas por que me vo de tierra, dovos çinquaenta marcos (Cid 250); por que se me entró en mi tierra derecho me avrá a dar (Cid 642).

(60) Su valor final llega, al menos, hasta la época cervantina

> porque veas, Sancho el bien que en sí encierra la andante caballería... quiero que aquí a mi lado te sientes (Quijote, I, 11).

Vid. Gili Gaya, *Sintaxis,* § 223.

(61) *Ca* va desapareciendo a lo largo del siglo XVI. Vid. J. Corominas, DCELC, I, 553; R. M. Pidal, *Cid* § 196₁, p. 396.

(62) *Lo* es el elemento que aporta los rasgos /–fem., –mas., –pl/, hecho necesario para que pueda reproducir una oración entera.

(63) Posteriormente se forma la variante expresiva *por lo tanto,* de idéntico valor (vid. nota 43).

(64) Sólo el punto de vista del hablante es el que ordena el contenido y establece una determinada relación entre hechos o conceptos.

(65) No hemos encontrado ningún caso en la *Celestina,* ni la registra Keniston, *Syntax.*

(66) Vid. J. Corominas, DCELC II, 189-191.

(67) A. M.ª Badía, *Los complementos pronominalo-adverbiales* (cit.).

(68) Id. p. 129.

(69) Vid. caps. 2, 3 y 4.

(70) Vid., por ej., A Meillet, *Linguistique historique et linguistique générale,* París, 1965; especialmente los caps. «L'évolution des formes grammaticales», 130-148, y «Le renouvellement des conjonctions», 159-174.

(71) El sentido primitivo de algunas partículas conclusivas latinas fue asimismo temporal. Vid. Hofmann, § 279, p. 513.

(72) J. Corominas, DCELC, III, 913, afirma que *pues* aparece ya desde el Cantar del Cid con el valor de conjunción causal e ilativa; y apunta que al valor de conjunción consecutiva se podría llegar desde el valor adverbial temporal 'después', aunque es más probable que salga del uso de *post* con valor de

postquam que ya hacía el lat. tardío, según probó Löfstedt. En cualquier caso, no nos ofrece ningún ejemplo.
Por otro lado, R. M. Pidal, *Cid* p. B11, da como conjunción ilativa el caso

> Pues comed, comde, e quando fóredes yantado,/a vos e a otros dos dar vos he de mano (Cid 1039-1040).

(73) Vid. J. Corominas, DCELC, III, 145-146.
(74) Hemos encontrado un caso de esta locución, en *Casts. e docs.*, concretamente en el prólogo que falta en los mss. B y C (ambos en la Bibl. Nacional de Madrid)

> Por tal commo Nuestro Sennor Dios es infinida bondad, por tal todo lo que el faze es bueno; e mal non puede auer començamiento nin fundamiento en el. Por tal dize Moysem en el primero libro de la ley que despues que Nuestro Sennor ha criado el mundo el miro a todo lo que fecho

6. APENDICE

ORACIONES CONSECUTIVAS HIPOTETICAS

La consecuencia puede presentarse como algo hipotético —posible o no—, o sometida al cumplimiento de alguna condición (1). En este apéndice hemos tratado únicamente de ordenar nuestro material, con el ánimo de que algún día pueda acometerse el análisis de estructuras más complejas, en las que dos o más esquemas tradicionalmente fijados y aceptados se funden.

6.1. CONSECUTIVA HIPOTETICA

6.1.1. La consecuencia o deducción puede ser presentada como hipótesis, con mayor o menor grado de posibilidad o probabilidad. La forma verbal normalmente empleada es el condicional

> Tantos son los exiemplos qe non *serién* contados (Mil. 412a).

Este tipo de proposición negativa de carácter hiperbólico con verbos como *contar* es un recurso del que la lengua medieval se sirve constantemente con fines ponderativos y ensalzadores

> Tantas son sus mercedes, tantas sus caridades,/ tantas las sus virtudes, tantas las sus vondades,/ qe *non* las *contarién* obispos nin abades,/ *nin* las *podrién* asmar reîs nin podestades (Mil. 614); é así les buscaban tantos achaques, que *no lo podria hombre contar* (Ultram. I, VIII 5b); tantas cosas á en ella que ninguno *non las podría nin contar todas* (Lib. Cab. XLVIII, 67-5).

Lo mismo puede ocurrir con un sustantivo colectivo o una forma neutra (2):

> tan grand *aver* fallaron que *non seria contado* (F. Glez. 272d); *tanto* lleuavan dello que *non serya contado* (íd. 717d).

En ocasiones aparece alguna perífrasis equivalente a *contar*

> Las torres ha espessas segundo aprisiemos/ atantas son que *cuenta dar non les podriemos* (Alex. O 1363) (3).

Y en general, aparte esta construcción formulística, la negación de la hipótesis —que, de este modo, queda descartada— es el medio más usado para la ponderación y la hipérbole

> et fiziera tantos libros en su uida que otro omne no los podrie leer todos en todo el tiempo que uisquiesse (Cron. Gen. 213a-46). Tyene de loça-

nia/ El seso tal despecho/ Que entrar non podria/ con ella so vn techo (Sem Tob 262).

La negación puede no ser radical ni de carácter absoluto

el cauallo era tal que aduro podria omne fallar mejor en toda la guerra (HTroy. 178) (4).

Casos de hipótesis afirmativa (5):

dioren se tales golpes a la ora del uenir/ que farian a Sanson de memoria exir (Alex. O 2038).

6.1.2. Pero no sólo el condicional se usa para la expresión de lo hipotético; el pretérito imperfecto de Indicativo puede presentarse (6)

Semeiame que eres tal que pertenescies pora seer muger de Juppiter, e tengo que sera de buena uentura el que te ouiere (Gen. Est. Prim. Part. 158a-26). Mouiosse por amor de antes recabdar/ por tal tierra que ome adur podie passar (Alex. O 198a).

En ocasiones cada ms. se decide por una forma verbal diferente

ca todos eran tales que lo *querrie* pechar (Alex. O 111) En P: *querien*.

6.1.3. Para la hipótesis en el pasado puede encontrarse la forma *-ra*

> tanto se apagauan della e de su companna, quel *dieran* quequier que demandasse (Cron. Gen. 35a-23) (7).

Las distintas versiones de un texto pueden diferenciarse en la elección

> acabaste tal fecho que pocos entiendo que lo *podieran* acabar (Calila B 236-3923); feziste tal fecho que pocos son los que que *podrian* fazer (Calila A 236-3598).

6.2. PRINCIPAL Y CONSECUTIVA HIPOTETICAS

6.2.1. En ambas se usa la forma temporal condicional

> Daria por tal su reyno el rey de Castiella,/ E seria tal mercado que seria por fabliella (Sta. Or. 79c). Ca tal seria la saña, yra e enconamiento,/ Que non podria ninguno fazer paziguamiento (Rim. Pal. N 1502).

Para R. M. Pidal (8) la forma *-se,* cuando el verbo principal está en imperfecto de Subjuntivo o en condicional, expresa el presente o el futuro

> Si no lo dexás por mio Cid el de Bivar,/ tal cosa vos faria que por el mundo sonás (Cid 2677-78).

Un ejemplo paralelo sería

> ¡sy yo touiese al arçobispo en otro tal angosto,/

yo le daria tal buelta que nunca viese al agosto! (LBA 1704).

La distribución de las correlaciones en el siguiente fragmento puede ayudar a aclarar el valor de la forma *-se*

> Estas son las maldiciones que Dios menazo: [...]. Que los *quebrantarie* con mengua e carestia de pan de guisa que .X. mugieres *coxiessen* a ora en un forno e *uendiesse* el pan a peso, e *combrien* ellos e non se *fartarien.* [...] Que los *tadrie* a tamanna cueta e a tamanna fambre que les *farie* comer las carnes de sus fijos e de sus fijas [...] Quelos *aborrescrie* El tanto que *tornarie* las sus çibdades desiertas [...] Que les *destroyrie* la tierra tanto que sus enemigos se *espauoresciessen* dello. [...] Que tanto pauor *metrie* en los que dellos fincassen en tierra de sus enemigos, que del sueno dela foia que lieua el uiento se *espantassen e foyssen* como ante espada [...] Que *andarie* El contra ellos e *adozir* los *ye* a tierra delos sus enemigos quelos querien mal, tanto que *enuergonçasse* dello la non circuncidada uoluntad dellos (Gen. Est. Prim. Part. LV, 586a).

Si entresacamos las correlaciones temporales:

a) quebrant*arie* ——→ coxi*essen*, uendi*esse* / comb*rien*, fart*arien*

b) tad*rie* ——→ fa*rie*
aborresc*rie* ——→ torn*arie*

c) destroy*rie* ——→ espauoreseie*ssen*
met*rie* ——→ se espanta*ssen* e foy*ssen*
and*arie* ... e adoz*ir*...*ye* ——→ enuergonça*sse*;

descubrimos que la forma *-se* alterna con el condicional en contextos sintácticos idénticos.

6.3. LA CONSECUTIVA EN EL PERIODO CONDICIONAL

6.3.1. LA PROPOSICION CONSECUTIVA CONSTITUYE UN PERIODO CONDICIONAL:

Principal ——→ Consecutiva
prótasis + apódosis

La efectiva realización de la «consecuencia» depende de la circunstancia (condición) expresada en la prótasis. Principal y consecutiva se hallan, pues, en modalidades diferentes: la primera en el plano de lo real, la segunda en el de lo eventual-hipotético (9).

> e tu as fecho tal cosa que non lo podrie ome melezinar *sy*non fuese muy entendido e endereçado e artero (Calila B 114-1972) (10); e de tal guisa fueron maltrechos los griegos, que aquel dia ouiera cabo la batalla, *sy* fuese la ventura de Troya (HTroy 47). Señor, vós me fazedes a mí tanta merçed et tanta onra et fiades tanto de mí que me ternía por muy de buena ventura si vos lo pudiesse servir (Lucan. ex. 25, 144) (11).

Es conocido que nuestra lengua dispone de múltiples posibilidades para la expresión de la condición (12). Gran parte de ellas pueden ser halladas como proposición consecutiva; sirva de ejemplo la construcción formada con el relativo y el imperfecto de Subjuntivo

> Et destas cosas le dixo tantas, que *toda muger quel entendimiento non oviesse muy maduro,* se podría tener dél por non muy bien casada (Lucan. ex. 27, 161).

La forma *-se* puede encontrarse en la apódosis

> e de tal manera guiso ella la posada, que el que ueer le quisiesse quel non *uiesse* si non muy de luenne, de manera quel non pudiesse connoscer de cara (14) (Gen. Est. Prim. Part. 102a-20).

6.3.2. PRINCIPAL Y CONSECUTIVA CONSTITUYEN LA APODOSIS DE UN PERIODO CONDICIONAL

Prótasis ——→ Apódosis

Ppal. + Consecutiva

En este caso toda la estructura compleja de carácter consecutivo depende de la circunstancia expresada en la prótasis

> é si luego los dixeses de non, atanta nescesidad podrian tener, que se irian a perder con desesperacion, ó á tomar otra ley (Tr. Nobl. XXV, 199); si tal cosa les acaesciere, deben estar así firmes que non dubden de se poner á la muerte (Casts. e docs. BAE 184a).

6.3.3. PRINCIPAL Y CONSECUTIVA CONSTITUYEN LA PROTASIS DE UN PERIODO CONDICIONAL

Prótasis ——— Apódosis

Ppal. + Consecutiva

> Et sy por aventura alguno de los maestros enfermase despues que ouiese començado el estudio, de manera que la enfermedat fuese atan grande e tan luenga que non pudiese leer en ninguna manera, mandamos que den el salario tan bien commo si leyese todo el anno (Partidas, 2.ª XXX, Ley IIII); et si eran tan grandes o tan brauos que se no atreuie, traye odres llenos de uiento sobre que se echaua, et passaua los con ellos (Cron. Gen. 93a-16) Et si fallardes en l'sienpre buena obra et leal, en tal manera que seades bien çierto que en ningún tiempo, por bien quel vaya, que nunca vos verná dél daño, estonçe faredes bien et será vuestra pro de vos ayudar porque otro omne estraño non vos conquiera nin vos estruya (Lucan. ex. 9, 89) (16).

El carácter modal-comparativo implicado en los nexos de manera no impide que, a veces, se acuda a *como,* resultando estructuras híbridas

> ca si omne ayuna *como en guisa* que non aya fanbre, ya que non digo que tal ayuno sea malo, mas digo que sería mejor quanto más fanbre oviese, por tal que se pueda sofrir (Lib. Est. LX, 95-63).

6.4. LA PROPOSICION CONSECUTIVA PUEDE, ASIMISMO, CONSTITUIR UN PERIODO CONCESIVO (17)

> é diole con ella tal golpe sobre las oreias, que la espada *maguer* era muy buena, toda se dobló; así que, se hobiera de quebrar, é non pudo tajarle

solo un cabello (Ultram. II, CCXLVII 309b) (18); amor conplido es entre dos personas en tal manera, que lo que fuere pro de la una persona o lo quisiere, que lo quiera la otra tanto commo él, et que non cate en ello su pro, nin su danno, así que *aunque* la cosa su danno sea, quel plega de coraçon de la fazer, pues es pro et plaze a su amigo (Lib. Enfen. XXVI, 128-55) (19).

NOTAS

(1) Quizá sean las oraciones condicionales las que mayor atención han recibido por parte de los estudiosos. Puede verse la bibliografía, hasta la fecha de su publicación, en J. Polo *Las oraciones condicionales en español,* Granada, 1971. Aquí nos importa destacar sólo un hecho: la frecuencia con que la correlación consecutiva se encuentra inmersa en un período hipotético.

(2) El verbo *contar* significa 'narrar, relatar' en

> Así que era tan grande la magnificencia, que non la podria home *contar* (Casts. e docs. BAE, 181b). Cfr. Cron. Gen. 439a-12, en nota 4.

(3) Con imperfecto de Indicativo:

> e mato tantos que *no auien cuenta* (Cron. Gen. 65a-30).

(4) *Aduro* 'apenas'.
Para las relaciones comparativo-consecutivas vid. 1.10. Cfr.

> fizole *tanta* onrra que *mas non* podria ser (Leom. LXXXI, 170). Et *tan* grand fue alli la batalla et tan esquiua, *que* de *mayor* non podrie omne contar (Cron. Gen. 439a-12).

(5) Hacemos caso omiso de la distinción que suele establecerse entre el carácter posible, probable, irreal, etc., de la hipótesis.

(6) El imperfecto de Indicativo se emplea, por otra parte, en las oraciones condicionales con significado futuro, sustituyendo a la forma *-ría* en la apódosis. Vid. S. Gili Gaya, *Sintaxis* § 124.

(7) Idem en el esp. clásico

> y de cuando en cuando empinaba la bota con tanto gusto que le pudiera envidiar el más regalado bodegonero de Málaga (Quijote, I, 8).

(8) *Cid* p. 354.

(9) Cfr. F. Brunot, *La pensée et la langue,* p. 708.

(10) En estructura yuxtapuesta:

> dizié qe so los piedes tenié un tal escanno,/*non sintrié* mal ninguno si colgasse un anno (Mil. 152c).

(11) En esp. clásico

> arremetió con tanta furia y denuedo, que si el fraile no se dejara caer de la mula, él le hiciera venir al suelo (Quijote I, 8).

(12) Vid. Lidia Contreras, «Las oraciones condicionales» BFUCh, XV, 1963, 33-109.

(13) Cfr.

> Recebi, señor, tanta alteracion de plazer, que *qualquier que* me viera me lo conosciera en el rostro (Celest. VI, 117). Y en pocos días y noches pusimos la pobre despensa de tal forma que quien quisiera propiamente de ella hablar, más corazas viejas de otro tiempo que no arcaz la llamara, según la clavazón y tachuelas sobre sí tenía (Lazarillo, Tratado II).

(14) La forma *uiesse* puede venir, además, contagiada por las demás formas *-se.* Por otra parte, es el único caso en la obra alfonsí en que *de tal manera* se halla en correlación discontinua con Subjuntivo.

(15) En esp. clásico:

> digolo porque si a su tiempo tuviera yo esos veinte ducados que vuestra merced ahora me ofrece, hubiera iuntado con ellos la péndola del escribano, y avivado el ingenio del procurador de manera que hoy me viera en mitad de la plaza de Zocodover de Toledo. (Quijote, I, 22).

(16) En esp. clásico:

> señores, si la fortuna rodease las cosas de manera que a mi amo le viniese en voluntad de no ser emperador, sino de ser arzobispo, querria yo saber ahora qué suelen dar los arzobispos andantes a sus escuderos (Quijote, I, 26).

(17) Vid., sobre las oraciones concesivas, J. Vallejo «Notas sobre la expresión concesiva», RFE, IX, 1922, 40-51. Del mismo, «Sobre un aspecto estilístico de D. Juan Manuel. Notas para la historia de la sintaxis española», en HMP, II, Madrid, 1925, 63-85. J. Luis Rivarola, *Las conjunciones concesivas en español medieval y clásico,* Tübingen, 1976.

(18) Unas líneas antes opta por la restricción adversativa:

> é tan grande fué el golpe, que todo se descompuso Baldovin, de tal manera, que hobiera de caer; *pero* tóvose bien, ca le fué escudo Jesucristo.

(19) Ejemplo de español clásico:

> y quedó tan otro de lo que antes parecia Cardenio, que él mismo no se conociera aunque a un espejo se mirara (Quijote, I, 29).

7. CONCLUSIONES

7.1. La visión diacrónica de los hechos sintácticos es el medio más adecuado de alcanzar una mejor comprensión de conceptos excesivamente manoseados y que han llegado a ser etiquetas clasificadoras sin sentido explicativo. Términos como yuxtaposición, coordinación y subordinación no pueden concebirse como tipos cerrados con fórmulas estructurales separadas.

A lo largo del trabajo hemos aludido muchas veces al proceso de progresiva elaboración sintáctica por el que una lengua va apoderándose de un número cada vez mayor de recursos de trabazón subordinativa. Los pasos de este progreso no son fáciles de fijar ni de analizar, y a ello se debe ese aire de inestabilidad sintáctica y de convivencia de normas o ruptura de las mismas que nuestros textos medievales reflejan.

Al enfrentarnos con éstos, hemos tropezado con graves dificultades de interpretación, derivadas en muchos casos de la imposibilidad de contar con elementos suprasegmentales (1.7.1.1.). La progresiva integración de *tal,* por ejemplo, en una correlación de subordinación (1.2.2.; 3.4.2.; 1.2.7.1.; 3.6.) no puede ser bien comprendida en ausencia de ellos (vid. también 4.1.6.). Por ello nos hemos visto obligados en alguna ocasión a contar con un margen necesario de ambigüedad sintáctica (1.2.2.5.) por lo que respecta a la naturaleza y grado de conexión correlativa. Se descubre con claridad, sin embargo, un avance paulatino hacia una superior madurez y elaboración de la sintaxis.

La sintaxis se nos revela como un instrumento de ayuda inestimable para la caracterización de los diversos manuscritos de un texto (vid., por ej., 5.1.4.). Incluso el problema del origen de las diferentes versiones conservadas de algunas obras (*Alexandre, Calila,* etc.) puede recibir luz de la comparación sintáctica; de ahí que no hayamos desaprovechado la ocasión de hacer observaciones en este sentido, cuando los hechos lo permitían.

7.2. El lento camino que lleva desde una sintaxis suelta y poco provista de elementos de conexión a una sintaxis trabada y con un mayor grado de elaboración ha quedado patente, creemos, en el presente trabajo (sirva como ejemplo 1.8.1.).

Desde la mera yuxtaposición a la plena correlación subordinativa se presentan pasos intermedios de particular interés para la evolución sintáctica, la mayoría de ellos inestables y que no logran triunfar. La no elaboración previa de la frase y el ritmo roto y suelto, que reflejan la espontaneidad y la carga afectiva de la lengua medieval, conducen a veces a seudocorrelaciones como *muy... que* (1.7.1.4.-1.7.1.5.) —y menos *asaz*— que no pueden prosperar ante la norma impuesta por la andadura más reposada de la lengua culta. La presencia del intensificador de carácter absoluto obligará a reiniciar la correlación (1.4.2.1.) o variar de estructura (2.3.3.3.1.; 4.3.2.).

No debe entenderse, con todo, que la yuxtaposición formal es reflejo siempre de primitivismo sintáctico. Por un lado, como hemos visto, el no establecimiento de la correlación puede ser utilizado como procedimiento de expresividad estilística (ausencia de *que*, 1.7.1.); y por otra parte, viene obligado si se antepone la consecutiva (1.7.2.), anteposición que también debe ser explicada por motivos de mayor expresividad y afectividad. Una vez más el concepto de elipsis se nos muestra aquí ineficaz, lo cual no quita que con frecuencia hayamos acudido a la simetría con los modelos «normales» para demostrar que existe un mismo grado de interdependencia entre las proposiciones (1.7.1.2.)

7.3. El estudio de las partículas y locuciones de valor ilativo (cap. 5) nos ha llevado a replantear los límites —con frecuencia, imprecisos— que separan la coordinación de la subordinación. La indecisión y las vacilaciones de los gramáticos en torno a esta cuestión (5.1.5.; 5.4.6.) constituyen la mejor prueba de que a menudo se intenta forzar los hechos sintácticos para encajarlos en ficheros previamente establecidos, en lugar de seguir el camino inverso. Tales conceptos deben ser definidos a la luz de la lingüística histórica, pues la elección de unos recursos u otros está condicionada por el cuadro de posibilidades que la comunidad, o el individuo, tenga a su alcance y por la necesidad sentida de conseguir nuevos procedimientos. Sirvan de ejemplo, una vez más, las diversas soluciones adoptadas por las distintas versiones de un texto (2.3.4.2.2.; 5.1.4.)

Pero tomar como bandera este tipo de conexión ilativa para afirmar la imposibilidad de distinguir diferentes tipos de relación entre las proposiciones nos parece igualmente inadecuado (5.4.6.).

Su valor conectivo, por otra parte, traspasa estos límites tradicionalmente fijados, para convertirse en enlaces extraoracionales que, debido a su uso abundante, acaban transformándose en muletillas gramaticalizadas de muy débil valor nexual (2.3.4.2.). Este proceso tiene mucho que ver con la atenuación de la función anafórica de los términos centrales de estos nexos (5.4.4.; 5.6.)

7.4. El análisis de las oraciones consecutivas revela —y, a nuestro parecer, mejor que otros tipos oracionales— una de las constantes que dominan la evolución lingüística. Cualquier estado de lengua nos presenta una pugna entre diversas posibilidades; esta lucha está regida por fuerzas en cierto modo contrarias: por un lado, existe una tendencia constante a la economía lingüística, que prescinde de elementos redundantes y tiende a hacer desaparecer algunos de los términos que cumplen una misión idéntica o semejante a la desempeñada por otros; por otro lado, una lengua no descansa en su afán de conseguir procedimientos más precisos, o sencillamente más expresivos, de relación sintáctica, para lo cual no cesa en la renovación y enriquecimiento de sus útiles gramaticales.

A lo largo del trabajo hemos asistido a múltiples contiendas en este sentido. En ocasiones, la cuestión se planteaba simplemente en términos de deslinde distribucional sintagmático; es el caso de *tanto/tan* en ciertos contextos (1.4.1.9.; 1.5.; 1.7.2.6.), en donde, además, hay que contar con la competencia de *así* (4.5.1.-4.5.3.) y —aunque mínima— de los demás nexos de manera. A pesar de que no es fácil establecer las causas decisivas, se debe contar con reglas sintácticas que dominan desde el principio la repartición funcional y posicional de estas formas.

Problemas de carácter léxico y de preferencia estilística están por debajo de la competencia que parece producirse entre *tanto* (con su significado originario *tam magnus),* la combinación analítica *tan+grande* y el culto *tamaño* (1.6.2.-1.6.3.).

7.5. Los sintagmas preposicionales constituidos con *tal* y un sustantivo con el rasgo /+manera/ proporcionan un extraordinario ejemplo de cómo el sistema va seleccionando determinadas locuciones hasta hacerlas útiles gramaticales de subordinación. Algunos sustantivos no llegan a fijar nexos estables, como ocurre con *estado* (1.2.9.2.); y entre los que lo consiguen, el sistema se encarga de ir eliminando algunos (*guisa* es el caso más importante) en favor de otros (*manera;* posteriormente *forma* —sólo hallado por nosotros, y esporádicamente, en *Ultramar,* 2.3.2.3.—, *modo,* etc.).

Sin *tal,* la historia —centrada en la alternancia *guisa/manera*— es paralela (2.3.).

En ambos casos, tras una fluctuación vacilante entre diversas preposiciones, triunfa *de* (2.3.2.2.).

La lucha es más compleja, puesto que unas y otras correlaciones tienen muchos puntos de contacto, e incluso llegan a neutralizar sus diferencias. Los nexos de manera tienen muchas veces carácter elativo (3.2.1.); por su parte, el adverbio *así,* no sólo alterna con los sintagmas preposicionales en los que se encuentra un demostrativo, meramente deíctico o cualitativo (4.1.1.-4.1.2.) —en muchos casos como simples variantes estilísticas (4.2.1.)—, sino también con las correlaciones de manera (4.3.7.2.-4.3.7.3.). Esto no puede extrañarnos, dado que, exceptuando algunas coincidencias y divergencias parciales (4.3.1.), en *así* se puede producir un sincretismo de ambos tipos de correlaciones, con y sin *tal* (4.5.4.).

El proceso de gramaticalización de todos estos nexos,

y especialmente de *así que, de guisa (manera) que,* nos llevó también a puntos de confluencia con las partículas ilativas (5.6.).

7.6. En la suerte que tuvieron las partículas y locuciones ilativas influyó especialmente su mayor o menor precisión en la expresión de la relación conectiva. Y así, *onde* y *por ende,* que se mostraban neutros por lo que respecta a la relación, sucumbieron —el primero antes que el segundo— ante la mayor claridad de frases prepositivas causales formadas con pronombres neutros (5.3.6.; 5.5.2.), sin que resulten muy reveladores nuestros intentos de acudir a criterios contextuales, e incluso extrasintácticos, para desentrañar el sentido de tales elementos (5.2.2.; 5.3.5.).

El desgaste de las locuciones de manera como elementos ilativos tiene que ser el punto de partida para explicar la afloración de nuevas locuciones deductivas, que sólo alcanzarán estabilidad en época posterior a la que constituye nuestro objeto de estudio (5.5.-5.7.)

7.7. Simultáneamente hemos podido ir comprobando cómo la lengua posterior ha anulado posibilidades sintagmáticas aceptables en el castellano medieval: intercalación de un numeral entre *tal* y su sustantivo (1.2.3.3.), convivencia de *tan mucho* y *tanto* (1.3.3.4.), utilización de los nexos de manera como atributo (1.3.3.6.); etc. Hemos dedicado especial atención a las distintas fórmulas partitivas (1.3.6.), por parecernos que el estudio del partitivo en español está necesitado de una reconsideración y que nuestros datos pueden ayudar a ello.

7.8. Algunos hechos sólo podrán ser interpretados correctamente si no se pierde de vista la sintaxis latina, bien porque se trate de calcos sintácticos que aparecen con mayor o menor frecuencia, como ocurre con el valor 'solo que' (*tantum ut*) (1.4.1.4.), bien porque sean construcciones que derivan directamente de fórmulas de la lengua madre: *hacer de guisa que,* como descendiente de uno de los valores de *ut* latino (2.4.2.6.), los nexos de manera con sentido de condición, convenio, etcétera (3.4.2.), y otras.

7.9. Nada sujeta a criterios de corrección normativa, la lengua medieval nos presenta constantemente soluciones que rompen los modelos sintácticos «normales». En unos casos puede acudirse para explicarlas —y así lo hemos hecho nosotros— a falta de pericia en la elaboración de la correlación o simplemente por razones de espontaneidad: el *que* meramente anunciador de la subordinada, preparada anteriormente por medio de *así* (4.1.7.2.) o algún otro término (cfr. con otras construcciones del tipo *por eso... que* 4.1.7.1.); la seudocorrelación *muy* (o *asaz)... que* (1.7.1.4.-1.7.1.5.); la conexión de *que* con un demostrativo de la serie *este-ese-aquel* (4.1.6.3.); la acumulación, como antecedente, de *así* y *tan (tanto, tal)* (4.6.4.); etc.

Pero en muchas ocasiones hay que pensar en que la sintaxis se doblega a la intención expresiva del hablante, sin que importe demasiado si la estructura resultante se adapta a las usuales. La suma de dos o más ideas en la mente del hablante no se ordena ni se desdobla, sino que se traduce en una frase mixta con acumulación de elementos (1.8.). Algunas de ellas, como la temporal-consecutiva (1.8.2.), tuvieron un desarrollo casi comparable al del modelo considerado como «ideal», pese a lo cual ha sido desechada por la lengua posterior. Lo mismo cabe decir de la combinación que hemos denominado —sumando dos términos tradicionalmente aceptados— causal-consecutiva (1.8.3.; 4.6.1.).

Este carácter híbrido puede afectar incluso a los diferentes subtipos de consecutivas; tal es el caso en que una correlación de manera funciona como correlativo de un antecedente de intensidad (4.6.5.).

7.10. Pero son de mayor interés aquellas estructuras que pueden apoyar algunas de las consideraciones hechas a lo largo del trabajo y contribuir a explicar fenómenos de carácter más general.

La naturaleza y funcionamiento de *que* ha sido objeto de abundantes estudios, con enfoques distintos. El tratamiento de nuestras oraciones, creemos, arroja alguna luz en torno al problema (1.10.4.); frecuentemente, sin embargo, hemos preferido hablar de oraciones relativo-consecutivas (1.8.4.; 4.6.2.; etc.), lo cual no es nuevo, pues no faltan gramáticas latinas —como la de Kühner-Stegmann— que distinguen, al lado de las adverbiales consecutivas, sustantivas y relativas consecutivas, aunque sólo las primeras sean consideradas propiamente como tales. De nuevo la realidad desborda los términos y conceptos acuñados; como ocurre en las relativas latinas (1.7.3.), la lengua se sirve de *que* solo para la expresión de numerosas relaciones, entre ellas la de consecuencia (1.7.3.). *Que* ha pasado a ser en la lengua medieval un comodín plurivalente, y en muchos casos un mero fósil que los gramáticos califican de expletivo (1.7.3.7.-1.7.3.8.), pero que volvería a poner en aprieto la separación yuxtaposición, coordinación y subordinación (1.7.3.9.).

7.11. Si nuestra idea de hacer derivar las consecutivas de intensidad de una comparación subyacente (1.10) resultase válida, pudiera abrirse una vía para el replanteamiento de la llamada subordinación adverbial. Pero no se nos escapa que nuestra sintaxis está necesitada de un gran número de trabajos parciales, sin los cuales sería temerario elevarse a planteamientos de carácter general. En cualquier caso, el parentesco y la confluencia de comparación y consecuencia ha quedado patente en diversas ocasiones en el nivel de la pura realización (1.7.3.7.1.; 1.10.3.4.-1.10.3.5.; 2.5.3.).

7.12. Paralelamente, se hace necesario acudir a las oraciones modales (o, mejor, comparativo-modales) en el análisis de las consecutivas de manera (2.5.). Tampoco esto representa una total novedad, a pesar de que es asombrosa la falta de acuerdo de los tratadistas por lo que se refiere a la denominación y subagrupación de estas oraciones (2.1.2.). También aquí el parentesco se ve apoyado en los múltiples puntos de confluencia, y particularmente en la equivalencia de la consecutiva negativa con *sin+oración (de manera que no* 1.7.3.7.2. y 2.4.2.7.5.; *así que no* 4.3.8.1.-4.3.8.2.; *que no* 1.7.3.7.1.; etcétera).

7.13. La correlación verbal no está sometida a reglas especiales, y las posibilidades son múltiples, sin más condicionamiento que la relación lógica de anterioridad-posterioridad en que deben hallarse principal y consecutiva (vid., por ejemplo, 1.9. para las de intensidad), y aun esto no obliga siempre a una correspondencia determinada en el uso de las formas verbales (1.9.2.14).

En el caso de las locuciones de valor ilativo, es impropio hablar de correlación verbal, si bien resulta claro que sólo pueden introducir formas verbales de Indicativo (y alguna vez formas subjuntivas de uso independiente) (2.3.4.2.4.).

Surgen, con todo, datos que son aprovechables para

una morfosintaxis diacrónica del verbo; así, por ejemplo, el hecho de que la transformación infinitiva no sea obligada en castellano medieval en algunos casos en que la lengua posterior la ha impuesto (cfr. 2.4.2.5.).

7.14. El uso del Subjuntivo en la consecutiva de manera, sin embargo, ha merecido una atención especial por nuestra parte. Y no siempre va ligado a la expresión de la finalidad, puesto que puede venir obligado cuando la principal es de carácter performativo o negativo (2.4.1.1.; 2.4.2.1.-2.4.2.2.; 3.4.1.; 3.5.1.; 4.4.2.1.; excepciones y casos especiales 1.9.3.3.), cuando es, a su vez, una subordinada en Subjuntivo (2.4.1.2.; 2.4.2.3.; 4.4.2.2.), etc.

7.15. Siendo el rasgo elativo uno de los más frecuentemente utilizados en la interpretación de nuestras correlaciones (y no sólo en las propiamente denominadas consecutivas de intensidad), hemos llamado la atención sobre todos aquellos recursos que consiguen, o ayudan a lograr, el relieve —en ocasiones hiperbólico— sobre el que se sustenta la consecuencia. Y, aun a riesgo de salirnos de nuestro terreno, hemos tenido en cuenta no sólo procedimientos morfológicos o sintácticos, sino incluso léxicos. Entre estos últimos citemos la utilización de términos intensificadores de carácter absoluto —*muy, mucho* especialmente— (1.4.2.1.; 2.3.3.3.1.; 3.2.4.; etc.). Y entre los primeros, el contraste de modalidad entre ambas proposiciones —el carácter negativo de la subordinada pondera lo afirmado en la principal— (1.7.1.7.; 3.2.3.; 4.2.3.; 4.3.3.; etc.), la utilización del condicional (6.1.1.), etc.

7.16. Nadie duda del íntimo parentesco existente entre las finales y las consecutivas en Subjuntivo, por lo que no vale la pena insistir más en ello (2.4.1.3.; 2.4.2.5.; 2.4.2.7.; 2.5.4.; 3.4.2.; 3.5.4.; 4.4.3. etc.). Ambos valores pueden hacerse explícitos mediante la preposición *por* (y alguna otra) ante el correlativo *que*, llegándose así a nuevas estructuras híbridas, que hemos estudiado como final-consecutivas (1.8.5.; 4.6.3.; etc.), para ser coherente con el resto de las combinaciones anteriormente mencionadas.

7.17. Los límites del presente estudio no nos permiten ahondar en el análisis de unidades sintácticas más amplias que los períodos correlativos considerados. Pero en diversas ocasiones se ha aludido a diferentes bloqueos producidos por la composición estructural de la principal: comparativa (2.3.3.3.5.; 4.3.5.), consecutiva de intensidad (2.3.3.3.5.; 4.3.6.), etc. En un Apéndice (7.) se han ordenado las diferentes posibilidades que presenta la fusión de la correlación consecutiva con el período condicional y con el concesivo.

Una gran complejidad de la frase, es fácil deducirlo, puede provocar continuas muestras de sintaxis suelta y de ruptura de modelos tenidos como «normales». Algunas de las yuxtaposiciones pudieran explicarse como consecuencia de la falta de pericia en la construcción de períodos excesivamente largos (1.7.1.8.).

7.18. Finalmente, nuestro estudio ha venido a corroborar una afirmación generalmente aceptada, pero con la que suele operarse poco. Las piezas del léxico no adquieren su verdadero sentido más que como constituyentes de frase; si, además, esos elementos poseen una función y significación esencialmente gramaticales, como ocurre, por ejemplo, con nuestros términos elativos *tal, tanto,* etc., olvidar ese hecho conduce inevitablemente a vacilaciones e inexactitudes en el análisis sintáctico (1.1.). Unos términos a los que se califica de fundamentalmente correlativos no pueden ser estudiados fuera de la correlación. Recordemos que este hecho nos ha ayudado también para una recta interpretación de las funciones de *que.*

7.19. Nos repetiríamos si volviésemos aquí de nuevo sobre la conexión e inseparabilidad de los aspectos sintáctico y semántico (vid., por ej., 5.1.2.). Bastará recordar algunos de los numerosos datos dispersos a lo largo del trabajo en torno al problema de la subcategorización del verbo y sintaxis, y a las restricciones sintácticas derivadas de los rasgos de significación del verbo: la integración de los antecedentes de manera en la principal se halla condicionada por el carácter del verbo (2.3.3.3.1.) o por la significación global de todo el período (2.4.2.6.); los rasgos de subcategorización del verbo pueden variar según la construcción (2.4.2.6.); la significación del verbo puede alterarse parcialmente a consecuencia del término elativo modificador (1.4.1.2.; 1.4.1.8.) y viceversa (1.4.1.3.; 1.8.2.2.); restricciones funcionales de *tanto, -a, -os, -as,* derivadas de la subclase de verbos (1.3.3.3.); etc.

7.20. FINAL

Quizá los resultados a los que ha conducido nuestro estudio sean tachados —no sin razón— de limitados, pero ello es una consecuencia a la que ha llevado la excesiva desconexión de las disciplinas científicas. La lógica formal y la psicología, entre otras, habrían de encargarse de desentrañar y llevar a fórmulas explicativas lo que hay por debajo de estos rasgos de significación y tipos de relación de que nos hemos servido: ponderación (relieve, énfasis...), comparación, modo, causa, finalidad, etc., y adentrarnos así en el conocimiento de una parcela de lo que, desde Humboldt, venimos llamando forma interior del lenguaje.

Para que esto fuera verdadera historia deberíamos preguntarnos, por ejemplo, si es casual el que las páginas de nuestros textos se hallen sobrecargadas de consecutivas de intensidad, o si no tendrá que ver con esa tendencia constante del español hacia la exaltación y la ponderación (e incluso a la exageración). Desde este punto de vista sí tendría interés la distinción —ya comentada en la Introducción— entre consecutivas que expresan acción, resultado, y aquellas otras que indican mera consecuencia o deducción. Una revisión no rigurosa de nuestros datos parece revelar que son particularmente abundantes las primeras en las crónicas y narraciones históricas; la gradación ascendente de la frase consecutiva es un recurso muy apropiado para referir las circunstancias de especial relieve que rodean a los hechos y aventuras, para ensalzar cualidades personales sorprendentes, etc. (1.10.1.)

Las obras no narrativas, así como los textos jurídicos, y científicos en general, marcan un notable descenso de tales estructuras.

Hay que contar, sin embargo, con un número elevado de casos que, en rigor, no expresan ni una cosa ni otra, siendo muchas veces simples tautologías modales.

La lengua poética, a excepción de la de carácter narrativo, ha ido prescindiendo en gran medida de este tipo de oraciones, y algunas estructuras han llegado a ser descartadas de la auténtica poesía.

BIBLIOGRAFIA

ALARCOS, E.: *Investigaciones sobre el Libro de Alexandre,* Anejo XLV de la RFE, Madrid, 1948.

— *La lengua de los 'Proverbios morales' de don Sem Tob,* en RFE, XXXVI, 1951, 249-309.

— *Gramática estructural,* Gredos, Madrid, reimpresión 1969.

— *Estudios de Gramática funcional del español,* Gredos, Madrid, 1970.

ALCINA FRANCH, J. y BLECUA, J. MANUEL: *Gramática española.* Barcelona, 1975.

ALGEO, JAMES E.: *The Concessive Conjunction in Medieval Spanish and Portuguese; its Function and Development,* en Romance Philology, XXVI, 1973, 532-545.

— *«Pleonasm and the Expression of Reality in the Concessive Clause in Medieval Ibero-Romance»,* en RRL, XVI, 1971, 287-298.

ALEMANY BOLUFER, J.: *Estudio elemental de Gramática histórica de la lengua castellana,* Madrid, 6.ª ed. 1928.

ALONSO, AMADO y HENRÍQUEZ UREÑA, PEDRO: *Gramática castellana,* Losada, Buenos Aires, 24.ª ed. 1967.

ALONSO, DÁMASO: *Estilo y creación en el 'Poema del Cid',* en Escorial, 1941, 333-372. (Recogido en *Obras Completas* II, Gredos, Madrid, 1973, 107-143).

ALONSO CORTÉS, N.: *Gramática de la lengua castellana,* Valladolid, 11.ª ed. 1940.

ALONSO DEL RÍO, J.: *Gramática española,* Madrid, 1963.

ALVAR, MANUEL: *Variedad y unidad del español, Estudios lingüísticos desde la Historia,* Prensa Española, Madrid, 1969.

— *Poemas hagiográficos de carácter juglaresco.* Estudio y Edición. Alcalá, Madrid, 1967.

— *Libro de la infancia y muerte de Jesús (Libre dels tres Reys d'Orient).* Edición y estudios. CSIC, Madrid, 1965.

— *Vida de Santa María Egipciaca.* Estudios. Vocabulario. Edición de los textos. I, CSIC, Madrid, 1965. II, 1972.

— *El Becerro de Valbanera y el dialecto riojano del siglo XI,* en Archivo de Filología Aragonesa, IV, 1952, 153-184.

— *Una lección de Menéndez Pidal: Las dos ediciones del Poema de Yúçuf,* en Filología, XIII, 1968-69, 49-58.

— *Libro de Apolonio.* Estudios, ediciones, concordancias, 3 vols. Madrid, 1976.

ARLOTTO, ANTHONY: *Introduction to Historical Linguistics,* Boston, 1972.

ARMISTEAD, SAMUEL G.: *New Perspectives in Alfonsine Historiography,* en Romance Philology, XX, 1966, 204-217.

ARNOLD, H. H.: *Double function of the conjunction* **que** *and allies formes* en Hispania, XIII, 1930, 117-122.

ARRIGO BONA, MILEDDA C.: *Storia della lingua. Cenni di storia della lingua e grammatica storica spagnola,* Torino, 1965.

ARTILES, J.: *Los recursos literarios de Berceo,* Gredos, Madrid, 1964.

BACH, E.: *An introduction to Transformational Grammar,* New York, 1964.

BADIA MARGARIT, A.: *Los complementos pronominalo-adverbiales derivados de* **ibi** *e* **inde** *en la Península Ibérica,* Anejo XXXVIII de la RFE, Madrid, 1947.

— *El Subjuntivo de subordinación en las lenguas romances y especialmente en iberorrománico,* en RFE, XXXVII, 1953, 95-129.

— *Sobre* **ibi** *e* **inde** *en las lenguas de la Península Ibérica,* en RFE, XXXV, 1951, 62-74.

— *Ensayo de una sintaxis histórica de tiempos. I, El pretérito imperfecto de indicativo,* en BRAE, 1948, 281-300 y 393-400; 1949, 15-29.

— *La frase de la 'Primera Crónica General' en relación con sus fuentes latinas,* en RFE, XLII, 1958-59, 179-210.

— *La syntaxe historique de l'espagnol,* Communications et Rapports du Premier Congrés Intern. de Dialectologie Générale (Louvain Bruxelles, 1960), IX, Lovain, 1965, 192-195.

— *Dos tipos de lengua, cara a cara,* en Studia Philologica, Homenaje a D. Alonso, I, Madrid, 1960, 115-139.

— *Los 'Monumenta Germaniae Historica' y la 'Primera Crónica General' de Alfonso el Sabio,* en Strenae, Hom. a García Blanco, Salamanca, 1962, 69-75.

— *El gerundio de posterioridad,* en PFLE, II, Madrid, 1964, 287-296.

BAKER, A. J.: *Presupposition and types of clause,* en Mind, 1956, 368-378.

BASSOLS DE CLIMENT, M.: *Sintaxis latina, II.* CSIC, Madrid, 3.ª reimp. 1971.

BASTARDAS PARERA, J.: *El latín medieval hispánico,* en ELH, I, Madrid, 1959, 251-290.
— *Particularidades sintácticas del latín medieval (Cartularios españoles de los siglos VIII al XI),* CSIC, Barcelona, 1953.
BEBERFALL, L.: *The partitive indefinite construction in the Cid,* en Hispania, XXXV, 1952, 215-216.
BEINHAUER, WERNER: *El español coloquial,* Gredos, Madrid, 2.ª ed. 1968.
BEJARANO, VIRGILIO: *Sobre las dos formas del imperfecto de Subjuntivo y el empleo de la forma en -se con valor de Indicativo,* en Strenae, Estudios de Filología e Historia dedicados al profesor M. García Blanco, Salamanca, 1962, 77-86.
BELLO, A. y CUERVO, R. J.: *Gramática de la lengua castellana,* Buenos Aires, 7.ª ed., 1964.
BENNETT, CH. E.: *Syntax of Early Latin,* 2 vols., Boston, 1910 y 1914.
BENVENISTE, E.: *Problèmes de linguistique générale,* Gallimard, París, 1966.
— *Mécanismes de transposition,* en Cahiers F. de Saussure, 25, 1969 (Mélanges de linguistique offerts à H. Frei, t. I), 47-59.
BIDOIS, G. le et BIDOIS, R. le: *Syntaxe du français moderne (Ses fondements historiques et psychologiques),* 2 t., París, 2e. éd. 1968.
BIERWISCH, MANFRED: *On classifying features,* en Semantics. An interdisciplinary reader in philosophy, linguistics and psychology, Cambridge, 1971, 410-435.
BOER, C. DE: *Introduction à l'étude de la syntaxe du français,* París, 1933.
— *Morphologie et syntaxe,* en Cahiers F. de Saussure, 6, 1946-47, 5-25.
— *Syntaxe du français moderne,* Leiden, 1947 (n. éd. 1954).
BOGGS, R. S.; KASTEN, LL., KENISTON, H. y RICHARDSON, H. B.: *Tentative Dictionary of Medieval Spanish,* Chapell Hill, North Carolina, 1946.
BOLAÑO E ISLA, A.: *Manual de Historia de la lengua española,* Porrúa, México, 1971.
BOURCIEZ, E.: *Eléments de Linguistique romane,* París, 5e. éd. 1967.
BOUZET, J.: *Grammaire espagnole,* París, 1945.
— *Orígenes del empleo de* **estar.** *Ensayo de sintaxis histórica,* en EMP, IV, 1953, 37-58.
BOYSEN, G.: *L'emploi du subjonctif dans l'historie des langues romanes* en Bulletin des Jeunes Romanistes, Strasbourg, 13, 1966, 19-33.
BRANDAO, C.: *Sintaxe clássica portuguesa,* Belo Horizonte, 1963.
BREKLE, HERBERT, E.: *Generative Semantics vs. deep syntax,* en Studies

in Syntax and Semantics, Dordrecht-Holland, 1969, 80-90.
BRUNOT, F.: *La pensée et la langue (Méthode, principes et pland d'une théorie nouvelle du langage apliquée au français),* 3e. ed., París, 1965.
BRUNOT, F. et. BRUNEAU, C.: *Précis de Grammaire historique de la langue française,* París, 1969.
BUSTOS TOVAR, J. J.: *Contribución al estudio del cultismo léxico medieval,* Anejo XXVIII del BRAE, Madrid, 1974.
CARRILLO HERRERA, G.: *Estudios de sintaxis. Las oraciones subordinadas,* en BFUCh, XV, 1963, 165-221.
CASTRO, A.: *La realidad histórica de España,* México, 3.ª ed. 1962.
CATALÁN MENÉNDEZ-PIDAL, D.: *Crónicas generales y cantares de gesta.*
— *El Mío Cid de Alfonso X y el del pseudo Ben-Alfaray,* en Hispanic Review, XXXI, 1963, 195-215 y 291-306.
— *El taller historiográfico alfonsí. Métodos y problemas en el trabajo compilatorio,* en Romania, LXXXIV, 1963, 354-375.
— *De Alfonso X al conde de Barcelos* (Cuatro estudios sobre el nacimiento de la historiografía romance en Castilla y Portugal), Gredos, Madrid, 1962.
CECCHINI, M.: *Manual de Sintaxis española,* Napoli, 1968.
CEJADOR y FRAUCA, J.: *Vocabulario Medieval Castellano,* Madrid, 1929.
CIROT, G.: *Sur le 'Fernán González'. Le poème et la Chronique Générale,* en Bulletin Hispanique, XXXIII, 1931.
— *L'expressions dans Gonzalo de Berceo,* en RFE, IX, 1922, 156-170.
COHEN, M.: *Histoire d'une langue: le français* (Des lointaines à nos jours Paris, 3e. éd. 1967.
COLOMBO, A.: *I determinanti in italiano: un esperimento di grammatica generativa,* en Lingua e Stile, IV, 1969, 183-203.
CONTRERAS, HELES: *The Structure of the determiner in Spanish,* en Lingua, 44, 1968, 22-28.
CONTRERAS, L.: *Las oraciones condicionales,* en BFUCh, XV, 1963, 33-109.
— *El período causal hipotético con* si, BFUCh, XI, 1959, 353-359.
COROMINAS, J.: *Diccionario crítico etimológico de la lengua castellana,* Gredos, reimpresión, 1970
COSERIU, E.: *Teoría del lenguaje y lingüística general,* Gredos. 2.ª ed., Madrid, 1967.
— *Sincronía, diacronía e historia. El problema del cambio lingüístico,* reimpresión, Tübingen, 1969.
— *Coordinación latina y coordinación románica,* en Actas del III Con-

greso de Estudios Clásicos, Madrid, 1968, 35-57.
— *Pour une sémantique diachronique structurale,* en Tralili, 1964, 138-186.
COSTABILE, N.: *Le strutture della lingua italiana. Grammatica generativo-trasformativa,* Bologna, 1967.
COSTE, J. et REDONDO, A.: *Syntaxe de l'espagnol moderne,* París, 1965.
CREMASCHI, G.: *Cuida allo studio del latino medievale,* Padova, 1959.
CRESSEY, W. A.: *Relative Adverbs in Spanish: A transformational Analysis,* en Language 44, 1968, 487-500.
CRIADO DE VAL, M.: *Gramática española,* SAETA, Madrid, 1958.
— *Fisonomía del idioma español,* Aguilar, Madrid, 1945.
CROCETTI, C. G.: *La lingua di Gonzalo de Berceo,* en Studi Medievali, XV, 1942, 163-188.
CUERVO, R. J.: *Diccionario de construcción y régimen de la lengua castellana,* I y II, París, 1886-1893.
CHASCA, E. DE: *El arte juglaresco en el Cantar de Mio Cid,* Gredos, Madrid, 1967.
CHEVALIER, J.-CL.; BENVENISTE, CL.-V., ARRIVE, M., PEYTARD, J.: *Grammaire du français contemporain,* París, 4e. éd., 1968.
CHOMSKY, N.: *Syntactic structures,* The Hague, Mouton, 1957.
— *Aspectos de la teoría de la sintaxis,* trad. C. P. Otero, Aguilar, Madrid, 1970.
— *El lenguaje y el entendimiento,* trad. J. Ferraté, Seix Barral, Barcelona, 2.ª ed. 1971.
— *Deep structure, surface structure and semantic interpretation* en Semantics. An interdisciplinary..., 183-217.
— *A transformational approach to syntax,* en Fodor-Katz, *The Structure of Language; Readings in the Philosophy of Language,* 1964, 211-245.
DALBOR, J. B.: *Temporal distinctions in the Spanish subjunctive,* en Hispania, 52, 1969, 889-896.
DAUZAT: *L'expression de l'intensité par la comparaison,* en Le français moderne, XIII, 1945, 169-186.
DEVOTO, D.: *Introducción al estudio de Don Juan Manuel y en particular de 'El Conde Lucanor' (Una bibliografía);* Castalia, Madrid, 1972.
DEYERMOND, A. D.: *Epic poetry and the clergy: studies on the 'Mocedades de Rodrigo',* Thamesis Book Limited, London, 1969.
— *Historia de la literatura española. 1. La Edad Media,* Ariel, Barcelona, 1973.
DÍAZ Y DÍAZ, M.: *Rasgos lingüísticos del latín hispánico,* en ELH, I,

Madrid, 1959, 153-197.

DÍAZ TEJERA, A.: *Puntos de contacto entre Sintaxis y Semántica,* en RSEL, 1, 2, Madrid, 1971, 361-370.

DÍEZ, F.: *Grammaire des langues romanes, III.* 3e. éd., 1876.

DIK, SIMON C.: *Coordination: its implications for the theory of general linguistics,* North-Holland Publ. Co., Amsterdam, 1968.

DRAGANU, N.: *Storia della sintassi generale,* Bologna, 1970.

DUBLER, C. E.: *Fuentes árabes y bizantinas en la Primera Crónica General,* en V. Rom., 12, 1951-52, 120-180.

DUBOIS-CHARLIER, F.: *Eléments de linguistique anglaise: syntaxe,* Larousse, París, 1970.

— *Eléments de linguistique anglaise: la phrase complexe et les nominalisations,* Larousse, París, 1971.

DUBOIS, J.: *Grammaire structurale du français: la phrase et les transformations,* Larousse, París, 1969.

DUBOIS, J. et DUBOIS-CHARLIER, F.: *Eléments de linquistique française: syntaxe,* Larousse, París, 1970.

DUVIOLS, M. et VILLEGIER, J.: *Grammaire espagnole,* París, 1960.

ERNOUT, A., et THOMAS, F.: *Syntaxe latine,* Klincksieck, París, 2e. éd., 1964.

FEHR, A. J.: *Le pronom dit relatif,* en Le français moderne, XVIII, 1950, 259-260.

FELDMAN, D.: *Gramática empírica del español,* Madrid, 1976.

FERNÁNDEZ RAMÍREZ, S.: *Gramática española. Los sonidos, el nombre y el pronombre,* Rev. de Occd., Madrid, 1951.

— *Como si + Subjuntivo,* en RFE, 1937, 372-380.

FILLMORE, CHARLES J.: *The case for case,* en Emmon Bach and Robert T. Harms, *Universals in Linguistic Theory,* New York, 1968, 1-88.

FOULET, L.: *Petite syntaxe de l'ancien français,* 1958.

FOWLER, R.: *An introduction to Transformational Syntax,* Routtedge, London, 1971.

GAÍNZA, G.: *Notas a la clasificación de las proposiciones de A. Bello. La clasificación de los sintagmas oracionales como tarea de la sintaxis,* en Estudios Filológicos, 1965, 131-160.

GALMES DE FUENTES, ALVARO: *Influencias lingüísticas del árabe en la prosa medieval castellana,* en BRAE, XXXV, 1955, 213-275 y 415-451; XXXVI, 1956, 65-131 y 255-307.

GAMILLSCHEG, F.: *Historische französische Syntax,* 1957.

GARCÍA BERRIO, A.: *Bosquejo para una descripción de la frase compuesta en español,* Univ. de Murcia, 1970.

GARCÍA DE DIEGO, V.: *Gramática histórica española,* Grados, Madrid, 3.ª ed. 1970.

GARCÍA SOLALINDE, A.: *Estudio sobre la disputa del Alma y el Cuerpo,* en Hispanic Review, I, 1933, 196-207.

— *Fuentes de la 'General Estoria' de Alfonso el Sabio,* en RFE, XXI, 1934, 1-28; XXIII, 1936, 113-142.

— *Las versiones españolas del Roman de Troie,* en RFE, III, 1916, 121-165.

— *El juicio de Paris en el 'Alexandre' y en la 'General Estoria'*, RFE, XV, 1928, 1-51.

— *Intervención de Alfonso X en la redacción de sus obras,* en RFE, II, 283-288.

GARIANO, C.: *Análisis estilístico de los Milagros de Nuestra Señora de Berceo,* Gredos, Madrid, 1965.

GIFFORD, D.: *The debt of the 'Poema de Alfonso Onceno' to the 'Libro de Alexandre',* HR, 1947, 436-452.

GILI GAYA, S.: *Curso superior de Sintaxis española,* Barcelona, 9.ª ed., 1964.

— *Fonología del período asindético,* en EMP, I, 1950, 55-67.

GILMAN, S.: *Tiempos y formas temporales en el Poema del Cid,* Gredos, Madrid, 1961.

GONZÁLEZ LLUBERA, I.: *The Text and Language of Santob de Carrion*'s *'Proverbios Morales',* en HR, VIII, 1940, 113-124.

GOUGENHEIN, G.: *Les études de syntaxe,* París, 1935.

GRANDGENT, C. H.: *Introducción al latín vulgar,* CSIC, Madrid, 4.ª ed., 1970.

GREEN, JOHN N.: *Spanish Conditionals: Systems or rules?,* Archivum Linguisticum, III, 1972, 75-85.

GREIMAS, A. J.: *Comment définir les indéfinis?,* en Etudes de linguistique appliquée, 2, 1963, 110-125.

GROOT, A. W. DE,: *Structurele Syntaxis,* La Haya, 1949.

GROSS, M.: *Grammaire transformationnelle du français,* Larousse, París, 1968.

GROUSSAC, PAUL: *Le livre des 'Castigos e Documentos' attribué au roi D. Sanche IV,* en RH, XV, 1906, 212-339.

GUIRAUD, P.: *La grammaire,* PUF, París, 1958.

— Sintaxis del francés, trad., A. Artís, Barcelona, 1971.

HADLICH, ROGER L.: *A transformational grammar of Spanish,* New Jersey, 1971, Trad. española, Gredos, Madrid, 1973.

HANSSEN, F.: *Gramática histórica de la lengua castellana,* Ediciones Hispano-Americanas, París, 1966.

HARRIS, MARTIN: *The history of the conditional complex from latin to spanish: some structural considerations,* en Archivum Linguisticum, II, 1971, 25-33.

— *Systems or rules: A False dichotomy?,* Archivum Linguisticum, III, 1972, 86-93.

HERMAN, J.: *La formation du système roman des conjonctions de subordination,* Akademie-Verlag, Berlín, 1963.

HERNÁNDEZ ALONSO, CÉSAR: *Sintaxis española,* Valladolid, 1970.

— *El* ***que*** *español,* en RFE, L, 1967, 257-272.

HOCKETT, CHARLES F.: *Curso de lingüística moderna,* EUDEBA, Buenos Aires, 1971.

HOFMANN J. B.: *El latín familiar,* trad. J. Corominas, CSIC, Madrid, 1958.

HONSA, V.: *La extensión de la influencia francesa sobre la estructuctura del castellano medieval,* en Anuario de Estudios Medievales, Barcelona, 2, 1965, 497-504.

HUERTA TEJADAS, FÉLIX: *Vocabulario de las obras de Don Juan Manuel. (1282-1348),* en BRAE, XXXIV, 1954, 85-134, 285-310 y 413-451; XXXV, 1955, 85-132 y 277-294; XXXVI, 1956, 133-150.

JACOBS, RODERICK A. and ROSENBAUM, PETER S.: *English Transformational* Grammar, Waltham, Mass: Blaisdell, 1968.

JAKOBSON, E. and HALLE, M.: *Fundamentals of language,* The Hague, Mouton, 1956. (Trad. esp., Ciencia Nueva, Madrid, 1967).

JESPERSEN, OTTO: *A Modern English Grammar on historical principles,* Part. II, Syntax, vol I, 1914.

— *La syntaxe analytique,* Minuit, París, 1971.

— *La philosophie de la grammaire,* Minuir, París, 1971.

KANY, CHARLES E.: *Sintaxis hispanoamericana,* Gredos, Madrid, 1969.

KAY, MARTIN: *From Semantics to Syntax,* en *Progress in Linguistics,* edited by M. Bierwisch and K. Erich Heidolph, Mouton, the Hague-París, 1070, 114-126.

KENISTON, HAYWARD: *Spanish Syntax List,* Holt, New York, 1937.

— *The syntax of Castilian prose: the sixteenth century,* Univ. of Chicago Press, 1937.

— *The problem of historical syntax,* en Bulletin of Spanish Studies, VII, 1930, 168-172.

KING, ROBERT D.: *Historical linguistics and generative grammar,* New Jersey, 1969.

KOVACCI, O.: *Tendencias actuales de la Gramática,* Columba, Buenos

Aires, 1966.
— *Las proposiciones en español,* en Filología, XI, 1965, 23-39.
KUERSTEINER, ALBERT F.: *The use of the relative pronoun in the 'Rimado de Palacio',* en Revue Hispanique, XXIV, 1911, 46-70.
KUHNER, RAPHAEL: *Ausfürliche Grammatik der lateinicher Sprache,* II Band, Satzlehre, 2. Auflage, neubearbeitet von Carl Stegmann, Hannover, 1912.
KRESTSCHMANN, W.: *Die Kausalsätze und Kausalkonjunktionen in der altspanischen Literatursprache,* Hamburgo, 1936.
KRÜGER, F.: *El argentinismo 'es de lindo',* Madrid, 1960.
LAKOFF, GEORGE: *Irregularity in Syntax,* Holt. Rinehart and Winston, Inc., 1970.
— *La Linguistique.* Guide alphabetique. Sous la direction d'André Martinet, Denöel, París, 1969.
LAMÍQUIZ, V.: *El modo de la concesiva en español y francés,* Actas del XII Cong. de Ling. y Fil. Rom. Bucarest, 1970.
LANCHETAS, A.: *Gramática y vocabulario de las obras de G. de Berceo,* Madrid, 1900.
LAPESA, RAFAEL: *Historia de la lengua española,* Escelicer, Madrid, 7.ª ed., 1968.
— *Asturiano y provenzal en el Fuero de Avilés,* Salamanca, 1948.
— *Sobre la apócope de la vocal en castellano antiguo. Intento de explicación histórica,* en EMP, II, 1951, 185-226.
— *La obra literaria del Marqués de Santillana,* Insula, Madrid, 1957.
— *La lengua de la poesía lírica desde Macías hasta Villasandino,* en Romance Philology, VII, 1953, 51-59.
— *Sobre las construcciones 'El diablo del toro', 'El bueno de Minaya', '¡Ay de mí!', '¡Pobre de Juan!', 'Por malos de pecados',* en Filología, VIII, 1962, 169-184.
— *Los casos latinos: restos sintácticos y sustitutos en español,*en BRAE, XLIV, 1964, 57-105.
— *La lengua de la poesía épica en los cantares de gesta y en el Romancero viejo,* en Anuario de Letras, México, IV, 1964 (Recogido en *De la Edad Media a nuestros días,* Gredos, Madrid, 1967).
— *Evolución sintáctica y forma lingüística interior en español,* en Actas del XI Cong. Intern. de Ling. y Fil. Románicas (1965), CSIC, Madrid, 1968, 131-150.
— *Sobre problemas y métodos de una sintaxis histórica,* en Homenaje a X. Zubiri, II, Madrid, 1970, 201-213.
LAVANDERA, BEATRIZ R.: *La forma 'que' del español y su contribución al mensaje,* en RFE, LIV, 1971, 13-36.

LAZARO CARRETER, F.: *Diccionario de términos filológicos,* Gredos, Madrid, 3.ª ed. 1968.

— *Problemas de terminología gramatical,* en PFLE, II, 383-392.

— *Sobre el 'modus interpretandi' alfonsí,* en Iberida, Río de Janeiro, núm. 6, 1961, 97-114. (Incluido en *Cómo se comenta un texto literario,* Anaya, Madrid, reimpresión, 1968).

— *Los amores de don Melón y doña Endrina,* en Arbor, XXIII, 1951, 210-236.

— *Transformaciones nominales y diccionario,* en REL, 1, 2, 1971, 371-379.

— *Sintaxis y Semántica,* en RSEL, 4, 1, 1974, 61-85.

— *El problema del artículo en español: una lanza por Bello,* en Homenaje a la memoria de Don A. Rodríguez Moñino, Castalia, Madrid, 1975, 347-371.

LENZ, R.: *La oración y sus partes (Estudios de gramática general y castellana),* Santiago de Chile, 4.ª ed., 1944.

LEPSCHY, G. C.: *La linguistique structurale,* 2.ª éd., Payot, París, 1969.

LERCH, EUGEN: *Historische französische Syntax.* II Band, Untergeordnele Sätze und unterordnende Konjunktionen. Leipzig, 1929.

LIDA DE MALKIEL, M.ª ROSA: *Juan de Mena, poeta del prerrenacimiento español,* Publicaciones de la NRFH, México, 1950.

— *Tres notas sobre don Juan Manuel,* en Romance Philology, IV, 1950-51, 155-194.

— *Notas para el texto de Alexandre y para las fuentes de Fernán González,* RFH, VII, 1945.

— *Notas para la interpretación, influencia, fuentes y texto del Libro de Buen Amor,* RFH, II, 1940, 105-150.

— *Nuevas notas sobre el Libro de Buen Amor,* en NRFH, XIII, 1959, 17-82.

— *La 'General Estoria': notas literarias y filológicas,* en Romance Philology, XII, 1958, 111-142; XIII, 1959, 30.

— *Dos obras maestras españolas. El Libro de Buen Amor y la Celestina.* Buenos Aires, 1966.

LILES, BRUCE L.: *An introductory transformational grammar,* New Jersey, 1971.

LÖFSTEDT, E.: *Syntactica. Studien und Beiträge zur historischen Syntax des Lateins.* I, Lund, 2.ª ed. 1942. II, Lund, 1933.

— *Philologischer Kommentar zur Peregrinatio Aetheriae,* Uppsala, 1911.

— *Late latin,* Oslo, 1959.

LOPE BLANCH, J. M.: *La expresión temporal en Berceo,* NRFH, X, 1956, 36-41.

— *El infinitivo temporal durante la Edad Media*, en NRFH, XI, 1957, 285-312.

— *Algunos usos de indicativo por subjuntivo en oraciones subordinadas*, en NRFH, XII, 1958, 383-385.

— *Sobre la oración gramatical (En torno al Curso de Sintaxis de Gili Gaya)*, en NRFH, XVI, 1962, 416-422.

LÓPEZ ESTRADA, F.:*Introducción a la literatura medieval española*, Gredos, Madrid, 3.ª ed. 1970.

LYONS, J.: *Introducción en la lingüística teórica*, versión esp. de R. Cerdá, Teide, Barcelona, 1971.

LLORENS, E. L.: *La negación en español antiguo*, Madrid, 1929.

LLORENTE MALDONADO, A.:*Teoría de la lengua e historia de la lingüística*, Alcalá, Madrid, 1967.

MARCOS MARÍN, F.: *Aproximación a la gramática española*, Cincel, Madrid, 1972, 3.ª ed. corregida, 1975.

MARINER BIGORRA, S.: *Sintaxis de la lengua y sintaxis de la norma*, en *Problemas y métodos del estructuralismo lingüístico*, CSIC, Madrid, 1967, 135-147.

— *Triple noción básica en la categoría modal castellana*, en RFE, LIV, 1971, 209-252.

MARTINET, A.: *Eléments de linguistique générale*, A. Colin, París, 2.ª ed. 1968.

— *L'autonomie syntaxique*, en *Méthodes de la grammaire. Tradition et nouveauté*, París, 1966, pp. 49 y ss.

MEIER, H.: *Futuro y futuridad*, en RFE, 1965, 61-77.

MEILLET, A.: *Linguistique historique et linguistique générale*, París, Champion-Klincksieck, I, 1921; II, 1936.

MENDELOFF, H.: *The Evolution of the Conditional Sentence Contrary to Fact in Old Spanish*, Washington, 1960.

— *A note on the affirmative commands in old Spanish*, en Philologica Quarterly, 44, 1965, 110-113.

MENÉNDEZ PIDAL, GONZALO: *Cómo trabajaron las escuelas alfonsíes*, en NRFH, V, 1951, 363-380.

MENÉNDEZ PIDAL, RAMÓN: *Poesía árabe y poesía europea*, Madrid, 4.ª ed., 1955.

— *De primitiva lírica española y antigua épica*, Madrid, 2.ª ed., 1968.

— *Textos medievales españoles*, ediciones críticas y estudios, Madrid, 1976.

— *Poesía juglaresca y orígenes de las literaturas románicas*, Madrid, 6.ª ed. 1957.

— *Tres poetas primitivos (Elena y María. Roncesvalles. Historia troyana polimétrica)*, Madrid, 3.ª ed. 1968.

— *En torno al Poema del Cid*, EDHASA, Barcelona, 2.ª ed. 1964.

— *Manuel de Gramática histórica española*, Madrid, 12 ed. 1966.

— *Orígenes del español (Estado lingüístico de la Península Ibérica hasta el siglo XI)*, Madrid, 5.ª ed. 1964.

— *Estudios literarios*, Madrid, 9.ª ed. 1968.

— *Cantar de Mio Cid. Texto, gramática y vocabulario.* 3 vols., Madrid, 4.ª ed. 1964.

MERLO, F.: *La congiunzione se e il sistema semantico dei periodi avverbiali*, Romanische Forschungen, 69, 1973, 273-304.

MEYER-LÜBKE, W.: *Grammaire des langues romanes. T. III: Syntaxe.* Trad. par A. Doutrepont et C. Doutrepont, París, 1900.

MEYER-LÜBKE, W.: *Romanisches Etymologisches Wörterbuch*, Heidelberg, 3.ª ed., 1935.

— *Introducción a la Lingüística románica*, versión de A. Castro, CSIC, Anejo I de la RFE, 1926.

MICHEL, IAN: *Estado general de los estudios sobre el 'Libro de Alexandre'*, en Anuario de Estudios Medievales, II, 1965, 581-595.

— *The treatment of classical material in the 'Libro de Alexandre'*, Manchester University Press, 1970.

MICHELENA, L.: *Gramática generativa y lingüística histórica*, en RSEL, 1, 2, 1971, 211-233.

MIGNANI, R.: *Le due redazioni del Libro de Buen Amor*, en Quaderni Ibero-Americani, Torino, 5, 1969-70, 1-7.

MOIGNET, GÉRARD: *Grammaire de l'ancien français*, Klincksieck, 1973.

MOLL, F. DE B.: *Gramática histórica catalana*, Gredos, Madrid, 1952.

MONDÉJAR, J.: *La expresión de la condicionalidad en español*, en RFE, XLIX, 1966, 229-254.

MONTGOMERY, THOMAS: *Narrativa Tense in the Mío Cid*, en Romance Philology, XXI, 1968, 253-274.

MORREALE, MARGHERITA: *Aspectos gramaticales y estilísticos del número*, en BRAE, LI, 1971, 83-138 y LIII, 1972, 99-205.

MOZOS, SANTIAGO DE LOS: *El gerundio preposicional*, Univ. de Salamanca, 197.

NAVAS RUIZ, R.: *Ser y estar. Estudio sobre el sistema atributivo español*, Acta Salmanticensia, Salamanca, 1963.

NAVAS UIZ, R.: *Bibliografía crítica sobre el subjuntivo español*, en Actas del XII Congr. Intern. de Ling. y Fil. Románicas (1968), IV, Madrid, 1970, 1823-1840.

New Horizons in Linguistics, Edited by J. Lyons, Penguin Books, 1970.

NORBERG, D.: *Beiträge zur Spätlateinischen Syntax*, Uppsala, 1944.

— *Syntaktische Forschungen,* Uppsala, 1943.
— *Manuel pratique de latin médieval,* París, 1968.
NORTHUP, GEORGE TYLER: *La 'Gran Conquista de Ultramar' and its problems,* Hispanic Review, II, 1934, 287-302.
NYKL, A. R.: *Arabic phrases in 'El Conde Lucanor',* en Hispanic Review, X, 1944, 12-17.
NYROP, KR.: *Grammaire historique de la langue française,* 6 vols., 1899-1930. T. VI: *Syntaxe.*
OELSCHLÄGER, VICTOR R. B.: *A Medieval Spanish Word-List. A preliminary dated vocabulary of first appearances up to Berceo,* Univ. of Wisconsin, Madison, 1940.
OLIVER ASIN, J.: *Iniciación al estudio de la Historia de la lengua española,* Madrid, 6.ª ed., 1941.
PANFILOV, V. Z.: *Gramática y lógica (Articulación gramatical y lógico-gramatical de la oración simple),* trad. E. Fisher, Paidós, Buenos Aires, 1972.
PAOLI, UGO ENRICO-LASINO, ERNESTO: *Manuale di Sintassi Latina,* Firenze, terza edizione, 1957.
PARIS, GASTON: *La 'Chanson d'Antioche' provençale et 'La Gran Conquista de Ultramar',* en Romania, XVII, 1888, 513-541; XIX, 1890, 562-591; XXII, 1893, 345-363.
PELLEGRINI, G. B.: *Grammatica storica spagnola,* Bari, 1950.
PÉREZ-RIOJA, J. A.: *Gramática de la lengua española,* Tecnos, Madrid, 4.ª ed., 1961.
PICCARDO, L. J.: *El concepto de oración,* Montevideo, 1954.
PLATT, JOHN T.: *Grammatical form and grammatical meaning (A tagmemic view of Fillmore's deep),* Amsterdam-London, 1971.
POLO, J.: *Las oraciones condicionales en español (Ensayo de teoría gramatical),* Univ. de Granada, Col. Filológica, XXVI, 1971.
PORTO DAPENA, JOSÉ-ALVARO: *A propósito de los grados del adjetivo. Aportación al estudio del sistema de cuantificación en el adjetivo español,* en Thesaurus, Bol. del Inst. Caro y Cuervo, XXVIII, 1973.
POTTIER, B.: *Sémantique et syntaxe,*TraLiLi, 1966, 399-401.
— *Systématique des éléments de relation. Etude de morphosyntaxe structurale romane,* Klincksieck, París, 1962.
— *Lingïstica moderna y Filología hispánica,* Gredos, Madrid, 1968.
— *Introduction à l'étude des structures grammaticales fondamentales,* Nancy, 5ᵉ. éd,, 1969.
— *Introduction à l'etude de la morphosyntaxe espagnole,* París, 3ᵉ. éd., 1964.

— *Grammaire de l'espagnol,* PUF, París, 1969 (Hay trad. esp. de A. Quilis, Alcalá, Madrid, 1970. Vid. J. Fernández-Sevilla, «Apriorismo, realidad, gramática», en Thesaurus, XXVI, 1971).

RALUY POUDEVIDA, A.: *Historia de la lengua castellana,* Porrúa, México, 1962.

REAL ACADEMIA ESPAÑOLA: *Gramática de la lengua española,* Espasa-Calpe, Madrid, última ed. 1962.

— *Esbozo de una nueva gramática de la lengua española,* Espasa-Calpe, Madrid, 1973.

— *Diccionario histórico de la lengua española,* fasc. 1-9, Madrid, 1960 y sigs.

REGULA, M.: *Contributions variées à la linguistique espagnole,* en Actas del XI Congr. Intern. de Ling. y Fil. Románicas, IV, Madrid, 1968, 1853-1863.

RICO, F.: *Las letras latinas del siglo XII en Galicia, León y Castilla,* en Abaco 2, Castalia, Madrid, 9-93.

— *Alfonso el Sabio y la 'General Estoria',* Ariel, Barcelona, 1972.

RICHTHOFEN, ERICH VON: *Estudios épicos medievales,* Gredos, Madrid.

— Nuevos estudios épicos medievales, Gredos, Madrid.

RIVAROLA, J. L.: *Las conjunciones concesivas en español medieval y clásico.* Tübingen, 1976.

RIVERO, Mª LUISA: *The Spanish Quantifiers,* Univ. de Rochester, 1970.

— *On conditional in Spanish,* en Generative studies in romance languages, Mass., Newbury House, 1972, 196-214.

ROBERTS, P.: *English Syntax,* New York, 1964.

ROBINS, R. H.: *Lingüística general (Estudio introductorio),* versión esp. de P. Gómez Bedate, Gredos, Madrid, 1971.

ROCA PONS, J.: *Introducción a la Gramática,* Vergara, Barcelona, reimpresión, 1967.

RODRÍGUEZ ADRADOS, F.: *Lingüística estructural,* Gredos, Madrid, 1969.

— *Rasgos semánticos, rasgos gramaticales y rasgos sintácticos,* en RSEL, 2, 2, 1972, 249-258.

RODRÍGUEZ-MOÑINO, A.: *El primer manuscrito del 'Amadís de Gaula' (noticia bibliográfica),* en BRAE, XXXVI, 1956, 199-216.

ROHLFS, G.: *Manual de Filología hispánica. Guía bibliográfica, crítica y metódica,* Publics. del Inst. Caro y Cuervo, Bogotá, 1957.

RUDOLPH, ELISABETH: *Das finale Satzgefüge als Informations Romplex. Analysen aus der spanischen Literatursprache,* Tübingen, 1973.

RUWET, N.: *Théorie syntaxique et syntaxe du français,* Seuil, París,

1972.
— *Introduction à lá grammaire générative,* Plon, Paris, 1970.
RYNELL, ALARIK: *Parataxis and hypotaxis as a criterion of Syntax and Style. Especially in old english poetry,* Lund, 1952.
SÁEZ, E.; GIBERT, R.; ALVAR, M., Y RUIZ-ZORRILLA, A.: *Los Fueros de Sepúlveda. Edición y estudio,* Publics. Históricas de la Excma. Diputación Provincial de Segovia, Segovia, 1953.
SÁNCHEZ MÁRQUEZ, M. J.: *Gramática moderna del español,* Buenos Aires, 1972.
SÁNCHEZ DE ZAVALA, V.: *Semántica y sintaxis en la lingüística transformatoria 1.* Compilación de..., Alianza Edit., Madrid, 1974. Vol. 2, 1976.
SANDFELD, KR.: *Syntaxe du français contemporain. Les propositions subordonnées,* Droz, Genève, 1965.
SANDMANN, M.: *Subordination and Coordination,* en Archivum Linguisticum, 1950, 24-38.
SAUSSURE, F. DE: *Curso de lingüística general,* trad. A. Alonso, Losada, Buenos Aires, 5.ª ed., 1965.
SCHMALZ, J. H., Y HOFMANN, J. B.: *Lateinische Syntax und Stylistik,* (Neubearbeitet von A. Szantyr), Munich, 1964.
SCHMITT JENSEM, J.: *Subjonctif et hypotaxe en italien.* Odense Univ. Press, 1970.
SCHOLBERG, K. R.: *The Structure of the Caballero Cifar,* en Modern Language Notes, LXXIX, 1964, 113-124.
SCHULTZ, H.: *Das Modale Satzgefüge im Altspanischem,* Jena, 1937.
SECO, M.: *Gramática esencial del español,* Aguilar, Madrid, 1972.
SECO, R.: *Manual de Gramática española,* Aguilar, Madrid, 6.ª ed., 1963.
SECHEHAYE, A.: *Essai sur la structure logique de la phrase,* Champion, París, 1950.
SILVA DIAS, A. E. DA: *Sintaxe histórica portuguêsa,* Livr. Clássica, Lisboa, 1918.
SNEYDERS DE VOGEL, K.: *Les mots d'identité et d'égalité dans les langues romanes,* Wageningen, 1947.
— *Syntaxe historique du français,* 2ᵉ. éd., La Haye, 1927.
SPITZER, L.: *Lingüística e historia literaria,* Gredos, Madrid, 2.ª ed., 1968.
— *Notas sintáctico-estilísticas a propósito del español **que***, en RFH, IV, 1942, 105-126 y 253-265.
STOCKWELL, R. P.; BOWEN, J. DONALD, Y MARTIN, JOHN W.: *The grammatical structures of English and Spanish,* Chicago, 1965.

STRECKER, KARL: *Introduction à l'étude du latin médiéval,* trad. de P. van de Woestijne, 3e. éd., Lille-Genève, 1948.

TEKAVČIĆ, PAVAO: *Grammatica storica dell'italiano. Vol II.: Morfosintassi,* Bologna, 1972.

TESNIERE, LUCIEN: *Esquisse d'une syntaxe structurale,* París, 1953.

— *Eléments de Syntaxe structurale,* Klincksieck, 2e. éd., París, 1969.

TOGEBY, KNUD: *Les pronoms interrogatifs-relatifs et les conjonctions de subordination,* en Méthodes de la grammaire. Tradition et nouveauté, París, 1966.

TOVAR, A.: *Gramática histórica latina. Sintaxis.* Madrid, 1946.

TRUJILLO, R.: *Gramática, lexicología y semántica,* en RSEL, 2, 1, 1972, 103-109.

UITTI, K.: *Remarques sur la linguistique historique,* en Romaniche Forschungen, 81, 1969, 1-21.

VÄÄNÄNEN, VEIKKO: *Introducción al latín vulgar,* versión esp. de M. Carrión, Gredos, Madrid, reimp. 1971.

VALIN, R.: *Esquisse d'une théorie des degrès de comparaison,* en Cahiers de linguistique structurale, 2, Québec, 1952.

VALLEJO, J.: *Notas sobre la expresión concesiva,* en RFE, IX, 1922, 40-51.

— *Sobre un aspecto estilístico de Don Juan Manuel. Notas para la historia de la sintaxis española,* en HMP, II, Madrid, 1925. 63-85.

VARVARO, ALBERTO: *Filologia Spagnola Medioevale,* Liguori, Napoli, I, Linguistica, 1965; II, letteratura, 1969; III, Antologia, 1971.

— *Lo stato originale del Ms. G del Libro de Buen Amor,* en Romance Philology, 23, 1969-70, 549-556.

VERDÍN-DÍAZ, GUILLERMO: *Introducción al estilo indirecto libre en español,* Anejo XCI de la RFE, Madrid, 1970.

WAAR, A. DE: *Causalité, conséquence et finalité. Les moyens d'expression de ces relations dans les chroniques de Villehardouin, de Joinville, de Froissart et de Commynes.* Amsterdam, 1933.

WAGNER, R. L.: *Les phrases hypothétiques commençant par si,* Droz, París, 1939.

WAGNER, R. L., Y PINCHON, J.: *Grammaire du français classique et moderne,* Hachette, París, 2e. éd., 1962.

WARTBURG, W. VON (avec la collaboration de S. ULLMANN): *Problèmes et méthodes de la linguistique,* PUF, Paris, 3e. éd., 1969 (Trad. esp. de D. Alonso y E. Lorenzo, CSIC, Madrid, 1951).

WARTBURG, V. VON: *Evolution et structure de la langue française,* Hay trad. esp., Gredos, Madrid, 1966.

WARTBURG, W. VON, Y ZUMTHOR, P.: *Précis de syntaxe du français contemporain,* Francke, Berne, 2e. éd., 1958.

WEBER DE KURLAT, F.: *Notas para la cronología y composición literaria de las Vidas de Santos de Berceo,* NRFH, XV, 1961, 113-130.
ZAUNER, ADOLF: *Altspanisches Elementarbuch,* Heidelberg, 1907.
ZEITER, B.: *La yuxtaposición,* BFUCh, XIX, 1967, 289-295.

INDICE

Pág.

0. Introducción 9
Notas 18
Nómina de textos 19

1. Consecutivas de intensidad 25
1.1. Generalidades 27
1.2. *Tal, -es* 38
1.3. *Tanto, -a, -os, -as* 65
1.4. *Tanto* 87
1.5. *Tan* 102
1.6. *Tamaño* 117
1.7. Realizaciones especiales 120
1.7.1. Supresión de *que* 120
1.7.2. Anteposición de la consecutiva 130
1.7.3. *Que* sin antecedente 135

1.8. Oraciones híbridas 144
1.8.1. Concepto 144
1.8.2. Temporal-consecutivas 145
1.8.3. Causal-consecutivas 150
1.8.4. Relativas consecutivas 152
1.8.5. Final-consecutivas 153

1.9. Uso de modos y tiempos 155
1.10. Consideración final 166

Notas 180

Pág.

2. Consecutivas de manera 213

2.1. Generalidades 215
2.2. *Prep.* + {*GUISA, MANERA*}... *QUE* + *Indicat.* .. 217
2.3. *Prep.* + { *GUISA, MANERA* } + *QUE* + *Indicat.* . 221
2.4. Los nexos de manera con Subjuntivo 238
2.4.1. *Prep.* + {*GUISA, MANERA*}... *QUE* + *Subjuntivo* 238
2.4.2. *Prep.* + {*GUISA, MANERA*} + *QUE* + + *Subjuntivo* 240
2.5. Recapitulación 247

Notas 252

3. Consecutivas de intensidad-manera 259
3.1. Generalidades 261
3.2. *Prep.* + *TAL* + { *GUISA, MANERA* }... *QUE* + *Indicativo* 262
3.3. *Prep.* + *TAL* + {*GUISA, MANERA*} + *QUE* + *Indicativo* 265
3.4. *Prep.* + *TAL* + {*GUISA, MANERA*}... *QUE* + + *Subjuntivo* 269
3.5. *Prep.* + *TAL* + {*GUISA, MANERA*} + *QUE* + + *Subjuntivo* 273
3.6. Recapitulación 275

Notas 277

4. *Así que* 279

4.1. Introducción 281
4.2. *Así... QUE* + *Indicativo* 286
4.3. *Así que* + *Indicativo* 289
4.4. El uso del Subjuntivo 297
4.5. *Así* junto a adjetivos y participios 299
4.6. Construcciones híbridas 303

Notas 308

Pág.

5. Partículas y locuciones ilativas 313

5.1. Introducción 315
5.2. *Onde* 318
5.3. *Por ende* 326
5.4. *Por tanto* 332
5.5. Recapitulación 340

Notas 345

6. *Apéndice:* Oraciones consecutivas hipotéticas 355

Notas 366

7. Conclusiones 369

8. Bibliografía 385

9. Indice 403